R

LES INFIRMIÈRES DE NOTRE-DAME

Catalogage avant publication de Bibliothèque et Archives nationales
du Québec et Bibliothèque et Archives Canada
Pion, Marylène, 1973-
Les infirmières de Notre-Dame
Sommaire : t. 2. Simone.
ISBN 978-2-89585-265-0 (v. 2)
I. Titre. II. Titre : Simone.
PS8631.I62I53 2013   C843'.6   C2012-942617-2
PS9631.I62I53 2013

Les Éditeurs réunis bénéficient du soutien financier de la SODEC
et du Programme de crédit d'impôt du gouvernement du Québec.

Nous remercions le Conseil des Arts du Canada
de l'aide accordée à notre programme de publication.

Nous reconnaissons l'aide financière du gouvernement du Canada
par l'entremise du Fonds du livre du Canada pour nos activités d'édition.

Édition :
LES ÉDITEURS RÉUNIS
www.lesediteursreunis.com

Distribution au Canada :   *Distribution en Europe :*
PROLOGUE   DNM
www.prologue.ca   www.librairieduquebec.fr

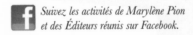
*Suivez les activités de Marylène Pion
et des Éditeurs réunis sur Facebook.*

Imprimé au Canada

Dépôt légal : 2013
Bibliothèque et Archives nationales du Québec
Bibliothèque nationale du Canada
Bibliothèque nationale de France

MARYLÈNE PION

LES INFIRMIÈRES DE NOTRE-DAME

★ ★

Simone

LES ÉDITEURS RÉUNIS

À mon Félix.

1

Simone se laissa tomber en position assise sur son lit et poussa un soupir en regardant sa valise ouverte. Elle avait envie d'en retirer tous les vêtements qu'elle avait choisis pour son séjour chez Flavie et de les remettre dans l'armoire. La jeune femme avait le goût d'annuler les quelques jours de vacances qu'elle avait compté s'offrir avant le début des cours. Flavie penserait sûrement que son amie avait décidé de se remettre à jour avant la rentrée. Simone était la seule à connaître la raison qui la poussait à vouloir rester à Montréal – elle ne s'était confiée à personne. L'idée de se retrouver chez Flavie, accueillie comme un membre à part entière du clan Prévost, lui ramenait à l'esprit combien elle se sentait indésirable dans sa propre famille. Flavie avait beaucoup de chance d'avoir grandi dans un milieu comme le sien. Récemment, cette dernière avait appris que celui qu'elle croyait être son parrain était en fait son père biologique. «C'est presque un conte de fées, la vie de Flavie» avait pensé Simone en apprenant le fin mot de l'histoire : sa mère lui avait caché pendant toutes ses années que l'ami proche de la famille était son véritable père.

Simone avait rêvé pendant longtemps semblable dénouement pour sa propre existence. Pourquoi n'aurait-elle pas eu, elle aussi, un oncle éloigné et fortuné qui l'aurait prise sous son aile ? Mais il en avait été tout autrement. Lorsqu'elle avait perdu en bas âge ses parents, son oncle Albert et sa tante Henrélie l'avaient recueillie. Elle n'avait jamais manqué de rien dans cette nouvelle famille. Elle avait dû travailler à la ferme en plus de poursuivre ses études pour devenir institutrice. Sa tante n'avait jamais compris ce besoin d'en apprendre davantage. Elle lui répétait sans cesse : « À quoi ça va te servir d'en savoir autant, veux-tu bien me le dire ? Quand tu seras mariée et qu'une dizaine de marmots s'accrocheront à tes jupes, ce que tu auras appris dans les livres ne te servira à rien, ma fille ! » Simone ne s'était jamais laissée décourager, bien au contraire. Le peu d'encouragements qu'elle avait reçus l'avaient poussée encore plus à vouloir obtenir son diplôme d'enseignante de l'École normale. Elle avait eu la ferme intention de réussir pour pouvoir quitter ce maudit village.

Simone avait été fiancée à Alphonse Boucher, un cultivateur de Saint-Calixte. Elle s'était rapidement rendu compte qu'elle ne pourrait se conformer « au moule de la femme » conditionné par la société. Devant toutes les exigences du mariage qui incombent à la femme – le devoir d'obéir inconditionnellement à son mari, l'abandon de son travail pour s'occuper du foyer familial et, ainsi, la perte de son indépendance et surtout, le fait de devenir une « pondeuse d'enfants » –, la jeune femme avait décidé de rompre ses fiançailles. Elle avait quitté son poste d'enseignante et était partie sur-le-champ pour Montréal afin de s'inscrire à l'école d'infirmières de l'hôpital Notre-Dame. Ce dernier était l'un des hôpitaux les plus modernes en Amérique du Nord, et demeurait le seul établissement laïque. Les Sœurs grises y étaient encore présentes en grand nombre pour enseigner certaines matières et pour prodiguer des soins aux patients, mais le réel pouvoir appartenait désormais au conseil d'administration de l'hôpital dirigé par les médecins de l'Université de Montréal.

Simone n'avait pas regretté un seul instant son départ pour Montréal. En fuyant son fiancé, elle s'était éloignée en même temps de son oncle et sa tante. Elle avait toujours su qu'elle n'était pas désirée dans cette famille. Sa tante lui avait souvent dit qu'elle l'avait prise en charge par obligation, parce que cela ne se faisait pas d'abandonner un enfant. Simone avait pensé pendant longtemps qu'il aurait peut-être mieux valu qu'Albert et Henrélie la laissent à l'orphelinat. «Au moins, quelqu'un qui désirait vraiment un enfant aurait pu m'adopter. Et si j'étais restée à l'orphelinat, j'aurais été entourée d'amies.» Au lieu de cela, elle avait grandi en enfant unique auprès d'une tante acariâtre et d'un oncle qui, selon cette dernière, levait un peu trop le coude. Pendant toutes ces années, Simone s'était forgé une carapace. À première vue, ce qui aurait pu passer pour de la froideur et un certain snobisme était sa façon à elle de ne s'attacher à personne afin d'éviter de souffrir. Elle avait toujours éprouvé une certaine difficulté à se faire des amies, préférant se réfugier dans les livres. Il en avait été autrement à son arrivée à Montréal. Rapidement, elle avait noué une amitié avec Flavie Prévost qu'elle avait rencontrée dès le premier jour. Flavie lui avait aussitôt plu. Tout comme elle, la jeune femme venait d'un petit village et l'effervescence de la ville l'émerveillait. La curiosité et la naïveté de son amie l'avaient captivée. Flavie lui avait permis de croire que le monde n'était pas foncièrement mauvais et qu'il était encore possible pour elle d'être heureuse.

Simone avait aussi fait la connaissance d'Évelina Richer, une jeune femme fort différente de Flavie et à l'opposé d'elle-même. Évelina avait toujours habité en ville, et Montréal n'avait aucun secret pour elle. Évelina aimait séduire et contester l'autorité. Évelina avait du cran et elle n'avait pas peur d'émettre ses opinions. Elle avait été convoquée à quelques reprises au bureau de sœur Désilets, la sœur grise responsable de leur groupe – qu'elle avait rapidement rebaptisée «sœur Désuète». Comme bien d'autres, sœur Désilets persistait à croire que le métier d'infirmière devrait être strictement réservé aux religieuses.

Simone pensait autrement; le temps des «bonnes sœurs» était révolu, alors les temps modernes devaient donner plus de place aux femmes.

Malgré leurs différences, les trois amies – qui partageaient la même chambre – s'étaient rapidement liées d'amitié. Parcourant la pièce du regard, Simone sourit en repensant aux beaux moments qu'elles avaient passés dans cette chambre. Elle attendait impatiemment la reprise des cours; le trio serait alors de nouveau réuni. Flavie avait invité Simone et Évelina à venir passer quelques jours chez elle à La Prairie avant la rentrée. Évelina se réjouissait à cette idée. Pour sa part, Simone n'était pas certaine de pouvoir supporter de se retrouver à La Prairie chez Flavie, entourée de la famille de celle-ci: son frère Antoine, sa mère et sa grand-mère. Les liens familiaux étroits et chaleureux de son amie rappelaient trop cruellement à la jeune femme qu'elle n'avait rien connu de tel.

Flavie avait insisté lors de son dernier appel en lui disant que Clément se ferait un plaisir de les conduire, Évelina et elle, à La Prairie. «Tu as bien le droit de te reposer un peu; tu as travaillé à l'hôpital tout l'été. Accorde-toi donc quelques journées de congé avant que l'école recommence», lui avait suggéré Flavie. Celle-ci n'avait pas tout à fait tort. Simone avait travaillé d'arrache-pied auprès des patients comme volontaire, sous la supervision de Suzelle Pelletier, une nouvelle garde diplômée qui avait profité de son statut pour lui reléguer les tâches les plus harassantes. Cette dernière l'avait traitée comme une vulgaire domestique. Simone s'était juré qu'elle n'agirait jamais ainsi quand elle-même serait infirmière. Les étudiantes avaient autant droit au respect que les gardes diplômées.

Simone poussa un soupir en tentant de retenir ses larmes. «Je ne sais plus où j'en suis, et je ne crois vraiment pas que de partir pour La Prairie réglera ce qui me tracasse.» Elle allait retirer ses vêtements de la valise quand Évelina fit soudainement irruption dans la chambre.

— Quoi? Ta valise n'est pas encore prête? Qu'attends-tu, Simone Lafond? Va-t-il falloir que je m'en occupe? la gronda Évelina, les mains sur les hanches. Clément va nous attendre.

— Sais-tu, Évelina, j'ai réfléchi et...

Évelina leva la main.

— Tu as réfléchi et tu t'es dit que tu pourrais rester enfermée ici et relire inlassablement tes notes de cours. *No way!* On a besoin de vacances.

— Je pourrais très bien me reposer ici avant la reprise des classes.

— Flavie nous attend. Elle serait tellement déçue si tu ne venais pas.

Simone poussa un soupir. Évelina avait décidé de toucher sa corde sensible pour la convaincre d'aller à La Prairie. Simone aurait aimé expliquer à sa compagne que le fait de se retrouver dans une famille aimante et chaleureuse lui rappelait le fait qu'elle avait grandi seule sans se sentir le moindrement aimée. Elle aurait voulu lui confier qu'elle n'était pas certaine d'être à sa place à l'hôpital Notre-Dame. Simone s'était toujours montrée forte, mais depuis quelques semaines, elle avait envie de s'apitoyer sur son sort. Mais elle n'en voulait pas à Évelina de la secouer un peu, car elle en avait grandement besoin.

Simone ne comprenait pas ce qui lui arrivait. Depuis le début de ses études, elle obtenait de bons résultats scolaires et elle aimait s'occuper des patients. Malgré tout, dernièrement, elle remettait en question sa formation d'infirmière. Les derniers jours passés avec Suzelle n'avaient guère contribué à lui donner confiance en elle-même. Suzelle se plaisait à la rabrouer et à lui faire sentir qu'elle ne valait pas grand-chose comparativement à une «vraie infirmière diplômée». Simone avait aussi réalisé que, dans ce métier, elle serait toujours confrontée aux inégalités sociales et à l'injustice alors qu'elle abhorrait l'injustice. Les gardes diplômées profitaient des étudiantes, et les médecins profitaient des gardes diplômées. Elle n'y échapperait pas et, dans le cadre de sa profession, elle ne pourrait jamais prendre de décisions car elle devrait toujours se référer à un supérieur. «Au moins, dans mon école, c'était moi qui décidais!» pensa Simone en se remémorant ce qu'elle appelait son «autre vie», soit sa vie d'enseignante dans une école de rang.

Mais c'était peine perdue que de se confier à Évelina. Celle-ci trouverait le moyen de minimiser ses sentiments et de lui dire que ce qu'elle-même vivait était bien pire. Évelina était ainsi faite : elle aimait être le centre de l'attention et refusait de s'apitoyer sur le sort des autres, ramenant tout à sa propre personne. Simone ne lui en voulait pas; elle avait appris à la connaître au cours de sa première année d'études. Flavie, plus attentive, aurait mieux compris comment elle se sentait. À La Prairie, elle pourrait se confier à celle-ci. Simone repassa rapidement en revue le contenu de sa valise avant de la fermer.

Évelina poussa un soupir de soulagement.

— Bon! Enfin! J'ai bien cru que tu ne te déciderais jamais. Ça va nous faire du bien, la bonne odeur de fumier, les mouches par centaines et de se faire réveiller aux petites heures par un coq qui s'égosille!

Devant la description – ironique – faite par Évelina sur la joie de vivre à la campagne, Simone pouffa. Elle déclara ensuite :

— Et puis, on ne sait jamais, le beau Antoine pourrait t'apprendre à traire les vaches.

— Ah! J'aimerais bien que le frère de Flavie, ou le beau Antoine comme tu dis, m'apprenne autre chose qu'à traire une vache.

Simone roula les yeux par habitude. Les propos d'Évelina ne la choquaient plus. Son amie aimait provoquer et prenait plaisir à collectionner les conquêtes. «La vie est trop courte pour perdre son temps», aimait-elle répéter. Durant la première année d'études à l'école d'infirmières de l'hôpital Notre-Dame, elle avait entretenu pendant quelque temps une relation avec le docteur Jobin – un homme marié – qui était l'un des professeurs de l'école. Puis, elle avait jeté son dévolu sur Bastien Couture, un interne. Lors de la remise des diplômes des médecins finissants, elle avait planté là Bastien pour retomber dans les bras de son ancien amant, le docteur Jobin.

Simone avait eu tôt fait de consoler Bastien, qui n'en menait pas large après s'être fait abandonner par Évelina. Elle était sortie quelques fois avec lui, mais il n'y avait rien de sérieux entre eux. Simone regarda sa valise en poussant un soupir. Sa décision était prise : elle irait à La Prairie. Revoir Flavie lui ferait le plus grand bien. De plus, elle espérait que Bastien remarquerait son absence.

* * *

Simone distingua une silhouette qui se déplaçait en direction de la voiture. Flavie, les cheveux au vent – ils avaient poussé rapidement après sa dernière coupe qui s'était avérée catastrophique –, s'était mise à agiter les bras pour attirer l'attention du groupe en reconnaissant la Buick du père de Clément. Dès que ce dernier vit Flavie, il arrêta l'automobile, en descendit et se dirigea vers elle. Simone les observa pendant qu'Évelina vérifiait son maquillage à l'aide du petit miroir qu'elle avait tiré de son sac à main. «Flavie et Clément ne sont pas encore fiancés, mais ça ne saurait tarder! Ils sont faits pour être ensemble», pensa Simone en les voyant s'enlacer. Clément venait de terminer son internat, tout comme Bastien, et il était désormais chirurgien diplômé. Simone donnait encore deux ans au couple avant le mariage. «Flavie a fait le pacte elle aussi, alors c'est certain qu'elle terminera ses études avant de se marier.» Les trois amies s'étaient juré d'obtenir leur diplôme en soins infirmiers avant de se «caser» définitivement. Simone eut une pensée pour Bastien. Est-ce qu'elle avait trouvé l'homme de sa vie, elle aussi? Sa relation avec lui était encore ambiguë. Elle voulait laisser le temps à Bastien de se remettre de sa rupture avec Évelina. Son amie lui avait laissé le champ libre et lui avait même signifié qu'elle ne comptait pas revenir sur sa décision. «Bastien et moi, c'était une histoire sans issue. Notre relation était vouée à l'échec; nous sommes beaucoup trop différents.» Simone se doutait qu'Évelina avait envie d'autre chose que d'une petite vie bien rangée. Sa relation avec le docteur Jobin était beaucoup plus compliquée du fait qu'il était marié, ce qui ajoutait un défi supplémentaire à Évelina. Le rôle de maîtresse lui convenait parfaitement.

Réfléchir sur la vie amoureuse de ses amies ramena Simone à sa propre existence, dans laquelle l'amour n'avait pas pris une grande place au fil des ans. Le printemps précédent, elle était sortie à quelques reprises avec Paul Choquette – un interne qu'elle considérait comme un ami, guère plus. Paul aurait souhaité s'engager un peu plus sérieusement avec elle, mais elle n'en avait pas eu envie. Simone l'aimait bien, mais il aurait été malhonnête de faire croire au jeune homme qu'ils avaient un avenir ensemble.

Clément revint en direction de l'automobile avec Flavie sur les talons. Évelina se poudrait le nez. Simone s'empressa d'aller embrasser son amie. Elle constata que, pour la première fois de sa vie, quelqu'un lui avait manqué. Flavie et Évelina étaient un peu devenues les sœurs qu'elle n'avait pas eu la chance d'avoir. En voyant la mine réjouie de son amie, Simone regretta d'avoir songé à annuler son séjour à La Prairie. Flavie n'aurait peut-être pas compris son absence. Quand celle-ci rompit le silence, cela lui confirma qu'elle avait vu juste.

— Comme je suis heureuse que vous soyez venues toutes les deux! Vous m'avez tellement manqué! Et nos discussions tard le soir et nos fous rires, également!

— Tu nous as manqué aussi, avoua Évelina qui venait de rejoindre ses amies. La chambre était grande sans toi.

Après les embrassades, Flavie s'adressa à Clément, qui était remonté dans le véhicule.

— Antoine attend ton arrivée avec impatience. Il a très hâte de pouvoir tenir une discussion avec quelqu'un d'autre que sa mère, sa grand-mère ou sa sœur. Les filles et moi, on va marcher. On a tellement de choses à se dire!

— Je vous attends là-bas dans ce cas. Bonne promenade!

Clément démarra, laissant les trois amies se raconter de quelle façon leur été s'était déroulé. Flavie semblait radieuse avec son teint hâlé.

— On voit tout de suite que tu n'as pas passé ton été à l'hôpital comme nous, déclara Évelina. On a l'air de deux aspirines, Simone et moi.

— J'ai travaillé dans le potager durant tout l'été avec ma grand-mère. Vous verrez, à la fin de vos vacances, vous aurez pris des couleurs vous aussi.

— Parce que tu as l'intention de nous faire travailler?

— Voyons, Évelina, Flavie n'oserait jamais faire ça! la sermonna Simone.

— Vous travaillerez seulement si vous en avez envie, bien sûr. Mais ne vous en faites pas: ma grand-mère veillera sur votre bien-être. Elle veut que mes «deux pauvres amies infirmières» se reposent de leur dur été de travail à l'hôpital.

Avide de commérages et curieuse de savoir ce qui s'était passé depuis le retour de Flavie à La Prairie, Évelina bombardait son amie de questions. Comment sa mère avait-elle réagi lorsque la jeune femme lui avait annoncé qu'elle savait que Victor était son père? Et qu'avait dit Antoine en apprenant que Flavie était sa demi-sœur? Cette dernière sourit devant l'excitation d'Évelina.

Simone coupa la parole à cette dernière.

— Laisse-lui donc le temps de répondre, Évelina.

— Tu es toujours aussi curieuse, Évelina! Mais je suis contente de retrouver mon amie telle que je la connais!

Flavie lui fit un clin d'œil et enchaîna aussitôt afin de satisfaire la curiosité d'Évelina.

— Antoine n'a pas été vraiment surpris. Il s'était déjà demandé si Victor pouvait être mon père. Il paraît que je lui ressemble un peu – à ma façon de sourire, entre autres. Antoine a ajouté quelque chose qui m'a beaucoup touchée: il m'a dit qu'il m'aimait et que, peu importe que nous ayons des pères différents, je serai toujours sa petite sœur et qu'il me protégera toute sa vie.

— Les liens familiaux sont forts, Flavie, commenta Simone. Vous avez grandi ensemble tous les deux, vous ne pouvez pas effacer ces années-là.

— Je sais bien, mais j'avais peur que les choses changent entre nous.

— Et avec ta mère, comment cela s'est-il passé ? demanda Évelina.

Flavie raconta sa conversation avec Bernadette. Pendant toutes ces années, celle-ci avait préféré taire la véritable identité du père de Flavie par culpabilité.

— Elle se sentait coupable d'avoir trompé Edmond avec Victor. Et elle pensait que c'était sa faute si Edmond était parti pour le front et s'était fait tuer.

— On s'accuse toujours de tout, nous autres, les femmes, soupira Évelina.

Flavie reprit en indiquant qu'elle comprenait mieux les sentiments qui avaient habité sa mère pendant toutes ces années.

— Et comment se termine l'histoire ? Ta mère et Victor vont-ils finir leurs jours ensemble ? s'enquit Évelina.

— C'est plus compliqué que ça, en fait. Victor est venu passer quelques jours à La Prairie. Ma mère s'est montrée amicale avec lui, mais je doute qu'il y ait eu le moindre rapprochement entre eux. J'avoue que je ne les vois pas ensemble. Ma mère est très fière et refuserait que Victor pourvoie à ses besoins.

— Pourtant, il est riche comme Crésus, commenta Évelina. J'y penserais à deux fois si j'étais elle.

Les propos d'Évelina concernant la fortune de Victor n'étonnèrent pas Simone. Son amie l'avait avoué dès les premiers jours de classe, l'année précédente : sa principale motivation pour devenir infirmière était de se trouver un riche mari médecin. Simone comprenait parfaitement ce que Bernadette devait ressentir. Elle-même avait quitté son village pour rester libre et ne pas épouser un homme qui l'aurait fait vivre. Elle pouvait très bien subvenir elle-même à ses besoins et ne requérait pas de présence masculine à ses côtés. Sa rencontre avec Bastien avait quelque peu ébranlé ses convictions, mais elle n'était pas prête à tout sacrifier pour être en couple avec lui. Encore une fois, elle se surprenait à penser à lui.

Évelina claqua des doigts pour attirer son attention.

— Comme je te le disais, Flavie, Simone ici présente est souvent dans la lune. Je soupçonne Bastien Couture d'être à l'origine du phénomène.

— Je ne me focalise pas sur les hommes, moi, Évelina.

— Bien sûr, Simone. Quand ce n'est pas Bastien qui occupe ton esprit, ce sont tes chers patients.

— Comment s'est passé ton été à l'hôpital, Simone ? s'informa Flavie.

Simone prit une grande inspiration. Que pourrait-elle répondre ? Qu'elle aimait soigner les gens, mais qu'elle détestait recevoir des ordres ? Que Suzelle lui avait mené la vie dure tout l'été ? Qu'elle s'interrogeait de plus en plus souvent sur la pertinence de continuer sa formation ? Qu'elle n'était plus certaine de son choix ? Elle se contenta de déclarer qu'elle avait travaillé fort et qu'elle avait besoin de repos.

— Simone avait surtout besoin de s'éloigner de Suzelle Pelletier. Cette chipie a été sur son dos pendant tout l'été. Maintenant qu'elle est garde diplômée, mademoiselle Pelletier croit qu'elle a le droit de malmener les élèves infirmières.

Simone jeta un regard désapprobateur à Évelina. Elle lui avait confié une fois qu'elle détestait travailler sous la supervision de Suzelle. Elle aurait aimé qu'Évelina soit discrète. « On ne peut rien lui dire à celle-là ; elle se dépêche de tout répéter. »

— Ben quoi, Simone ? Flavie a le droit d'être au courant. Elle doit se préparer à affronter Suzelle Pelletier, elle aussi. Il n'y a pas que Georgina Meunier qui est décidée à nous pourrir la vie à Notre-Dame. Suzelle s'est aussi mise de la partie.

Simone ferma les yeux. Elle était presque parvenue à oublier l'existence de Georgina Meunier durant l'été. Cette dernière – qui étudiait également à l'école d'infirmières – prenait un malin plaisir à se moquer des trois amies, à les surveiller sans arrêt pour rapporter leurs moindres faits et gestes à sœur Désuète. Georgina était partie en vacances en même temps que Flavie, et Simone n'avait pas pensé à elle une seule minute depuis ce jour-là. Évelina venait de lui rappeler que Georgina serait de retour sous peu et qu'elle devrait encore affronter ses sarcasmes. Flavie hocha la tête. Elle non plus n'aimait pas beaucoup Georgina. Évelina avait essayé à plusieurs reprises de la remettre à sa place, mais la jeune femme revenait toujours à la charge.

Évelina se pencha vers ses amies pour leur faire une confidence.

— Ne vous inquiétez pas trop pour Georgina. Je vais m'occuper de son cas cette année. Elle devra comprendre qu'elle ne peut pas toujours se moquer des gens et que lorsqu'elle attaque l'une de nous trois, c'est comme si elle attaquait notre trio au complet! Nous sommes plus fortes qu'elle, les filles. Et puis, Suzelle finira sûrement par se fatiguer de son délire mégalomaniaque!

— Son quoi? demanda Simone, stupéfaite.

— Son délire mégalomaniaque... Je lis, moi aussi, au cas où vous ne l'auriez pas remarqué. Sachez que j'ai pris un peu d'avance: j'ai commencé les lectures sur les psychoses et autres troubles du genre.

Simone éclata de rire, puis Flavie l'imita. Évelina les surprendrait toujours. L'année précédente, elle avait affiché une nonchalance à l'égard de la plupart de ses cours qui avait exaspéré Simone. Et voilà que la jeune femme leur révélait qu'elle avait lu des livres de cours durant l'été.

— Ben quoi? Vous m'avez tellement reproché mon manque de sérieux l'an dernier que j'ai décidé de prendre de l'avance. J'éprouve un malin plaisir, depuis que je lis ce genre de livres, à évaluer les gens. J'ai découvert que Suzelle est mégalomane et que Georgina est égocentrique. Pour sa part, Bastien serait plutôt du type narcissique. Et il...

Simone lui coupa la parole. Elle n'avait pas envie d'entendre le point de vue d'Évelina sur Bastien Couture.

— C'est assez, la psychologie à cinq cennes, Évelina Richer! Je n'ai pas envie de t'entendre déblatérer sur Bastien ou sur quelqu'un d'autre.

On approchait de la maison de Flavie ; le moment était bien choisi pour mettre un terme aux propos d'Évelina. Delvina, qui attendait l'arrivée des amies de sa petite-fille sur le perron, leur faisait de grands signes. La vieille femme descendit les quelques marches, puis elle s'engagea sur le chemin. S'essuyant les mains sur son tablier, elle se dirigea dans la direction des jeunes femmes.

— Vous voilà enfin, mesdemoiselles ! J'avais si hâte de vous voir, Évelina et Simone. Vous devez être affamées ! Entrez, je vous ai préparé quelques grignotines en attendant le dîner.

Simone sourit. Elle aurait souhaité avoir Delvina Lemire, cette femme si chaleureuse, comme grand-mère. Elle tendit la main à la femme, mais celle-ci l'attira plutôt vers elle pour la serrer dans ses bras. Simone se contint à grand-peine – la nostalgie qui s'était emparée d'elle au cours des derniers jours avait refait surface. Si elle s'était laissée aller, la jeune femme aurait versé toutes les larmes qu'elle retenait depuis trop longtemps. Mais Simone mit fin à l'étreinte et se contenta de sourire à la grand-mère de Flavie. Elle ne pouvait pas s'effondrer de chagrin devant ses amies, tout de même !

Bernadette, la mère de Flavie, de nature plus discrète, les attendaient dans la cuisine. Dès son entrée, Flavie s'informa de l'absence de Clément.

— Le bon docteur Langlois est en train de visiter la laiterie, la rassura sa mère en souriant. Antoine ne pouvait pas attendre qu'il se repose. Tu connais ton frère ! Ça me surprend même qu'il ne vous ait pas entraînées vous aussi dans la laiterie pour goûter son nouveau fromage.

Évelina marmonna, à l'intention de Simone : « J'aurais bien aimé ça, moi... » Simone ne releva pas le commentaire. Elle préféra écouter la mère de Flavie qui leur énumérait ce qu'il y avait de bon à manger avant le dîner.

— Et pour ce midi, ajouta Bernadette, il y aura de la soupe aux pois. Pour souper, ma mère nous préparera son fameux bouilli de petites fèves. La récolte est abondante cette année.

Évelina s'exclama :

— Ce sera vraiment délicieux ! Je commence sérieusement à être fatiguée de manger les repas de l'hôpital. C'est à croire que les bonnes sœurs veulent nous rendre malades pour prendre notre place !

* * *

Évelina avait beaucoup insisté auprès d'Antoine pour aller prendre l'air après le souper. Clément, qui se reposait en se berçant sur la galerie, tenait compagnie à Bernadette et à Delvina. Flavie décida d'en profiter pour s'entretenir en tête à tête avec Simone. Les jeunes femmes s'étaient installées dans la chambre d'amis du deuxième. Une brise soulevait les rideaux et rafraîchissait la chambre.

— Suzelle t'a vraiment mené la vie dure durant tout l'été ? Elle me surveillait constamment l'année dernière.

— Bof ! Elle s'efforçait de me faire sentir comme la « minable étudiante infirmière » que je suis, c'est tout.

— Elle a vraiment oublié ce que c'est d'être étudiante. C'est dommage ! Je ne pense pas que j'agirai comme elle avec les nouvelles quand je serai diplômée. Mais tu ne m'as pas parlé de Bastien depuis ton arrivée. Qu'en est-il de vous deux ?

— Bah! Il n'y a rien de bien précis encore. À quelques reprises, il m'a invitée au cinéma et il nous est aussi arrivé de manger ensemble. Il est très pris par ses patients.

— Ce n'est pas évident de fréquenter un médecin.

— Je ne peux pas dire que je le fréquente réellement. Il pense encore beaucoup à Évelina, je crois.

— C'est parce qu'il ne te connaît pas encore. Il va vite découvrir à quel point tu es quelqu'un de formidable.

— Je suis peut-être formidable, comme tu, dis, mais tellement quelconque à côté d'Évelina. Il y a si peu de chances qu'il s'intéresse à moi.

— Il t'a invitée à sortir quelques fois. C'est un bon début, non?

— Bah! C'est sûrement pour tenter d'oublier Évelina.

— Si c'est le cas, tu le sauras bien assez vite. Comme dirait ma grand-mère : « Si ce n'est pas le bon numéro, on s'en rend compte rapidement. »

Mais Simone avait peur de s'être un peu trop attachée à Bastien pour accepter d'être rejetée par lui. Elle savait que Flavie n'aimait pas beaucoup Bastien; celle-ci ne le tolérait que parce qu'il était l'ami de Clément. Évelina avait peut-être raison quand elle qualifiait Bastien de narcissique. Toutefois, Simone ne pouvait s'empêcher d'être charmée par lui. Sa façon de relever un sourcil quand il lui adressait la parole et sa voix calme et suave éveillaient en elle le désir qu'il la prenne dans ses bras. Elle n'avait jamais ressenti un tel émoi auparavant. Même Alphonse Boucher, son ancien fiancé, n'avait jamais suscité autant d'intérêt chez elle que Bastien Couture.

Ce dernier était raffiné, ambitieux, brillant et si charismatique, contrairement à Alphonse Boucher qui ne parlait que de ses vaches et de la douzaine d'enfants que Simone et lui auraient pour aider sur la ferme.

Simone se leva du lit où elle était assise et observa son reflet dans le miroir. Ses lunettes à monture d'écaille dissimulaient ses yeux verts. Ses cheveux bruns bouclés, qu'Évelina lui enviait parce qu'elle n'avait pas besoin d'utiliser le fer à friser tous les matins, lui semblaient ternes comparativement à la chevelure blonde et lumineuse d'Évelina. Elle était trop maigre et trop grande.

Flavie se plaça derrière elle et lui sourit dans le reflet de la glace. Simone baissa les yeux, ravalant ses larmes pour la seconde fois de la journée. « Si ça a du bon sens de vouloir pleurnicher tout le temps ! » Attribuant sa mélancolie à la fatigue, elle se tourna vers Flavie. Mais son sourire peu convaincant ne trompa pas son amie.

— Il doit bien y avoir quelque chose qui te préoccupe pour que tu sois dans cet état-là, Simone.

— Bastien y est pour beaucoup. Mais je me questionne pas mal ces temps-ci. Est-ce que je me sentirai un jour à ma place quelque part ?

— Tout le monde se questionne sur son avenir à un moment ou un autre. Ça m'arrive aussi de me demander si j'ai fait le bon choix.

— Ça me rassure un peu de savoir ça, Flavie.

— Ma grand-mère dit toujours qu'on est mieux de se poser des questions une fois de temps en temps que de tout tenir pour acquis.

— J'en prends bonne note. Ta grand-mère est une femme sage.

— Ma grand-mère fait aussi de l'excellent sucre à la crème. Il n'y a rien de mieux pour réconforter les esprits qui doutent! Tu viens en manger un morceau?

* * *

Lorsque Simone descendit à la cuisine avec Flavie, Delvina s'y trouvait. Penchée sur le journal du dimanche, elle remplissait les cases d'une grille de mots croisés. Levant les yeux vers les deux jeunes femmes, elle déposa son crayon.

— Ton Clément est encore sur la galerie, Flavie. Tu pourrais aller le rejoindre. Simone et moi, nous allons jaser un peu, si ça ne te fait rien.

Flavie embrassa sa grand-mère avant de sortir. Delvina se leva pour prendre une boîte de biscuits en métal. Après en avoir soulevé le couvercle, elle la tendit à Simone.

— Servez-vous, mademoiselle. Il paraît que mon sucre à la crème est un des meilleurs de La Prairie.

— Vous avez deviné que c'est pour cette raison qu'on est descendues, Flavie et moi.

— C'est difficile de résister à l'appel du sucre! Je vais aller en porter quelques morceaux à nos deux tourtereaux sur le perron. Prends le temps de te verser un verre de lait. Je vais revenir pour que nous puissions bavarder un peu.

Simone se rendit à la glacière et se servit un verre de lait frais. Elle sourit en voyant quelques fromages dispersés sur les tablettes. «Antoine doit faire de nouvelles expériences. Flavie a certainement servi de cobaye cet été!» Delvina revint dans la cuisine et reprit sa place à la table en invitant Simone à se joindre à elle. La femme posa les yeux sur sa grille de mots croisés et, le crayon en l'air, elle déclara :

— Poisson plat que l'on retrouve dans la Manche ou dans l'Atlantique.

— Pardon ?

— J'aime encore faire des mots croisés à mon âge. La première lettre du nom du poisson est un L. Je me suis dit qu'en tant qu'ancienne maîtresse d'école, tu connaîtrais peut-être la réponse.

Simone réfléchit quelques instants, puis elle proposa :

— J'essayerais le mot *limande*.

— Eurêka ! Bon, je vais pouvoir mettre mon journal de côté maintenant. Ça devient comme une obsession, ce besoin de compléter les mots croisés chaque semaine.

— Ça cultive l'esprit, en tout cas. Je devrais peut-être m'y mettre.

— Ne va pas croire que je lis le journal du dimanche seulement pour cette raison. Cela me plaît bien aussi de lire le courrier du cœur. Il y a tellement de pauvres âmes en peine dans ce vaste monde.

Simone ne répondit rien. Elle espérait ne pas devoir recourir au courrier du cœur pour trouver réponse à ses questionnements.

— Qu'est-ce qui te tracasse, ma petite ?

Simone sourit à la grand-mère de Flavie. On ne l'avait pas appelée «ma petite» depuis longtemps. Après tout, elle dépassait tout le monde d'une tête.

— Je vois bien que tu n'as pas la même désinvolture que durant les vacances de Pâques. Flavie est pareille; quand quelque chose la tracasse, on ne le voit pas que dans ses yeux, ça transparaît dans sa démarche, dans sa façon de croiser les bras.

Simone décroisa les bras machinalement et hocha la tête.

— Vous êtes une vraie sorcière! Flavie n'a pas tort de dire que vous lisez dans l'âme des gens.

— Je suis une bonne sorcière, quand même!

Delvina poussa vers Simone la boîte de métal contenant le sucre à la crème. La jeune femme se resservit.

— Je dis ça pour vous taquiner, madame Lemire.

— Appelle-moi donc Delvina. Alors, qu'est-ce qui te tracasse? Est-ce que Flavie t'a dit que je tire les cartes?

— Je ne crois pas tellement à ce genre de choses.

— Tu pourrais être surprise, très chère.

Delvina se leva. Elle ouvrit le tiroir du vaisselier et revint avec un paquet de cartes.

— Tu brasses, puis tu coupes avec la main gauche. C'est la main du cœur.

Simone s'exécuta tout en demeurant sceptique. Qu'est-ce que des cartes à jouer pourraient lui révéler sur sa vie? La jeune femme redonna le paquet à Delvina, qui étendit celui-ci sur la table. Simone constata qu'il manquait toutes les cartes allant du 2 au 6. Elle n'interrogea pas Delvina sur ce fait, décidant de la laisser interpréter les cartes. Après avoir regardé son interlocutrice quelques secondes, la grand-mère de Flavie se replongea dans l'étude des cartes.

— Puisque tes cheveux tirent sur le roux, je prendrais le valet de carreau pour te représenter. Tu es bien entourée, Simone. Ici, il y a la dame de cœur : une amie sincère qui te portera secours chaque fois que tu en auras besoin. Je vois ici votre trio.

Delvina pointa la dame de cœur, le valet de carreau et la dame de trèfle. Elle poursuivit.

— Tu vois, Flavie et Évelina sont près de toi et ne te tournent pas le dos. Là, par contre, ça m'agace beaucoup : le valet de trèfle regarde dans ta direction. Je m'en méfierais si j'étais toi. Mais heureusement, tu peux compter sur le soutien du roi de trèfle.

Simone se laissa prendre au jeu. Bastien était peut-être représenté par le valet. Mais qui était le roi de trèfle ? Elle écouta Delvina lui expliquer la signification des cartes. Elle sourit quand celle-ci lui dit de se méfier de la dame de pique. Il s'agissait de sœur Désuète, sans doute ! Les cartes ne lui révélèrent pas de secrets, mais Simone trouva fascinant d'avoir l'impression de voir sa vie étalée sur la table de la cuisine. Delvina l'avait parfaitement décrite : sa façon de voir les choses, ses sentiments. « Peut-être que Flavie lui a dit quelques trucs à mon sujet, mais quand même, Delvina a réussi à sonder les profondeurs de mon cœur. »

La vieille femme termina en déclarant :

— Ne prends pas trop au sérieux ce que je viens de te raconter, ma fille. Les cartes ne sont qu'un instrument pour connaître la véritable personnalité des gens. Tu es quelqu'un qui veux toujours te montrer inébranlable, mais tu as le droit d'avoir des faiblesses, toi aussi. Tu t'es construit une carapace au fil des années, mais il est normal d'éprouver des doutes et des chagrins. Il y a une chose que je tiens à te dire, Simone : sache que tu es à ta place en soins infirmiers.

— Vous êtes gentille de me dire ça, Delvina. Je vous avoue que ces temps-ci, je ne sais plus trop où j'en suis.

— C'est normal de se remettre en question de temps en temps. Persévère et tu verras. Il y aura toujours des gens qui mettront des embûches sur ton chemin, c'est certain, mais ne te laisse pas faire.

— J'essaierai, Delvina, mais ce n'est pas toujours évident. J'ai un peu de difficulté avec l'autorité. Je déteste me faire donner des ordres. Quand j'enseignais, il me semble que c'était différent.

— En tout cas, pas dans mon temps. On devait répondre de nos actes devant les commissaires. Et l'inspecteur était là pour nous rappeler que l'éducation des enfants du village était notre responsabilité. Il vérifiait tout ce que nous avions enseigné durant l'année.

— Je sais. Mais probablement que j'étais plus confiante en ce temps-là.

— Ce n'est pas une question de confiance. Tu t'étais habituée à la pression, c'est tout. Ce sera pareil quand tu seras une infirmière diplômée.

— Vous avez sans doute raison.

Simone réfléchit quelques instants.

— C'est certain que je suis plus confiante maintenant que l'année passée à pareille date.

— Tu as acquis plusieurs notions de soins et tu continueras d'apprendre cette année. Laisse-toi une chance !

— Ça m'a fait un bien fou de vous parler ce soir, Delvina.

— Pourtant, on n'a pas parlé beaucoup...

Delvina lui fit un clin d'œil. Simone lui sourit. Elle ne savait pas si les cartes avaient réellement le pouvoir de prédire la destinée de quelqu'un, mais elle savait que la grand-mère de Flavie était une femme de cœur, sensible à son entourage.

— Flavie a beaucoup de chance de vous avoir dans sa vie. J'aurais tellement aimé avoir une grand-mère comme vous.

— Ne te gêne pas, Simone. Appelle-moi quand tu veux. Je serai toujours là pour te rappeler que tu es une bonne personne.

— Merci !

Simone embrassa Delvina sur la joue en retenant ses larmes. Personne ne lui avait jamais témoigné autant de sollicitude que cette femme. Avant de sortir de la cuisine, la jeune étudiante reprit un morceau de sucre à la crème et souhaita bonne nuit à la grand-mère de Flavie.

* * *

Les trois amies se retrouvèrent dans la chambre d'amis à la fin de la journée. Clément s'était installé dans la chambre de Flavie. Évelina avait taquiné cette dernière à ce sujet.

— Ta mère m'a fait promettre de bien te surveiller. Il faut que tu restes ici avec nous plutôt que d'aller rejoindre Clément pendant la nuit.

— La mère de Flavie ne te connaît pas, Évelina! soupira Simone. Si elle savait!

— Si elle savait quoi? Je suis capable de veiller sur la vertu de notre belle Flavie, tu sauras!

— Vous n'avez pas besoin de m'avoir à l'œil, les filles. Le plancher craque tellement que si je me lève en pleine nuit, tout le monde le saura – même ma grand-mère qui dort comme une bûche! De toute façon, je n'ai pas envie de précipiter les choses.

— Pourtant, tu devrais! Tu ne sais pas ce que tu manques!

— N'écoute pas les niaiseries d'Évelina, conseilla Simone. Vous avez tout votre temps, Clément et toi.

— Bon! La maîtresse d'école qui se transforme en bonne sœur, *astheure*!

Évelina s'étira dans son lit et bâilla avec vigueur.

— Vous allez m'excuser, les filles, mais j'ai sommeil! Ça doit être l'air de la campagne qui me fait ça. Et n'oublie pas, Flavie: j'ai donné ma parole à ta mère que tu resterais ici cette nuit!

— Ne crains rien, Évelina; je vais la surveiller moi aussi, affirma Simone. Et je serai également aux aguets en ce qui te concerne. Des fois que tu aurais le goût d'aller rejoindre Antoine dans sa chambre...

— Voyons, Simone ! protesta Flavie. Évelina n'oserait jamais aller dans la chambre de mon frère.

Quelques secondes plus tard, elle demanda d'une voix incertaine :

— Tu oserais, Évelina ?

L'interpellée se contenta d'éteindre la lumière. Elle chuchota en retenant son rire :

— Pas de danger, Simone et Flavie. Le plancher craque tellement que je ne m'essayerais pas en pleine nuit !

2

Quand Simone se réveilla, Flavie et Évelina avaient déjà quitté la chambre. En s'étirant pour prendre ses lunettes, elle consulta sa montre restée sur la table de chevet. «Neuf heures! Si ça a du bon sens, dormir tard de même!» Elle sauta du lit et se dépêcha de s'habiller. Elle descendit en trombe dans la cuisine, où elle trouva Delvina occupée à écosser des pois.

— Bien dormi, Simone? s'informa la femme en levant la tête.

— Comme un loir! Ça fait tellement longtemps que je n'ai pas dormi toute une nuit entière. Ça m'a fait vraiment du bien de jaser avec vous hier.

— Tu as dormi l'esprit tranquille, dans ce cas.

— Où sont les autres?

— Partis aux champs. Antoine voulait profiter de la venue de Clément pour commencer les foins, d'autant plus que la météo ne prévoit pas de pluie avant plusieurs jours. Bernadette et les filles ont accompagné les hommes. Je t'ai gardé de l'omelette au chaud, si tu en veux.

— Vous auriez dû me réveiller. Ça n'a pas d'allure de se lever aussi tard!

— Évelina et Flavie ont quitté la chambre sur la pointe des pieds. Tes amies voulaient te laisser dormir, car elles trouvent que tu as l'air fatiguée.

— Quelques jours ici et je serai parfaitement revigorée!

Simone fit signe à Delvina de rester assise. Elle se servirait elle-même son déjeuner. Tenant l'assiette d'omelette d'une main et une tranche de pain de ménage de l'autre, elle s'installa en face de Delvina.

— J'ai hésité avant de venir à La Prairie. Je n'étais pas certaine que c'était ma place.

— Ben voyons! Tu es et tu seras toujours la bienvenue ici, Simone.

— Je le sais à présent. J'avais peur de déranger mais surtout, le fait de voir votre famille unie et chaleureuse me ramène toujours en plein visage que je n'ai rien connu de tel avec mon oncle et ma tante.

— Et tu voulais te priver de passer de belles vacances avec nous autres?

Simone avala sa bouchée de pain et ferma les yeux. Delvina posa sa main sur celle de l'étudiante infirmière.

— Ça me fait vraiment plaisir que tu sois parmi nous, Simone. Je ne connais pas ton oncle ni ta tante, mais je peux dire que ces gens-là se privent de la compagnie d'une aimable jeune femme.

— Vous êtes trop bonne. J'ai décidé de venir parce que je savais que Flavie serait là pour m'écouter dans mon délire de remise en question. Finalement, c'est vous qui avez eu à subir ça.

— Je n'ai rien subi du tout! Mais toi, tu as eu à endurer une vieille femme qui t'a gavée de sucre à la crème pour obtenir tes confidences.

— Et ça en valait largement la peine ! Bon, *astheure*, j'ai assez «braillé» sur mon sort. Mes amies m'attendent ! Je vais leur montrer que j'ai déjà fait ça, moi, les foins !

Avant de sortir, Simone déposa son assiette dans l'évier et embrassa Delvina.

* * *

Simone suivit les indications de Delvina pour se rendre dans le champ où se trouvait déjà tout le monde. Flavie lui fit un signe de la main en l'apercevant. Les foins avaient été fauchés par Antoine et des voisins quelques jours auparavant, et les andains avaient séché au soleil après avoir été retournés plusieurs fois. Antoine avait profité de la présence de Clément, Simone et Évelina pour ramasser les tas de foin au milieu du champ. Tous étaient munis de fourches et soulevaient le foin pour le déposer sur la charrette attelée des deux bœufs d'Antoine. Évelina, qui avait la tâche de tasser le foin sur le plateau de la charrette, se tenait fièrement debout au centre du tas ; retenant le bas de sa robe fleurie d'une main, elle foulait le foin du pied. Simone ne put s'empêcher de sourire en voyant son amie vêtue d'une de ses plus belles robes d'été et coiffée d'un chapeau à larges bords assorti aux couleurs de la robe.

En arrivant à sa hauteur, Simone lui lança :

— Ouais, Évelina ! Tu t'es mis sur ton trente-six pour faire les foins !

— J'exécute un travail de ferme, mais rien n'interdit que je puisse être vêtue élégamment pour travailler.

Évelina lui montra ses ongles manucurés avec un vernis de la même couleur que son chapeau «roue de charette», la nouvelle mode à Montréal, tout en continuant de fouler le foin. Simone tendit à Flavie la gourde d'eau fraîche qu'elle avait apportée pour les travailleurs. Flavie se désaltéra, puis elle remit la bouteille à Bernadette. Ce fut ensuite au tour de Clément et d'Antoine de boire. Lorsque ce dernier offrit la gourde à Évelina, la jeune femme se contenta de répondre : «Je n'ai pas soif», tout en continuant de piétiner le foin. Simone se doutait bien que la «madame de la ville» était trop dédaigneuse pour partager la gourde. Tant pis pour elle! Flavie donna une fourche à Simone, qui commença immédiatement à aider à charger le foin sur la charrette.

— On trouvait que tu avais l'air un peu fatiguée hier, alors on a décidé de te laisser dormir. C'était une bonne idée, non?

— Ça m'a fait beaucoup de bien de me reposer. Mais j'aurais quand même aimé être debout un peu plus tôt pour pouvoir vous aider.

— Ce n'était pas nécessaire. Nous pouvions compter sur Évelina!

Cette dernière releva la tête en entendant son prénom.

— On parle de moi?

— Je disais juste à Simone que tu avais décidé de nous aider, c'est tout, lui répondit candidement Flavie.

— C'était ça ou cuisiner. Vous savez à quel point j'aime cuisiner!

Évelina s'était plainte à plusieurs reprises l'année précédente quand les élèves infirmières devaient préparer des repas spécifiques pour certains patients – les diabétiques, notamment. Ce jour-là, Évelina avait choisi les foins, parce que sinon, elle aurait dû aider Delvina à préparer les repas. Aussi, elle avait probablement offert son aide à cause de la présence d'Antoine. Simone savait que son amie ferait tout pour impressionner le frère de Flavie.

L'odeur de foin rappelait à Simone les étés de son enfance. Elle se souvenait que, malgré la rude tâche de soulever les tas et de les mettre sur la charrette, elle aimait ce moment de la saison estivale parce qu'elle se sentait utile auprès de son oncle et sa tante. Les occasions étaient rares où elle avait droit à des remerciements de la part de sa tante ; elle se sentait alors appréciée. À présent, elle effectuait la même tâche avec plaisir, malgré le soleil qui plombait et la besogne harassante. Simone savait que, peu importe ce qu'elle ferait, Flavie et sa famille continueraient de l'aimer comme elle était.

* * *

Quand Bernadette décréta qu'il était temps de prendre une pause pour le dîner, personne ne la contredit. Les bras rougis et couverts de taches de rousseur, Simone remercia en pensée Delvina d'avoir insisté pour qu'elle se coiffe d'un chapeau de paille. Bernadette avait pris soin de préparer un panier de pique-nique le matin même pour éviter d'avoir à retourner à la maison. Tout le monde s'installa au pied d'un gros érable au bout du champ pour profiter de l'ombre et de la fraîcheur que l'arbre procurait. Les sandwichs au rôti de porc combleraient l'appétit des travailleurs. Antoine avait procédé à la distribution des orangeades avant de s'asseoir près de Clément pour discuter avec lui. Les deux hommes s'entendaient bien. Toutefois, Flavie surveillait du coin de l'œil son frère pour s'assurer qu'il n'ennuierait pas son ami en lui parlant de sa production de fromage. Simone s'installa près d'elle ; Évelina vint rejoindre ses amies. Flavie tendit à celle-ci une bouteille d'orangeade ; la jeune femme s'empressa de la boire d'une traite.

— Tu aurais peut-être dû boire à la gourde, finalement! lui fit remarquer Simone.

— Je n'avais pas envie de boire dans la même gourde que tout le monde, c'est tout. Ce n'est pas parce qu'on fait les foins ensemble qu'on doit partager tous nos microbes!

Simone prit une gorgée d'orangeade avant de mordre dans son sandwich. Tous ses muscles lui faisaient mal, mais le sentiment du travail accompli atténuait les raideurs musculaires. Antoine avait remercié tout le monde d'avoir travaillé aussi vite; cela permettrait probablement de terminer l'engrangement dans le fenil le soir même. Évelina avait retiré son chapeau et observait en grimaçant ses bras rougis par le soleil. Elle releva sa manche pour constater l'étendue des dégâts.

— Wow! Je suis bronzée comme un habitant maintenant! Vous avez vu ça?

Flavie hocha la tête en continuant de manger son sandwich.

— Tu devrais te réjouir, Évelina, car ça te donne des couleurs! se moqua Simone. Tu n'auras pas besoin d'utiliser du fard à joues pour un petit bout de temps!

Évelina soupira en s'étendant dans l'herbe. Elle espérait attirer l'attention d'Antoine. Ce dernier s'interrompit quelques secondes, avant de reprendre le fil de sa conversation avec Clément.

— Ah! s'écria Évelina. Je ne sais pas comment je vais faire pour terminer la journée! Je suis épuisée!

— Tu vas faire comme nous: tu termineras ton dîner, rembarqueras sur la charrette et continueras de fouler le foin avant qu'on aille le porter dans la grange. Ce soir, Évelina, tu vas dormir comme une bûche!

— Vous pourriez très bien m'oublier ici! Je dormirais tout l'après-midi à l'ombre de cet arbre. Finalement, les corvées de «torchonnage» des patients, c'est presque agréable.

— Tu seras peut-être heureuse de reprendre le boulot à l'hôpital, déclara Flavie.

Bernadette, qui avait terminé de manger, vint leur offrir des galettes d'avoine en guise de dessert. Évelina en saisit une rapidement et la dévora en quelques secondes.

— Évelina, tu manges comme un bûcheron! la taquina Simone. Toi qui as l'habitude de faire attention à tout ce que tu avales.

— Je peux avoir une autre galette? J'ai faim ce midi!

Bernadette lui en donna une et s'installa ensuite près de Clément. Flavie leva les yeux au ciel, ce qui n'échappa pas à Simone.

— Qu'est-ce qui se passe?

— Ma mère va sûrement demander encore une fois à Clément s'il peut soulager ses douleurs au dos ou dans les articulations. Pourquoi ne pas profiter de la présence d'un médecin? J'espère qu'elle ne l'ennuiera pas trop longtemps avec ça.

Antoine décida de laisser sa mère parler de ses problèmes de santé avec Clément. Il rejoignit le trio. Évelina se releva et décida de faire quelques pas en sa compagnie. Simone pointa Évelina du menton et dit à Flavie:

— Je me demande bien quels conseils elle va demander à ton frère, celle-là.

— Elle sait très bien que je ne veux pas qu'elle s'amuse aux dépens d'Antoine.

— J'imagine qu'elle évitera de se plaindre de ses bras rougis et de sa fatigue et qu'elle reprendra son foulage de foin, le moment venu.

— Qu'est-ce qu'Évelina ne ferait pas pour impressionner mon frère? Bon, ma mère a probablement eu le temps de décrire tous ses maux à Clément. Je vais aller les déranger un peu, tous les deux.

Flavie lissa les plis de sa jupe en se dirigeant vers Clément et sa mère. Simone s'étira en prenant une grande inspiration et en fermant les yeux. Elle aurait aimé que Bastien soit ici en ce moment. Peut-être aurait-il pris part aux travaux lui aussi? Elle l'imaginait vêtu d'une chemise de lin, les manches relevées comme Clément et coiffé d'un chapeau de paille. Elle ouvrit les yeux et observa le couple formé par Flavie et Clément. Une solide amitié grandissait entre eux. Simone se mit à espérer qu'elle aussi aurait droit à ce genre de relation avec Bastien. Détournant le regard, elle vit Évelina qui riait des propos d'Antoine. «J'aimerais vraiment que Bastien et moi soyons amis comme Flavie et Clément. Et j'espère m'amuser autant qu'Évelina quand elle parle avec Antoine!» Simone se dirigea vers les deux couples. Elle avait droit, elle aussi, à un peu de bonheur; le vent chaud de l'après-midi présageait peut-être qu'il y aurait du changement dans sa vie. À son retour à Montréal, Simone contacterait Bastien le plus rapidement possible afin de savoir à quoi s'en tenir avec lui.

* * *

Delvina avait cuisiné un ragoût de bœuf pour le souper. Tout le monde s'assit à table en silence. Delvina, aidée de Bernadette, termina de servir les assiettes. Ensuite, elle se joignit à la tablée pour prendre son repas. Le seul bruit qu'on entendait dans la cuisine d'été était celui des ustensiles heurtant le fond des assiettes.

Après quelques minutes, Delvina déclara :

— Habituellement, il y a deux raisons quand un tel silence règne à table : soit les convives sont affamés, soit ils aiment la nourriture. J'imagine que ces deux suppositions sont vraies dans votre cas ?

— C'est vraiment très bon et très apprécié comme repas, madame Lemire, la rassura Clément. Et puis, je n'ai pas l'habitude de travailler aussi dur pour gagner ma pitance !

— Bah ! Moi, je ne changerais pas de place avec toi, Clément, certifia Antoine. Ça ne doit pas être reposant non plus d'opérer un patient. Je ne sais pas comment tu fais, mais je ne serais jamais capable. Ma sœur te l'a sûrement dit : j'ai peur du sang !

— Chacun son métier et les vaches seront bien gardées !

Tout le monde rit de l'adage énoncé par Clément. En entendant Antoine dire qu'il avait peur du sang, Évelina avait levé la tête. Simone lui avait fait un clin d'œil. Son amie trouverait certainement une façon de se vanter qu'elle partageait un autre point commun avec Antoine – au grand dam de Flavie.

— En tout cas, moi, je n'aurai pas besoin de me faire bercer pour m'endormir ce soir, c'est certain ! s'exclama Évelina avant de reprendre une bouchée de ragoût.

— Merci encore tout le monde pour l'aide apportée, déclara Antoine. On n'a pas chômé, mais on y est arrivés. Je ne pensais pas que des étudiantes infirmières et un médecin étaient capables d'abattre autant de travail!

— Tu oublies, Antoine, que Simone a déjà travaillé sur une ferme, rappela Flavie.

— Vous avez tous bien collaboré aujourd'hui et c'est pour ça que je vous ai cuisiné une belle tarte aux pommes pour vous récompenser, annonça Delvina avant de commencer à débarrasser la table.

Bernadette se leva en se frottant le dos. Mais Flavie, Évelina et Simone lui signifièrent de se rasseoir et aidèrent Delvina à desservir la table. La tarte aux pommes encore fumante fut déposée au centre de la table, parfumant la cuisine de ses effluves.

— Elle va être tellement bonne cette tarte-là, grand-mère! dit Flavie avant de servir les convives.

Évelina indiqua à Flavie qu'elle voulait un morceau plus petit.

— Je n'ai jamais autant mangé que depuis mon arrivée ici. C'est bien simple, j'ai peur que mon uniforme ne me fasse plus quand on retournera à Montréal!

— Tu vas nous faire une belle grosse garde-malade, Évelina! se moqua Simone. Le docteur Jobin ne te reconnaîtra plus, c'est certain.

Évelina lança un regard furieux à Simone à l'évocation du docteur Jobin. «Aussi bien que les choses soient claires pour

Antoine», pensa Simone en voyant la réaction de son amie. Antoine et Clément se proposèrent pour faire la vaisselle.

— Profitez-en pour aller prendre l'air, suggéra Antoine. Je ne me porterai pas souvent volontaire pour cette tâche. Clément m'a dit qu'il viendrait faire la traite des vaches avec moi après.

Bernadette salua tout le monde et monta pour aller lire dans sa chambre. Delvina s'installa près de la fenêtre avec son tricot. Flavie, Simone et Évelina se dirigèrent à l'extérieur. Évelina attendit d'être loin de la maison avant de faire des remontrances à Simone.

— Pourquoi as-tu parlé du docteur Jobin devant Antoine, Simone Lafond? J'ai l'air fin *astheure*! Pour qui va-t-il me prendre?

— Excuse-moi! Je ne savais pas qu'il s'agissait d'un secret d'État!

— Tu dois te douter que je n'ai pas envie que tu racontes à tout le monde ce qui se passe dans ma vie quand je suis à Montréal.

— Tu n'as pas l'habitude d'être aussi discrète...

Voyant que la discussion entre ses deux amies risquait de dégénérer, Flavie décida de calmer les esprits qui s'échauffaient.

— De toute façon, Évelina, tu n'arrêtes pas de dire que tu n'es pas intéressée par mon frère, que tu serais incapable de vivre sur une ferme et que ce que tu veux, c'est te marier avec un médecin.

— Je pourrais changer d'idée, qui sait?

Flavie pâlit, ce que Simone et Évelina remarquèrent. Cette dernière se fit rassurante :

— Ben voyons, Flavie, ne t'en fais pas tant ! Je ne m'installerai jamais à la campagne, tu peux en être certaine. Après la journée éreintante qu'on a eue aujourd'hui, je m'ennuie du «torchonnage» de patients ! Mon Dieu ! Je n'aurais jamais cru dire une chose pareille.

Évelina porta la main à son cœur en fermant les yeux.

— Je te le jure : je ne troquerai pas ma coiffe d'infirmière pour un chapeau de paille ! Je t'ai promis que je ne ferais pas de peine à ton grand frère. Tu peux me croire. Mais je trouve que Simone a exagéré un peu en parlant du docteur Jobin à table devant ta mère et ta grand-mère.

— Elles en ont vu d'autres, crois-moi !

— Ouais ! C'est vrai que ta mère et Victor...

— Évelina ! Tabarnouche que tu es indiscrète ! la sermonna Simone.

— Ce n'est pas grave, tempéra Flavie. De toute façon, cette histoire est vouée à l'échec.

— Ils se sont vus cet été ?

— Bah ! Victor est venu passer quelques jours ici. Ma mère et lui ont beaucoup discuté, mais je ne pense pas que ma mère insistera pour qu'ils fassent vie commune. Elle est bien ici et n'a pas du tout envie de retourner vivre à Montréal. Et ce n'est pas dans les intentions de Victor de quitter la ville pour la campagne, surtout avec son cœur fragile. Il a vieilli, je trouve. Victor m'a fait promettre de lui rendre visite dès que je serai de retour à Montréal. Il veut absolument que vous m'accompagniez. Il vous aime bien toutes les deux.

Chaque fois qu'elle l'avait vu, Simone avait trouvé Victor aimable et prévenant. Elle s'était toujours bien sentie en sa compagnie, et elle enviait un peu Flavie d'être sa fille. Simone aurait aimé avoir un père comme lui.

— Et il a bien raison : on est tellement aimables, Simone et moi ! se vanta Évelina. Nous connaître, c'est nous adopter ! En fait, si nous étions plus jeunes, il pourrait très bien le faire pour de vrai parce que, côté père, aucune de nous trois n'a eu de chance. Ce serait bien ! Pensez-y : nous serions sœurs !

Les divagations d'Évelina firent sourire Simone. « Sa naïveté fait toujours plaisir à entendre. J'admire tellement sa nonchalance. » Évelina demeura quelques instants perdue dans ses pensées. Puis, elle fouilla dans une des poches de son tablier et en sortit un paquet de cigarettes. Surprise, Flavie lui demanda depuis quand elle fumait. Simone répondit à la place d'Évelina pendant que la jeune femme allumait sa cigarette.

— C'est la nouvelle lubie d'Évelina. Elle se trouve « coquette » avec une cigarette au bec.

— Tu sauras, Simone, que ça fait très classe de fumer, répliqua Évelina avant de tirer une bouffée. Tu ne trouves pas que j'ai l'air un peu plus mature avec une cigarette, Flavie ?

— Euh… je ne sais pas. Je n'ai jamais beaucoup aimé l'odeur de la fumée.

— Ça pue, c'est bien simple ! Et Évelina n'arrive pas à comprendre que je déteste ça quand elle fume.

— Je ne fume pas beaucoup, Simone. C'est seulement pour me détendre un peu. En plus, ça aide à garder la ligne.

— Ben oui! Elle a lu cette sottise dans ses revues à potins, imagine-toi donc, Flavie! Madame veut rester mince, alors elle fume! Mais elle se trouvera un peu moins belle avec les doigts et les dents jaunis.

— Marcel trouve que ça fait chic de fumer.

— Ah tiens! Il y a du Marcel là-dessous!

Évelina souffla sa fumée au visage de Simone avant de continuer son chemin. Celle-ci balaya l'air de la main et fit une grimace. Flavie lui souffla à l'oreille, à l'insu d'Évelina:

— Je pense que plus on accordera de l'attention à sa «coquetterie», plus elle voudra continuer. Évelina est comme ça: elle aime nous contredire.

— Tu commences à être sage, Flavie! L'air de la campagne t'a fait mûrir.

— Je n'ai pas besoin de fumer pour ça! chuchota Flavie avant d'éclater de rire.

Évelina se retourna et jeta un regard découragé à ses compagnes.

— Vous devriez vieillir un peu, Flavie et Simone. On dirait deux écolières. Franchement, votre regard scandalisé devant une cigarette, ce n'est pas un peu exagéré?

Le sourire aux lèvres, Simone répliqua:

— On n'est pas scandalisées, Évelina. Ça nous en prend plus que ça pour l'être, voyons! C'est seulement qu'on trouve que tu ressembles à une fille du Red Light, avec la cigarette au bec. Mais bon, c'est seulement notre opinion!

Évelina jeta un regard furieux à ses amies. Elle lança sa cigarette à peine entamée à terre et l'écrasa du talon avant de retourner vers la maison d'un pas rageur. Simone se dit qu'elle avait sans doute exagéré un peu côté comparaison. Mais si cela pouvait inciter Évelina à renoncer à sa mauvaise habitude, alors tant mieux!

* * *

Les jours suivants, Simone et Évelina participèrent à la récolte des légumes et au nettoyage du caveau qui servirait à l'entreposage de ceux-ci durant l'hiver. Simone travaillait avec enthousiasme. Elle était heureuse de mettre la main à la pâte pour aider la famille de Flavie à se préparer pour l'hiver. Elle venait de surprendre Évelina, la mine boudeuse, qui prenait une pause à côté du caveau.

— Avoir su que je passerais mes vacances à jouer à la fermière, je serais restée à Montréal sans hésiter.

— Pour une fois, Évelina, pourrais-tu montrer un peu plus d'enthousiasme pour ce que tu fais? Ça rend service à la mère et à la grand-mère de Flavie qu'on nettoie le caveau.

Regardant de chaque côté pour s'assurer que personne ne pouvait l'entendre, Évelina soupira:

— J'ai l'impression qu'on sert de *cheap labor.*

— Voyons! Ce n'est pas ça du tout, tu exagères! Flavie et sa famille nous accueillent pour quelques jours. C'est la moindre des choses de leur rendre service, je trouve.

— J'ai beau travailler d'arrache-pied, Antoine ne semble même pas remarquer la moindre parcelle de tout ce que je fais.

— Ah! Le chat sort du sac! Madame ne capte pas l'attention de l'homme de la place!

— Niaise-moi tant que tu veux, Simone, mais Antoine fait comme si je n'existais pas. Il passe ses soirées à jouer aux dames avec Clément, quand il n'est pas en train de traire ses vaches. Je commence à avoir hâte de retourner à Montréal. Au moins, là-bas, c'est un peu plus distrayant.

— Peut-être qu'Antoine a compris qu'il ne doit rien attendre de toi. De toute façon, tu as le docteur Jobin dans ta vie. Qu'est-ce que tu peux désirer de plus?

Évelina resta silencieuse. Elle sortit une cigarette de sa poche et l'alluma.

— Tu es une vraie girouette parfois, Évelina. Tu veux quelque chose et puis tu changes d'idée.

— Qui est une girouette?

Clément venait de surgir. Évelina répondit en exhalant de la fumée :

— Qui d'autre que moi, Clément? Bon, je vous laisse. Je vais aller dire à Bernadette que le caveau est prêt.

Évelina vida la chaudière et prit la direction de la maison. Simone et Clément la suivirent des yeux.

— Elle semble de mauvaise humeur ces temps-ci, constata le médecin.

— Évelina déteste la campagne. Elle a hâte de rentrer à Montréal.

— Je cherchais Flavie. Tu l'as vue ?

— Elle est probablement dans le potager. Tout à l'heure, elle aidait sa grand-mère à récolter les choux.

— C'est fou tout le travail qu'il y a à faire sur une ferme. Je n'aurais jamais pensé qu'il y avait tant de besogne à abattre : les animaux, le foin à rentrer, les bâtiments à préparer pour l'hiver... Pratiquer une chirurgie, c'est presque une partie de plaisir à côté de tout ça.

— Ça dépend pour qui.

— Je n'ai pas eu la chance de passer beaucoup de temps avec Flavie ces derniers jours. J'ai bien peur qu'à notre retour à Montréal, ce ne soit pas mieux. Avec vos cours et mes heures à l'hôpital, il ne restera pas grand temps pour que nous puissions nous voir, elle et moi.

Simone vérifia rapidement à l'intérieur du caveau pour s'assurer que tout était impeccable. Puis, elle décida d'accompagner Clément auprès de Flavie.

— Bastien m'a parlé de toi à quelques reprises cet été. C'est sérieux, vous deux ?

Simone ne savait pas trop quoi répondre. Et puis, elle ignorait en quels termes Bastien avait parlé d'elle.

— On s'entend bien pour le moment.

— Son histoire avec Évelina l'a ébranlé un peu, mais il a l'air d'aller mieux. Il faudrait trouver du temps pour sortir tous les quatre : Bastien, toi, Flavie et moi.

L'idée était excellente, mais Simone n'avait pas vraiment envie de parler de Bastien avec Clément. Elle décida de changer de sujet.

— Antoine et toi semblez bien vous entendre.

— En effet. Il paraît content de l'aide que nous lui avons apportée. En ce qui me concerne, c'était un prétexte pour voir Flavie. Elle m'a beaucoup manqué cet été.

Simone n'en doutait pas une seconde. Elle aussi s'était ennuyée de la douceur tranquille de son amie. Elle commençait sérieusement à avoir hâte de reprendre les cours.

— Les filles et moi, on va avoir une année chargée. Sœur Désilets nous a prévenues à la fin des classes.

— C'est certain que cela représente beaucoup de travail, mais c'est tellement gratifiant d'aider les gens.

Simone se ralliait à Clément sur ce point.

— Et puis, poursuivit le jeune homme, Flavie et toi avez obtenu la meilleure moyenne l'an dernier. Vous ne devriez pas avoir trop de difficulté cette année. Tiens, en parlant du loup !

Simone leva les yeux. Flavie marchait dans leur direction.

— Évelina m'a dit que vous aviez terminé de nettoyer le caveau, dit Flavie à Simone. Mon frère te cherche, Clément. Je commence à penser qu'il ne veut pas que nous soyons seuls tous les deux. Il trouve sans cesse des travaux à te faire faire et ma mère n'est pas mieux avec ses questions sur sa santé. C'est désolant ! Après tout, tu es venu ici pour te reposer.

— Ça me fait plaisir, Flavie. Je me reposerai à l'hôpital !

Clément lui fit un clin d'œil et l'embrassa avant de se diriger vers la grange. Flavie haussa les épaules et se tourna vers son amie.

— Ma mère et mon frère exagèrent en vous faisant tous travailler autant. Ils oublient que vous êtes en vacances.

— Évelina s'est plainte ?

— Non, mais je vois bien que vous travaillez fort. Dans quelques jours, on retournera à Montréal et les cours recommenceront. L'année va être longue ! On a encore plus de cours cette année. Ouf ! J'aime mieux ne pas y penser.

— Clément aimerait que nous trouvions du temps pour sortir toutes les deux avec Bastien et lui.

— Ça te plairait, Simone ?

— C'est sûr !

— Dans ce cas, je suis prête à faire un petit effort. Parce que tu sais, moi, Bastien...

— Je le sais, Flavie.

— Si tu es bien avec lui et qu'il te rend heureuse, je ne vois pas pourquoi je te mettrais des bâtons dans les roues.

Simone pressa l'épaule de Flavie. La douceur et la compréhension de Flavie lui avaient manqué durant tout l'été. Simone était heureuse de voir que, malgré les quelques semaines passées loin l'une de l'autre, Flavie la comprenait encore parfaitement. Les jeunes femmes marchèrent en silence, se rapprochant tranquillement de la maison.

D'un pas rapide, Évelina vint à leur rencontre.

— Bonne nouvelle, les filles! Flavie, ta mère et ton frère ont décidé de nous organiser une petite fête pour nous remercier de l'aide qu'on a apportée sur la ferme. Enfin! Un événement mondain dans ma vie de paysanne!

* * *

Évelina regardait d'un air dédaigneux les invités qui mangeaient des épis de maïs. Si elle avait su que la «petite fête» serait en fait une «épluchette de blé d'Inde» en compagnie des voisins, elle n'aurait pas pris la peine de mettre sa plus belle robe. Elle avait épluché quelques épis et s'était assise sur une balle de foin en attendant que le maïs cuise dans un gros chaudron d'eau bouillante.

Après que Flavie eut présenté ses deux amies et Clément aux voisins, Simone prit plaisir à discuter avec tout le monde. Ensuite, elle alla rejoindre Évelina, assise à l'écart sur une balle de foin. Simone lui tendit un épi que la jeune femme refusa en hochant la tête. Celle-ci se contenta d'un morceau de pain et d'un bout de fromage.

Simone se moqua d'elle.

— Ne viens pas me faire croire que c'est ta première épluchette de blé d'Inde, Évelina?

— Dans le vrai sens du terme, oui. J'ai déjà mangé du maïs, mais pas comme ça! C'est dégoûtant!

Évelina promena un regard dédaigneux sur les personnes assises plus loin. Elle ne pouvait s'empêcher de voir les mentons ruisselants de beurre et de grains de maïs. Tout le monde s'amusait, sauf elle. Simone la poussa du coude pour la sortir de sa torpeur.

— Allez, Évelina, fais comme tout le monde et régale-toi ! Pour une fois que tu serais autre chose que la « madame distinguée » de Montréal.

— Je n'aime pas tellement le maïs. Et puis, je n'ai rien à dire à ces gens-là. Je ne les connais même pas. Flavie les côtoie depuis toujours et elle est allée à l'école avec certains d'entre eux. Si au moins Antoine s'occupait un peu de moi, ce serait moins ennuyant !

Évelina désigna Antoine d'un mouvement de la main. Ce dernier riait et discutait avec une jeune femme de son âge.

— Il m'ignore totalement !

— Ça ne doit pas t'être arrivé souvent que quelqu'un t'ignore...

— Non, en effet !

Évelina éclata de rire en constatant à quel point sa réponse était présomptueuse. Simone se joignit à son amie de bon cœur, puis elle reprit :

— Il faudra que tu t'habitues. De mon côté, je me suis faite à l'idée depuis longtemps, tu sais.

— Bah ! Tu as attiré l'attention de Bastien, je pense.

— C'est un peu à cause de ton rejet qu'il s'intéresse à moi.

— Maintenant que nous ne sommes plus ensemble, il peut regarder ailleurs à sa guise.

Évelina se mordit les lèvres en réalisant que sa remarque était maladroite. Même si Simone n'avait pas semblé s'en formaliser, Évelina tint à préciser sa pensée.

— Ce que j'ai essayé de dire, Simone – très maladroitement, j'en conviens – c'est que Bastien...

« Je le sais que lorsque la fée distribuant le tact est passée, elle a oublié de se pencher sur ton berceau, chère Évelina ! » pensa Simone en croisant les bras. Elle laissa Évelina continuer sur sa lancée.

— ... c'est que Bastien ne sait pas la chance qu'il a de t'avoir dans sa vie, Simone. Je te souhaite beaucoup de bonheur avec lui, sincèrement. Et quoi qu'il advienne, je serai toujours là pour toi, tu le sais. Je vous taquine souvent, je vous critique, je m'emporte facilement, mais Flavie et toi, je vous aime comme si vous étiez mes sœurs.

Simone le savait, mais il était plaisant d'entendre Évelina lui dire qu'elle tenait à elle. Son amie ne communiquait pas facilement ses sentiments – un point qu'elles partageaient, d'ailleurs –, mais Simone était persuadée qu'Évelina était sincère dans ses propos. S'apercevant à quel point elle s'était laissée aller, Évelina enchaîna :

— Mon Dieu ! M'as-tu entendue ? Il ne manque que les larmes et les soupirs et je ressemblerai à une de ces actrices de radioromans !

— Allez, la « madame de la ville », viens donc manger un bon blé d'Inde dégoulinant de beurre en compagnie d'habitants ! Ça te changera un peu !

— Tu te venges avec la « madame de la ville », Simone. Mais pour moi, tu seras toujours la « maîtresse d'école » !

— Bien, dans ce cas, la maîtresse d'école te dit de venir manger et t'amuser avec nous. Profites-en donc ! Dans quelques jours, on devra replonger dans nos livres et étudier.

— Ah non! Pas moi, par exemple!

— Flavie et moi, on sait bien que tu vas attendre à la dernière minute pour t'y mettre. Mais cette année, on va quand même essayer de te garder dans le droit chemin.

Simone entraîna Évelina vers l'assiette d'épis fumants. Elle en prit un et le tendit à son amie. Évelina tartina l'épi de beurre et y mordit à pleines dents sans se soucier de rien. Simone leva le pouce et lui sourit.

3

La voiture conduite par Clément s'arrêta devant l'hôpital Notre-Dame. Simone et ses amies s'apprêtaient à entreprendre leur deuxième année d'études. Clément aida Flavie à transporter ses valises. Simone et Évelina, qui s'étaient absentées moins longtemps, n'avaient chacune qu'un petite valise à transporter. Avant d'entrer dans l'hôpital, Simone contempla celui-ci; elle ressentait une bouffée de fierté chaque fois qu'elle prenait le temps d'en admirer l'architecture. Le bâtiment moderne de briques grises, construit en 1924, avait accueilli la première école d'infirmières laïques et francophones en Amérique du Nord. En passant près des quatre colonnes corinthiennes qui encadraient l'immense porte de fer forgé menant au hall d'entrée principal, Simone oublia les doutes qui l'avaient tourmentée les jours précédents. Elle avait l'impression d'entendre la voix de Delvina lui disant qu'elle était à sa place en soins infirmiers. «J'ai la chance d'étudier dans cet hôpital moderne et je me remets en question? Franchement, Simone Lafond, tu ne sais vraiment pas ce que tu veux!» se sermonnat-elle intérieurement.

Le sourire aux lèvres, elle alla rejoindre ses amis postés devant l'ascenseur.

— Tu en as mis du temps avant de nous rejoindre, remarqua Évelina. Qu'est-ce que tu faisais, plantée là sur le trottoir?

— J'admirais l'hôpital tout en me disant que j'ai beaucoup de chance d'étudier ici.

— C'est certain! Si tu n'y étais pas, tu ne nous connaîtrais pas, Flavie et moi!

— C'est vrai! Que deviendrais-je sans vous?

L'ascenseur venait de s'arrêter devant le groupe. Tous s'y engouffrèrent. Clément accompagna les jeunes filles jusqu'à l'étage des dortoirs de la résidence des infirmières. Il embrassa rapidement Flavie, puis il s'éclipsa pour aller prendre des nouvelles de ses collègues et laisser ses amies défaire leurs bagages. Dans la chambre, Flavie déposa ses affaires et s'assit quelques instants sur son lit. Elle promena son regard sur la pièce.

— Ah! Comme je me suis ennuyée de cet endroit! Ça m'a fait un bien fou de me retrouver à La Prairie, mais ces quatre murs m'ont vraiment manqué.

— J'espère que Simone et moi, on t'a manqué aussi.

— C'est certain, Évelina! Comme l'a dit Simone tout à l'heure, que deviendrais-je sans vous?

— Et sans Clément!

Flavie haussa les épaules.

— Je ne sais pas trop encore pour Clément. Il m'a informée que cette année serait cruciale pour lui. Il vient de terminer son internat et il doit faire ses preuves. Nous allons probablement nous voir un peu moins souvent que l'an dernier. Déjà que nous n'avons pas passé beaucoup de temps ensemble ces derniers mois...

— Ah! C'est toujours la même histoire! émit Évelina, l'air sombre. Ils commencent par nous avertir qu'ils seront très occupés et après ça, on ne les voit plus du tout.

— Disons que pour le moment ça me convient. Nous aurons une grosse année d'études et je veux m'y consacrer entièrement.

— Tu peux bien t'amuser un peu, Flavie. Même notre «maîtresse d'école» a des vues sur quelqu'un.

Simone se souvint qu'au début de ses études son surnom de «maîtresse d'école» la dérangeait. Mais elle s'y était habituée peu à peu et avait compris qu'Évelina la surnommait ainsi sans méchanceté.

— La «maîtresse d'école» est ici pour une raison, Évelina: c'est pour obtenir un diplôme d'infirmière, pas une demande en mariage!

— Je le veux aussi, ce «foutu» diplôme! Mais une demande en mariage d'un médecin pour compléter le tout ne m'embarrasserait pas non plus.

— Dans ce cas, il faudrait que tu trouves quelqu'un d'autre qu'un homme déjà marié...

— Dans le temps comme dans le temps! Ne précipitons pas les choses. Évelina est de retour! Quelques nouveaux internes séduisants attireront sûrement mon attention, je ne peux pas croire!

— Dieu sait que tu as l'œil vif à ce sujet!

— Bah! Pas plus que bien d'autres. En tout cas, je nous souhaite, sur tous les plans, une bonne deuxième année à l'école d'infirmières de l'hôpital Notre-Dame!

* * *

Avant le début des cours, sœur Marleau, la directrice de l'école, vint souhaiter la bienvenue aux nouvelles et un bon retour aux anciennes étudiantes. Après avoir prononcé un discours sur les vertus de la bonne infirmière, sur la chance pour les jeunes femmes d'avoir été admises dans le programme ainsi que sur les principaux fondements de l'école d'infirmières, elle quitta la salle à manger après avoir invité les étudiantes à se rendre à leurs cours respectifs.

En acheminant vers la salle de classe, Simone et Flavie eurent droit à la mauvaise humeur d'Évelina.

— Je n'ai même pas eu le temps de me coiffer ce matin. Il fallait se présenter plus tôt que d'habitude à la salle à manger pour entendre le laïus de sœur Marleau. Elle était éblouissante d'originalité ! Je suis certaine que c'est le même discours que l'an dernier et que, l'an prochain, nous aurons encore droit à une reprise.

— L'an passé, tu n'étais pas là, Évelina, pour le discours, tu ne te souviens pas ? déclara Flavie.

L'air songeur, Évelina fixa Flavie. Simone se souvenait de l'arrivée précipitée de son amie dans la salle à manger. Évelina avait prétexté avoir manqué de temps pour se préparer avant le début des classes. Flavie et elle avaient alors fait sa connaissance ; depuis, toutes les trois étaient inséparables.

— Bof ! Je n'étais peut-être pas là, mais je suis sûre que le discours, c'est du pareil au même d'une année à l'autre. Nos chères bonnes sœurs nous entretiennent de la vertu de la bonne infirmière catholique. Nous sommes dans une école laïque, pourtant.

— L'école d'infirmières de l'hôpital Notre-Dame est laïque en effet. Ce sont les médecins qui administrent l'hôpital, mais l'école est tout de même sous la responsabilité des Sœurs grises, il ne faut pas l'oublier.

— Même si on voulait l'oublier, ce serait impossible : elles sont partout, ces bonnes sœurs. D'ailleurs, sœur Marleau est omniprésente même si on ne la voit qu'en de rares occasions. C'est à croire qu'elle hiberne toute l'année scolaire pour sortir de son bureau fraîche et dispose au mois de mai !

— C'est aussi bien ! déclara Flavie. Je n'ai vraiment pas envie d'avoir affaire à elle. Il vaut mieux se tenir loin du bureau de la directrice, à mon avis.

Simone ne pouvait qu'être d'accord avec Flavie. Elle ne tenait pas à attirer l'attention de la directrice sur elle par peur d'être renvoyée à la moindre incartade. Pour sa part, Évelina ne semblait guère s'inquiéter, même si elle avait été convoquée à quelques reprises au bureau de sœur Désilets, la religieuse en charge de leur groupe. Simone espérait qu'une nouvelle responsable superviserait le groupe cette année. Sœur Désilets, surnommée sœur Désuète par Évelina, avait passé tout l'été à surveiller ses moindres faits et gestes – qui lui avaient été fidèlement rapportés par Suzelle Pelletier. « L'année qui vient serait tellement plus agréable si sœur Désuète ne m'épiait pas constamment. »

Bien qu'elle ne soit pas superstitieuse, Simone avait croisé les doigts avant d'entrer dans la salle de classe. Mais elle avait déchanté rapidement en apercevant la religieuse debout derrière son bureau. En attendant le début du cours, les élèves avaient pris place en discutant des vacances, de ce qu'elles avaient fait et des derniers potins lus dans les journaux.

Georgina Meunier s'installa derrière le trio. Elle raconta d'une voix forte « ses merveilleuses vacances » à son amie

Alma. « Nous nous sommes rendus à Sainte-Luce où mon père possède une maison d'été. Ah ! Comme tu aurais eu du plaisir, Alma, si tu nous avais accompagnés, mes parents et moi ! C'était tout simplement fantastique. Rien à voir avec le travail ennuyant de l'hôpital ! » Simone savait très bien qu'elle faisait référence à Évelina et elle qui, n'ayant rien de mieux à faire, étaient restées tout l'été à Montréal. Georgina semblait calme et détendue grâce à ses vacances, mais aux yeux de Simone, elle paraissait toujours aussi insupportable.

Sœur Désuète donna un coup de règle sur son bureau pour réclamer le silence. Les bras croisés sur la poitrine, elle se mit ensuite à circuler dans les rangs. Fixant à tour de rôle les étudiantes, elle expliqua en quoi consisterait la prochaine année.

— Comme vous avez pu le constater, c'est encore moi qui suis responsable de votre groupe. C'est plus pratique ainsi, car je connais déjà chacune de vous. Pour la plupart, vous avez réussi avec brio votre première année d'études ; toutefois, sachez que, tout comme l'an passé, vous pouvez être renvoyées n'importe quand. Cette année, mesdemoiselles, il n'y aura aucune place pour la rigolade ! Les étudiantes qui pensaient que la première année était la pire de toutes constateront rapidement qu'elles se trompaient. Je vous surveillerai avec vigilance, afin de m'assurer que vous accomplissez votre travail de façon exemplaire.

Sœur Désuète poursuivit son discours. Il y aurait peu de changements par rapport à l'année précédente ; les étudiantes, en plus d'assister à leurs cours, prodigueraient différents soins hygiéniques et médicaux aux patients. La grande nouveauté de cette année, c'était que les étudiantes effectueraient des injections. Pendant longtemps, seuls les internes avaient procédé en la matière. Mais depuis quelques années, les infirmières apprenaient à faire les injections afin d'alléger le travail des médecins.

Sœur Désuète énuméra les différents cours que les étudiantes suivraient durant l'année. Simone se réjouissait à l'idée d'apprendre de nouvelles notions, et elle essayait de contenir son enthousiasme en pensant aux cours cités par sœur Désuète. La jeune femme regarda ses deux amies. Flavie paraissait aussi enthousiaste qu'elle, mais Évelina semblait accablée par les études qui découleraient de tous ces cours. Lorsque la religieuse parla du cours de morale dans le christianisme, Simone entendit Évelina marmonner :

— Ah non ! Pas encore un cours de religion ! Me semble qu'un cours l'an dernier c'était bien assez !

« On dirait qu'elle cherche à se faire remarquer par sœur Désuète », pensa Simone en lui faisant signe de se taire.

Sœur Désilets conclut enfin son laïus :

— Sur ce, je vous souhaite une bonne année mesdemoiselles. Et n'oubliez pas qu'une bonne infirmière doit toujours se soumettre à l'autorité.

Simone grimaça. Cet aspect lui causait beaucoup de difficulté. Cependant, elle n'avait pas le choix de s'y conformer ; sœur Désuète l'aurait très certainement à l'œil durant toute l'année scolaire.

* * *

— Encore un cours de religion ! se plaignit Évelina. Les sœurs veulent garder une mainmise sur nous. Et quand je pense à tous les autres cours... Je ne peux pas croire que je doive me cloîtrer encore dans la bibliothèque, ajouta-t-elle avant de repousser son assiette qu'elle avait à peine touchée.

— C'est normal qu'on ait des cours de religion, commenta Flavie. Après tout, les religieuses sont très présentes dans l'hôpital. Nous devons être de bonnes infirmières catholiques, déclara-t-elle en imitant la voix de sœur Désuète pour faire rire Évelina.

— Je suis d'accord avec Évelina quand elle dit que les sœurs veulent conserver leur emprise sur nous, commenta Simone. Mais on doit vivre avec cette réalité, on n'a pas le choix. Et puis, ça ne me semble pas si mal. Les autres cours ont vraiment l'air intéressants. J'ai hâte de suivre le cours sur l'anesthésie et celui sur les différentes techniques en salle d'opération.

— J'ai bien aimé être en salle d'opération, l'an passé, indiqua Flavie. Et avant que tu le mentionnes, Évelina, ça n'a rien à voir avec le fait que Clément soit chirurgien.

— En tout cas, vous paraissez vraiment contentes de vos nouveaux cours, les filles. C'est beau à voir ! se moqua Évelina. Mais changement de sujet : ça vous dirait de sortir ce soir ? Profitons-en, car nous commencerons nos tâches de « torchonnage » de patients dès demain matin.

— Je finirai par m'habituer à l'emprise des sœurs, mais j'ai encore beaucoup de difficulté avec ce terme de « "torchonnage" de patients », Évelina, la sermonna Simone. Peut-être que si c'était des proches que tu soignais, tu te sentirais mal de parler ainsi ?

— C'est pour alléger l'atmosphère que j'utilise cette expression, tu le sais bien. De toute façon, je n'ai pas de proches qui pourraient venir se faire soigner ici. Ma mère est en parfaite santé et, si j'en crois le proverbe, ce sont toujours les meilleurs qui partent en premier. Elle n'est donc pas près de quitter cette terre.

Simone et Flavie ne répliquèrent pas. Simone ne comprenait pas pourquoi Évelina se montrait aussi intransigeante avec sa mère. Elle aurait eu envie de profiter du moment pour le lui demander, mais elle aperçut Bastien qui se dirigeait vers leur table. Ignorant Évelina, il demanda à Flavie si elle avait passé de bonnes vacances. Puis, il se tourna vers elle.

— J'espère que ces quelques jours de repos t'ont été bénéfiques, Simone. Dès que mon horaire le permettra, nous pourrions sortir pour boire un café. Ça te dirait?

— Ça me ferait plaisir, répondit Simone d'un air gêné.

— Bonne journée, mesdemoiselles. À bientôt, Simone.

Bastien continua son chemin. Pendant quelques instants, les trois amies demeurèrent silencieuses. Simone, consciente du malaise qui régnait à la table, savait que l'attitude de Bastien avait blessé Évelina. Cette dernière poussa un soupir avant de rompre le silence.

— Ouais… Je me sens comme si j'étais devenue la femme invisible. Vous avez vu comment il m'a ignorée? Il doit m'en vouloir encore pour le soir de la remise des diplômes.

— Je ne sais pas trop quoi te dire, Évelina, déclara Simone.

— Il n'y a rien à dire, Simone. Rassure-toi, je ne suis pas fâchée du tout contre toi. Je te le répète: Bastien et moi, c'est de l'histoire ancienne. Tu as le chemin libre pour tenter ta chance. Alors?

— Alors quoi?

— Ça vous dit de sortir ce soir?

— Je ne sais pas trop… hésita Flavie. Il faut que je repasse mes uniformes et je veux téléphoner à mon père pour prendre de ses nouvelles. Et puis, je voudrais me coucher tôt.

— Je pense comme Flavie, Évelina. Il serait plus sage de remettre cette sortie à plus tard.

— Que vous êtes plates, les filles! On dirait deux sœurs cloîtrées! Même Charlotte Lévesque a plus d'entrain que vous deux. Laissez faire! Couchez-vous tôt et préparez toutes vos petites affaires! Moi, je vais aller me promener un peu.

— Je peux t'accompagner pour une marche dans le parc en face, lui suggéra Simone.

— Bah! Si ça te dit! Tu viens avec nous, Flavie?

— Non. Je vais me dépêcher d'appeler Victor avant qu'il ne soit trop tard. Il se couche tôt.

— Ça doit être de famille, la taquina Évelina. Bon, eh bien, à tout à l'heure!

Flavie saisit son plateau et salua ses deux amies avant de partir. Évelina la suivit des yeux avant de prendre son plateau et celui de Simone.

— Allons faire notre promenade. Je ne voudrais pas que tu te couches trop tard à cause de moi!

* * *

Simone et Évelina avaient trouvé un banc près de l'étang. Elles observaient les canards en silence, réfléchissant chacune de leur côté. Simone ignorait ce qui tracassait Évelina, mais la jeune femme n'osait aborder la question de peur que son amie soit en train de penser au comportement de Bastien avec elle. Évelina étira ses bras et posa les mains sur sa nuque en prenant une grande inspiration.

— Je pense à Flavie, indiqua-t-elle ensuite. J'espère sincèrement qu'elle ne s'est pas créé de fausses attentes par rapport à Victor.

Simone ne répondit rien, surprise d'apprendre qu'Évelina réfléchissait à leur amie.

— J'espère que Victor est sincère quand il dit vouloir se rapprocher d'elle, poursuivit Évelina. Malgré tout, je trouve ça un peu étrange qu'il ne lui ait rien dit avant son infarctus.

— Il avait fait une promesse à la mère de Flavie, lui rappela Simone.

— Je veux bien le croire. Mais si Victor n'avait pas été à l'article de la mort, Flavie n'aurait jamais su qu'il est son père.

Simone était persuadée que quelque chose d'autre troublait son amie. Ses propos pendant le souper concernant sa mère la tracassaient encore. Simone décida de profiter du fait qu'Évelina et elle étaient seules pour essayer de comprendre la raison de l'intransigeance de son amie face à sa mère.

— Tu ne parles pas beaucoup de ta mère, Évelina. Cependant, quand tu le fais, tu t'exprimes toujours avec une telle sévérité...J'avoue que j'ai de la difficulté à saisir pourquoi.

— Bon, la maîtresse d'école qui se prend pour un psy *astheure*!

— Tu peux bien te moquer, Évelina. Mais peut-être que ça te ferait du bien d'en parler.

— Il n'y a pas grand-chose à dire concernant ma mère, Simone. Elle a été trop peu présente quand j'étais jeune. Maintenant, elle aimerait se rapprocher de sa fille, mais il est trop tard. Crois-moi, tu as de la chance de ne pas avoir eu de parents.

Simone pinça les lèvres. Non, elle ne s'estimait pas chanceuse que ses parents soient morts quand elle était petite. Son oncle et sa tante n'étaient jamais parvenus à combler le manque d'affection qu'elle avait toujours ressenti. Elle ne comprenait pas qu'Évelina souhaite s'éloigner de sa mère; elle, au contraire, aurait tout fait pour s'en rapprocher. Évelina, qui avait vu la jeune femme pincer les lèvres avant de fermer les yeux, posa une main sur la sienne.

— Je ne voulais pas te blesser, Simone. C'est seulement que j'ai une sainte horreur des liens familiaux. Je n'ai pas connu mon père. Quand j'ai voulu savoir de qui il s'agissait, ma mère a refusé de me le dire. Elle n'a jamais été tellement présente pour moi, alors j'ai appris à vivre sans elle.

— Même si elle t'envoie chaque mois une allocation?

— Au début, cet argent m'horripilait, peux-tu le croire?

Simone était sceptique. Coquette jusqu'au bout des ongles, Évelina profitait de cet argent pour s'acheter des vêtements et pour s'offrir des sorties.

— Mais j'ai décidé que ça ne servirait à rien de lui retourner l'argent. Alors, aussi bien en profiter! Ma mère croit ainsi compenser pour toutes les années où j'ai représenté un fardeau pour elle – du moins, c'est comme ça que je me suis sentie. Je n'ai pas besoin d'elle; son argent me suffit.

— C'est triste que tu ne tires pas avantage du fait que ta mère habite Montréal pour essayer de te rapprocher d'elle.

— N'essaye pas de comprendre, Simone. Je suis bien comme ça et je n'ai vraiment pas envie d'une belle relation mère-fille.

Simone savait qu'elle n'en apprendrait pas davantage sur la mère d'Évelina. De toute façon, son amie semblait accepter la situation. Elles se remirent à observer en silence les canards qui nageaient sur l'étang.

Simone se tourna vers son amie.

— Évelina?

— Oui, très chère?

— Tu es certaine que ça ne te dérange pas que je fréquente Bastien?

— Pourquoi ça me dérangerait, Simone? C'est moi qui l'ai laissé.

— C'est seulement que tout à l'heure, j'ai bien vu que ça t'avait dérangée qu'il t'ignore. Je me sens un peu prise entre l'arbre et l'écorce.

— Il n'y a aucune raison, Simone. Mais je te conseille de faire attention. Bastien est un charmeur avant tout; méfie-toi de lui.

— Me méfier?

— Ce qui me déplaisait chez lui, c'est qu'il voulait contrôler ma vie. C'est pour cette raison que j'ai décidé qu'on ne pouvait pas continuer tous les deux.

Simone savait très bien que ce n'était pas l'unique raison pour laquelle Évelina était retournée dans les bras du docteur Jobin. «Elle en avait assez de sa petite vie rangée en couple avec Bastien, c'est tout. Et puis, l'attrait de la nouveauté était passé depuis un bout de temps», se dit-elle. Elle résolut de prendre à la légère les recommandations d'Évelina concernant le médecin, préférant se fier à son propre instinct. Celui-ci lui soufflait d'apprendre à connaître Bastien par elle-même. Simone attendait impatiemment sa prochaine rencontre avec le jeune homme.

* * *

Sœur Désuète distribua à chacune des étudiantes une orange, un petit flacon d'eau et une seringue. Les jeunes femmes observaient d'un œil curieux le fruit sur leur bureau, attendant les directives de la religieuse.

— Pendant les prochains jours, mesdemoiselles, vous devrez appliquer les notions que je viens de vous enseigner. L'orange vous permettra de parfaire la technique d'injection intra-musculaire. Quand vous serez suffisamment expérimentées, vous pourrez piquer de vrais patients – sous supervision, bien entendu. À mon avis, les internes sont beaucoup mieux quali-fiés pour ce genre de tâches, mais le nouveau programme exige que vous appreniez cette technique désormais. Alors, faites honneur à votre profession!

Simone prit la seringue graduée en verre placée devant elle. Elle l'observa attentivement, consciente de l'importance de ce petit objet. Elle jeta un coup d'œil à Flavie; le sourire de cette dernière lui confirma que la jeune femme ressentait la même fierté qu'elle-même. De son côté, Évelina avait croisé les bras et fixait l'aiguille métallique qui brillait. Son teint habituellement lumineux avait pâli et on pouvait distinguer quelques gouttes de sueur sur son front.

— Une fois que vous avez vérifié la prescription, que votre patient sait que vous allez le piquer et que vous avez lavé vos mains, vous pouvez procéder à l'injection du médicament dans un des muscles.

Sœur Désuète pointa sur un tableau, à l'aide de sa baguette, les différents muscles où pouvait se faire une injection intra-musculaire. Simone suivait les explications tout en surveillant Évelina. Son amie avait posé ses deux mains sur son bureau et fixait encore la seringue devant elle. «J'espère qu'elle ne s'effondrera pas comme lors du premier cours en chirurgie», pensa Simone. Flavie et Charlotte avaient alors dû sortir Évelina de la salle d'opération, car celle-ci avait souffert d'un malaise à la vue du sang.

La religieuse continua ses explications. Elle conclut d'une voix forte :

— À présent, mesdemoiselles, prenez l'orange et la seringue dans vos mains. Ensuite, prélevez le médicament dans la fiole. Puis, d'un geste précis et ferme, introduisez l'aiguille dans l'orange dans un angle de 90 degrés.

Les étudiantes s'exécutèrent avec maladresse pour la plupart. Simone tint fermement l'orange en y introduisant l'aiguille. Après avoir terminé l'exercice, elle se dit qu'elle s'en était bien tirée. Évelina n'avait pas encore bougé. Devant le regard insis-tant de Simone, elle prit la seringue. Mais quelques secondes plus tard, elle déposa l'objet sur le bureau et sortit précipitam-ment de la classe. Sœur Désuète leva les yeux et poussa un soupir en voyant que la jeune fille faisait encore des siennes.

Simone attendit la fin du cours pour aller rejoindre Évelina dans la salle de repos. Celle-ci était assise dans un fauteuil, la tête basse et les jambes repliées sous elle. Simone avait pris la peine de se munir de la seringue d'Évelina, de la fiole et de l'orange. Elle tendit les objets à son amie; d'un geste de la main, la jeune femme refusa de les prendre.

— Maudit! Si ça a du bon sens d'avoir peur des aiguilles de même! Je ne suis même pas capable de piquer une orange!

— J'ai tout apporté pour que tu puisses t'exercer, justement. Il n'y a aucune raison pour que tu ne sois pas capable d'effectuer cette tâche, Évelina.

— Comme si piquer une orange fera en sorte que je serai capable de donner une injection dans le muscle d'une fesse!

Simone essaya de retenir son envie de rire. Sur ces entrefaites, Flavie arriva. Elle s'adressa à Évelina.

— Est-ce que ça va mieux? J'ai dit à sœur Désuète que tu avais dû quitter parce que tu étais indisposée.

— Je n'arrive pas à soigner une orange! Avez-vous vu la longueur de cette aiguille? J'ai des sueurs froides juste à la regarder.

— Pense à tout ce que cette petite aiguille peut faire pour sauver une vie, Évelina, tenta de la raisonner Simone.

— Je le sais bien!

Évelina prit la seringue et se mit à la retourner de tous les côtés.

— Promettez-moi que vous ne vous moquerez pas de moi et de ma peur des aiguilles.

— On est là pour s'entraider, Évelina, dit Flavie en posant la main sur l'épaule de son amie. Et ça nous fait plaisir, à Simone et à moi, de t'appuyer quand tu en as besoin.

— Allez, Évelina, on va t'aider à soigner ton orange ! Pauvre petite ! Elle a besoin d'une injection.

Évelina fit une grimace à Simone en saisissant l'orange.

* * *

Charlotte se joignit à Simone et à Évelina dans la salle de repos pour « l'exercice de l'injection de l'orange », comme le disait ironiquement Évelina. Flavie était absente ; elle faisait sa tournée de patients. Maîtrisant bien la technique d'injection, Simone entreprit d'aider Évelina et Charlotte qui hésitaient encore au moment de planter la seringue dans la peau épaisse et rugueuse du fruit. Vêtue de la robe des novices des Sœurs grises, Charlotte avait pris la peine de déposer un mouchoir sur ses genoux en dessous de l'orange pour éviter de se tacher. Pour sa part, Évelina n'avait pris aucune précaution ; son tablier était déjà sale.

Simone, qui regardait Charlotte, secoua la tête.

— Tu es beaucoup trop minutieuse et délicate, Charlotte. Il faut y aller avec fermeté ! Mais toi, Évelina, je te dirais d'y aller avec plus de douceur. Imagine que c'est le muscle d'un patient que tu tiens entre tes mains !

— J'y arrive presque, Simone. Il y a quelques heures, je refusais de tenir une seringue dans mes mains. Maintenant, je prends plaisir à faire souffrir mon orange ! Il ne me reste plus qu'à trouver le juste milieu.

— Vous progressez bien, les filles ! Il ne faut pas désespérer.

— Je n'y arriverai jamais! se découragea la future religieuse.

— Essaye une dernière fois, Charlotte...

La jeune femme s'exécuta sous l'œil attentif de Simone. Comme il s'agissait de sa dernière tentative de la soirée, Charlotte décida d'y aller avec plus de fermeté.

— Voilà, ça y est! la félicita Simone. Charlotte, tu pourras désormais faire des injections intramusculaires. Et je suis convaincue que tu réussiras ton examen. .

— Bon, c'est ça! grommela Évelina. Je viens de me faire dépasser par une bonne sœur.

— Je suis encore novice, Évelina, répliqua Charlotte en souriant ironiquement.

— Tu peux bien te moquer, sœur Charlotte-de-l'Injection-Divine! Maintenant, regardez attentivement, mesdemoiselles. La simple étudiante infirmière Évelina Richer va réussir l'injection du siècle sur cette foutue orange!

Sous le regard amusé de ses compagnes, Évelina remplit la seringue avec l'eau contenue dans la fiole. Puis, elle piqua le fruit. Elle avait envie de projeter cette orange sur le mur et de passer à autre chose, mais elle voulait prouver qu'elle aussi pouvait réussir. En retenant sa colère, elle piqua l'orange. Devant sa réussite, Charlotte et Simone applaudirent. Évelina sourit de toutes ses dents.

— Voilà, mesdemoiselles, comment une infirmière professionnelle guérit ça, une orange!

Georgina et Alma entrèrent dans la salle de repos. Georgina retira sa coiffe et poussa un soupir tout en s'écroulant bruyamment dans un fauteuil. Puis, elle s'adressa à son amie:

— Ouf! Comme j'ai eu une rude journée! C'est vraiment beaucoup nous demander que d'assister aux cours en plus d'accomplir toutes nos tâches. Ce n'est pas comme d'autres qui s'amusent à injecter des oranges. Il y en a pour qui c'est plus long d'assimiler les notions.

Évelina décida de faire la sourde oreille. Elle se leva. Georgina se tourna vers elle.

— Ça y est, Évelina? Ta peur des aiguilles est passée? C'est bien beau que tu t'exerces avec tes copines Simone et Charlotte, mais elles ne seront pas toujours là pour t'aider!

— Tu sauras, Georgina, que je n'ai besoin de personne. Et puis, ça ne te tenterait pas de te mêler de tes affaires pour une fois? Ça nous changerait un peu...

Georgina s'approcha d'Évelina afin de répondre à celle-ci. Simone prit Évelina par le bras et l'entraîna à l'extérieur de la pièce.

— Grrr! émit Évelina. Elle me cherche sans cesse, celle-là. Je te le dis, Simone: elle finira par me trouver!

— Laisse-la donc faire. Elle prend plaisir à se moquer de nous.

— Simone a raison, dit doucement Charlotte qui avait suivi ses camarades dans le corridor. Tu ne devrais pas lui accorder la moindre importance.

— On sait bien que toi, Charlotte, tu es prête à tout accepter. Une religieuse se doit d'aimer son prochain! Mais c'est difficile pour moi d'être passive devant ce genre de personnes. C'est une des raisons pour lesquelles je ne suis pas entrée en religion.

Charlotte recula avant de tourner les talons et de s'éloigner rapidement. Évelina se rendit compte qu'elle l'avait blessée.

— Bon! J'ai encore fait une gaffe! dit-elle en suivant des yeux la jeune femme. Ça semble tellement facile pour elle et toi de ne pas réagir aux commentaires de Georgina.

— Je pense que tu y es allée un peu fort avec Charlotte. Tu devrais aller t'excuser.

— Probablement, même si je ne comprends pas encore pourquoi elle a décidé de prendre le voile. Ça me révolte de la voir comme ça, toute douce et soumise.

— C'est ce qu'elle veut et tu ne peux rien y changer. Et il n'y a rien à comprendre dans son choix; il n'y a qu'elle que ça regarde.

— Je le sais bien. Je vais aller m'excuser de m'être défoulée sur elle plutôt que sur la maudite fatigante Georgina!

* * *

Simone n'avait pas envie de retourner dans la salle de repos où se trouvaient toujours Georgina et Alma. Flavie travaillerait encore une heure et Évelina essayait de se réconcilier avec Charlotte. Elle regarda l'heure sur sa montre de poche. « J'ai le temps d'aller prendre l'air avant qu'il fasse nuit. » Elle enfila sa veste, puis elle se dépêcha de sortir pour faire quelques pas dans le parc. Elle croisa plusieurs consœurs de classe qu'elle salua au passage avant de se rendre près de l'étang. Cet endroit lui plaisait tellement. Les moments paisibles qu'elle y passait lui permettaient de faire le vide. Simone entendait les automobiles circuler sur la rue Sherbrooke, mais les gazouillis d'oiseaux parvenaient à lui faire oublier qu'elle se trouvait en ville. S'approchant de l'étang pour lancer aux canards les morceaux de pain qu'elle avait pris soin d'apporter dans un sac en papier, elle entendit des pas derrière elle. Après s'être retournée, elle vit Bastien qui lui souriait.

— Ça me fait un bien fou de nourrir les canards, moi aussi. Je viens ici quand je suis préoccupé. Ce n'est pas pour rien qu'ils sont aussi dodus!

Un peu sur la défensive, Simone lui répondit qu'elle n'était pas préoccupée en lui tendant le sac de papier. Bastien lança le pain aux canards. Il invita ensuite la jeune femme à faire quelques pas avec lui.

— Je te cherchais à l'hôpital. Clément m'a dit qu'il t'avait vue sortir avec un sac. Je me suis douté que tu étais venue ici. Je suis content de voir que ma déduction était exacte.

— Vous êtes perspicace, docteur Couture.

— Nous sommes seuls, alors tu peux m'appeler Bastien. Ça me ferait vraiment plaisir.

— Si tu veux, Bastien.

— J'ai consulté mon horaire. Si ça te tente et si tu es disponible, nous pourrions aller voir un film ce vendredi.

Simone s'immobilisa. Elle ne savait pas si Bastien avait envie d'être avec elle ou s'il l'invitait par dépit, parce qu'Évelina ne voulait plus de lui. Elle décida de mettre les choses au clair. Elle l'avait vu à quelques reprises durant l'été sans l'interroger, mais désormais la question lui brûlait les lèvres.

— Pourquoi est-ce que tu m'invites, Bastien?

— Il faut que je trouve la bonne réponse si je veux que tu acceptes de m'accompagner!

— Euh… probablement.

— Tu veux savoir si c'est pour me venger d'Évelina?

— En quelque sorte, oui.

— C'est bel et bien fini avec elle. J'ai envie de passer à autre chose. Je n'irai pas par quatre chemins, Simone : tu me plais et j'ai le goût de te connaître davantage.

Le souffle coupé, Simone ferma les yeux quelques instants pour reprendre sa respiration et calmer les battements de son cœur. Ainsi, ses sentiments étaient peut-être partagés. Les aveux de Bastien la réjouissaient. Le jeune homme posa la main sur son épaule. Simone ouvrit les yeux au moment où il se penchait vers elle; il l'embrassa doucement. Le corps de Simone s'embrasa et elle rendit à Bastien son baiser. Des passants venaient dans leur direction, alors Simone recula pour freiner les ardeurs de son compagnon qui l'embrassait un peu plus intensément. Bastien s'excusa rapidement, lui dit qu'il devait rentrer et qu'il passerait la prendre le vendredi suivant en fin de journée pour aller au cinéma. Elle le suivit des yeux quand il quitta le parc pour retourner à l'hôpital. Trouvant un banc inoccupé, la jeune femme s'assit, encore secouée par la passion dévorante qui avait pris possession de son corps dans les bras de Bastien.

Simone resta plusieurs minutes sur le banc du parc. Elle se repassa en boucle les derniers instants passés en compagnie de Bastien. «Je lui plais! Moi, Simone Lafond, je plais au docteur Bastien Couture!» Elle essaya de contenir sa joie et son excitation. Bastien voulait la connaître davantage, elle, la fille banale à côté de ses deux amies et de toutes les infirmières de l'hôpital. Elle n'arrivait pas à croire à ce qui lui arrivait.

Devant la noirceur et la fraîcheur de la nuit qui commençaient à s'installer, Simone décida de rentrer à l'hôpital.

En franchissant la porte d'entrée principale, elle résolut de garder secrète sa rencontre avec Bastien. «Je veux profiter de ce sentiment nouveau avant d'en parler à Évelina et à Flavie. De toute façon, j'ai droit à mon jardin secret moi aussi. Je suis certaine que Flavie ne me raconte pas tous les détails de sa relation avec Clément. Et Évelina se confie encore moins au sujet de son histoire avec le docteur Jobin.» Pour une fois que quelque chose d'intéressant arrivait dans sa vie, Simone voulait savourer chacune des secondes où Bastien occupait ses pensées.

La jeune femme s'arrêta devant l'ascenseur, perdue dans ses rêveries. Paul Choquette arriva au même moment devant les portes closes. Il dut lui taper sur l'épaule pour attirer son attention.

— Bonsoir, Simone. Ça fait longtemps qu'on ne s'est pas vus. Tu vas bien?

«Oh non! C'est bien la dernière personne que j'ai envie de rencontrer ce soir!» pensa Simone. L'année précédente, elle avait clairement signifié à Paul qu'il ne pourrait rien y avoir de sérieux entre eux. Il lui avait dit qu'elle pouvait prendre son temps, qu'il était prêt à l'attendre. Avec Bastien dans le décor, Paul avait été relégué aux oubliettes. Simone répondit poliment que tout allait bien pour elle alors.

— Je me demandais si ça te tentait d'aller prendre un café, déclara-t-il.

— Je ne pense pas que j'aurai le temps, Paul. Malheureusement, j'ai un horaire très chargé.

— Je sais que les élèves infirmières travaillent fort en deuxième année, mais cela te changerait les idées. Je suis passablement occupé moi aussi, mais ça me ferait réellement plaisir de faire une sortie avec toi.

— Je ne pense pas que ce sera possible, Paul.

— Tu n'as même pas deux minutes à me consacrer, à ce que je peux voir.

— Je croyais que j'avais été claire au mois de juin dernier. Je n'ai pas envie d'une relation pour le moment.

— Oui, tu l'avais été. Je voulais aller prendre un café avec une amie, c'est tout. Je ne te demandais pas ta main, Simone. Je suis désolé de t'avoir importunée.

Simone s'en voulait un peu de lui avoir répondu de la sorte. Paul avait toujours été gentil et prévenant avec elle mais ce soir-là, il tombait mal avec son invitation. Les portes de l'ascenseur s'ouvrirent et quelques visiteurs sortirent. Simone s'engouffra dans la cabine, certaine que Paul la suivrait. «Il faut que je m'excuse pour mon attitude. Et puis, j'ai seulement à lui dire que je vais vérifier mon horaire. Il ne voulait qu'aller prendre un café, après tout.» Quand elle se retourna, les portes commençaient à se refermer. Paul était resté sur le palier. Quand leurs regards se croisèrent, Simone lut de la déception dans les yeux du jeune homme. La mine abattue de ce dernier assombrit son propre bonheur.

4

Simone avait tenu bon : elle avait gardé secrète sa rencontre avec Bastien. Habituellement terre à terre, la jeune femme était constamment perdue dans ses pensées. Elle n'avait pas eu à mentir à ses amies sur la nature de ses soudaines rêveries ; Flavie et Évelina étaient beaucoup trop occupées pour se rendre compte de quoi que ce soit. Flavie se concentrait sur les cours et rendait visite à son père durant ses temps libres. Clément avait un horaire chargé, et Flavie regrettait de ne pas le voir plus souvent. Pour sa part, Évelina lorgnait les nouveaux internes qui circulaient en petits groupes dans les corridors et qui se retournaient sur son passage. La jeune femme, dans son « opération charme des blouses blanches » comme elle l'appelait, essayait par tous les moyens d'attirer l'attention des nouveaux venus tout en continuant d'entretenir sa relation avec le docteur Jobin. Elle s'était absentée plusieurs fois pour rejoindre celui-ci dans un hôtel, mais jusqu'alors elle avait toujours respecté le couvre-feu. Simone l'avait avertie : cette année, elle ne la protégerait pas comme elle l'avait fait l'année précédente. « Je n'ai pas envie que tes incartades me nuisent et que je sois renvoyée par ta faute. » Évelina lui avait promis qu'elle s'efforcerait de suivre les règles. Mais Simone se doutait bien que les résolutions de son amie ne dureraient qu'un temps.

Simone s'efforçait d'être attentive durant les cours et de bien s'occuper de ses patients. Elle était impatiente que le vendredi suivant arrive, pour sortir avec Bastien. Elle avait croisé ce dernier à quelques reprises dans les corridors de l'hôpital, mais il s'était contenté de la saluer poliment. Le jeune médecin ne voulait pas s'exposer aux indiscrétions du personnel de l'hôpital. C'était bien connu : les potins circulaient à une vitesse incroyable dans l'établissement de santé. Simone ne tenait pas, elle non plus, à ce que sa relation naissante avec Bastien s'ébruite dans les couloirs de l'hôpital. Elle avait aussi vu Paul par hasard plusieurs fois. À chaque occasion, elle avait essayé de lui parler pour s'excuser de sa froideur lors de leur dernière rencontre. Mais Paul détournait le regard aussitôt qu'il la voyait. Simone ne savait plus comment l'aborder, et n'avait pas envie en même temps qu'il se fasse des idées. Finalement, elle décida de ne rien faire. « Il comprendra bien à un moment donné que je ne peux rien lui apporter. J'ai été franche avec lui. »

Simone venait de terminer la distribution des plateaux du souper à ses patients de l'une des salles. En passant devant le tableau qui affichait les horaires de garde, son cœur fit un bond. Son nom était inscrit pour la garde du vendredi soir. « Ah non ! Je ne peux pas manquer mon premier rendez-vous officiel avec Bastien ! Qu'est-ce que je vais bien pouvoir faire ? » Tout en réfléchissant à une solution, elle marcha jusqu'à la salle à manger où elle devait rejoindre Évelina et Flavie. Celle-ci s'y trouvait déjà ; elle relisait des notes de cours. Simone tira une chaise à côté de son amie et s'assit, les yeux perdus dans le vague.

— Mon Dieu, Simone, que se passe-t-il ? s'enquit Flavie avec inquiétude.

Simone aurait préféré ne rien dire à Flavie, mais elle n'avait pas le choix. Il lui fallait trouver une remplaçante pour le vendredi suivant, sinon elle devrait annuler sa sortie avec Bastien – ce qui était hors de question. Simone décida de mettre son amie dans la confidence.

— Non, je n'ai pas vu de fantôme. Je viens seulement de voir l'horaire pour vendredi.

— Ah! Tu me rassures! Avec ton regard perdu, j'ai bien cru que quelqu'un était mort.

— Tu te moques de moi comme Évelina, maintenant.

— C'est seulement que je n'ai pas l'habitude de te voir ébranlée, Simone. Dis-moi, avais-tu quelque chose de prévu pour vendredi? As-tu besoin de te faire remplacer?

Simone ferma les yeux quelques instants. Alors qu'elle s'apprêtait à répondre, Flavie reprit:

— Je peux te remplacer, si tu veux. Tu n'as pas besoin de me dire pourquoi. Ça me ferait plaisir de te rendre service.

Soulagée, Simone s'apprêtait à révéler à Flavie avec qui elle avait rendez-vous, quand Évelina entra en trombe dans la salle à manger. Pendant quelques secondes, celle-ci chercha des yeux Flavie et Simone. Après les avoir repérées, elle se précipita vers ses amies.

— Devinez quoi?

— Le beau Clark Gable vient d'être hospitalisé et tu es son infirmière attitrée? se moqua Simone, heureuse de l'arrivée d'Évelina qui l'avait empêchée de se dévoiler.

— Laisse-moi réfléchir, Évelina... déclara Flavie. Tu viens d'apercevoir les nouveaux internes et il y en a un qui t'est tombé dans l'œil?

— Pourquoi ma nouvelle concernerait-elle un homme?

— Parce que tu passes beaucoup de temps à reluquer les nouvelles «blouses blanches»? tenta Simone.

— D'accord! J'abandonne.

— Quelle est ta grande nouvelle? s'enquit Flavie, curieuse.

— Bon, OK. Si vous y tenez...

Simone avait envie de dire que Flavie et elle n'avaient pas eu besoin d'insister beaucoup pour connaître le *scoop* de l'heure. Mais elle se retint, car elle voulait tout savoir.

— J'ai bien envie de ne rien vous dire. Ça vous apprendrait à vous moquer de moi!

— S'il te plaît, Évelina, dis-le-nous! supplia Flavie.

— Eh bien, j'ai entendu dire qu'un nouveau médecin vient d'arriver.

— Et?

— À ce qu'il paraît, il arrive tout droit de la Pologne. Il aurait fui devant l'arrivée imminente des nazis.

— Ah! C'est seulement ça, ta nouvelle! Je pensais que Georgina nous quittait ou que sœur Désuète avait décidé de se marier.

— Franchement! Sœur Désuète qui se marierait! C'est comme si j'entrais chez les Sœurs grises! Quelle imagination fertile!

— Et ce nouveau médecin, tu l'as vu?

— Non, pas encore. Mais il paraît qu'il est très séduisant.

— Ça me surprend, Évelina, que tu te fies aux racontars. Habituellement, tu es la première à vérifier de tes propres yeux.

— Je le sais! J'ai parcouru tout l'hôpital sans succès. Je vais devoir m'informer sur l'horaire de ce nouveau médecin. Devinez qui se mettra à fréquenter l'étage des enfants?

— Il est si jeune que ça? plaisanta Simone.

— Je ne l'ai pas dit? Il est pédiatre, à ce qu'il paraît. Maintenant, excusez-moi, mesdemoiselles. J'ai des trucs à faire et je n'ai pas tellement faim. Je mangerai plus tard. Bonne soirée!

— Des trucs à faire ou quelqu'un à trouver, on ne sait pas trop… commenta Simone avant d'aller chercher son plateau de repas.

Évelina ne changerait jamais. Le pauvre docteur Jobin serait vite relégué aux oubliettes si le médecin polonais était tel que le prétendaient les rumeurs. Simone haussa les épaules. À vrai dire, elle aimait bien la désinvolture qu'affichait Évelina, si loin de sa propre personnalité.

* * *

— Il est beau comme un dieu. Vous devriez le voir!

Évelina se laissa tomber sur son lit en poussant un soupir.

— Je l'ai rencontré à l'étage des enfants et je lui ai souhaité la bienvenue. Il s'est contenté de me sourire. Ouf! J'en ai encore les jambes toutes molles!

— Il faut dire que ça ne t'en prend pas beaucoup pour avoir cette réaction, lui fit remarquer Simone dont les jambes s'étaient presque dérobées sous elle quand Bastien l'avait embrassée.

— Je suis libre vendredi. Ça vous dirait de sortir?

Flavie jeta un regard en biais à Simone avant de répondre rapidement.

— Malheureusement, je travaille.

— Et toi, Simone? On pourrait aller voir un film?

Simone avala de travers la gorgée d'eau qu'elle venait de prendre. Elle ne réussit qu'à balbutier:

— J'ai d'autres projets.

— Ah oui? Comme étudier des heures et des heures? Il faudrait que tu sortes un peu, ma vieille! C'est vrai! Flavie et toi, vous êtes toujours confinées ici, pour travailler ou pour étudier.

— N'insiste pas, Évelina. Simone a d'autres projets, c'est tout. On se reprendra une autre fois! D'ailleurs, Victor veut qu'on lui rende visite bientôt. On pourrait y aller toutes les trois; je suis certaine que ça lui ferait plaisir.

Simone fit un clin d'œil à Flavie pour la remercier d'avoir judicieusement détourné la conversation. Évelina se mit à feuilleter une revue de mode. Après quelques minutes de silence, elle leva les yeux sur Simone qui venait d'enfiler sa chemise de nuit.

— Tu es bien mystérieuse ces temps-ci, Simone. Je gagerais que tu as un rendez-vous avec le docteur Couture.

Simone essaya de garder contenance. Elle déposa ses lunettes sur sa table de chevet et saisit sa brosse à cheveux.

— C'est ça! s'écria Évelina. J'en mettrais ma main au feu! Pourquoi ne pas nous avoir parlé de cette invitation?

— Oui, tu as bien deviné, Évelina. Vendredi, je sors avec Bastien.

— Je le savais! Ta sortie doit être officielle parce que tu nous l'as bien dissimulée!

— Je n'avais simplement pas envie que tu t'en mêles avec tes propositions de coiffure, de vêtements et de couleur d'ongles assortie.

— Je n'aurais pas fait ça! Tu me connais mal, dit Évelina, l'air faussement offensé.

— Justement! Et puis, tu attendras mon retour pour me questionner. Tu voudras savoir comment ça s'est passé, s'il m'a embrassée, et tout. Je te connais, tu sais. Flavie a eu droit à ton inquisition l'année dernière.

Évelina chercha Flavie du regard. Cette dernière confirma l'affirmation de Simone en hochant la tête.

— Bon, je l'avoue! admit Évelina. Je suis curieuse, c'est vrai. Il ne se passe rien d'excitant dans ma vie ces temps-ci. J'ai le droit de m'intéresser à ce qui se passe dans la vôtre, non?

— Et le beau docteur Jobin? Vous vous voyez encore?

— Pff! Quand il a le temps entre deux gardes à l'hôpital, ses cours théoriques et sa femme.

— Tu savais dans quoi tu t'embarquais avec lui, commenta Simone.

— Ben oui, tu m'avais prévenue. Et toi aussi, Flavie, ajouta-t-elle avant que celle-ci se manifeste. En tout cas, ça me laisse le temps d'observer les nouveaux venus autour de moi.

— Et un certain médecin polonais...

— Vous verrez, il est très charmant. Je compte bien découvrir ce qu'il est venu faire ici.

— Et on sait que, curieuse comme tu l'es, tu sauras tout rapidement!

— Vous êtes aussi curieuses que moi. Vous allez probablement avoir hâte que je vous dise tout. Mais changement de sujet… Qu'est-ce que tu porteras pour ton rendez-vous galant, Simone? Tu as pensé à ta robe verte?

Simone poussa un soupir. Évelina ne pouvait s'empêcher de donner des conseils vestimentaires.

* * *

Après une bonne nuit de sommeil, Simone et ses deux amies furent fin prêtes à commencer le cours de techniques en salle d'opération. Le docteur Beauregard enseignait ce cours. Le grand médecin chauve entra dans la salle d'opération d'un pas nonchalant.

— Bonjour, mesdemoiselles. L'an dernier, vous avez assisté au cours de chirurgie du docteur Talbot. Vous avez appris à remettre au chirurgien les différents instruments demandés. Le cours de cette année est un peu plus poussé dans le domaine. Vous apprendrez à préparer les salles d'opération tout en respectant les consignes concernant l'asepsie. Je serai très rigoureux sur ce point. La salle d'opération est l'endroit où le patient est le plus vulnérable.

Contrairement à son habitude – elle était toujours attentive pendant les cours –, ce jour-là, Simone parvenait difficilement à se concentrer. De temps à autre, elle jetait un œil sur l'horloge devant elle.

«Comme la journée me paraîtra longue! J'ai tellement hâte à ce soir!» Pour une fois qu'elle avait un rendez-vous, elle aussi... Elle avait souvent vu Évelina ou Flavie se préparer pour une sortie. C'était son tour à présent de songer avec plaisir à la soirée qui arrivait. «Ma robe verte fera l'affaire et je me coifferai simplement. Il ne faut pas faire d'extras; surtout, je dois rester naturelle!» pensa-t-elle tout en se moquant d'elle-même. «Je suis comme Évelina, qui planifie tout avant de sortir. Je vais bientôt agencer la couleur de mon rouge à lèvres à mes ongles et me mettre à lire des revues de mode!» Essayant de reprendre ses esprits, elle jeta un regard vers Évelina. Elle vit que son amie, pour une fois, suivait avec attention le cours du docteur Beauregard. Se reprochant sa distraction, Simone chassa Bastien de ses pensées et tenta de se concentrer sur les propos du médecin.

Le docteur Beauregard expliqua en quoi consistait le rôle de l'infirmière dans la salle d'opération. En plus de remettre les instruments requis au chirurgien, celle-ci devait être en mesure de prendre en charge le patient à son arrivée.

— Votre rôle, mesdemoiselles, va bien au-delà d'un simple soutien technique. C'est votre visage que le patient voit avant et après son anesthésie. Vous vous devez de le rassurer tout en lui prodiguant les différents soins requis. Plusieurs médecins remettent en question l'utilité des infirmières en général, mais je ne suis pas du nombre. Vous êtes nos yeux et nos oreilles auprès du patient.

Simone se promit de se rappeler les paroles du docteur Beauregard quand elle douterait d'être à sa place en tant qu'infirmière. Certains médecins de la vieille école et plusieurs religieuses aussi – sœur Désuète comprise – doutaient de la pertinence de la profession d'infirmière laïque. Les sœurs avaient comblé ce besoin durant de longues années, alors pourquoi changer les choses? «Sœur Désuète devrait discuter avec le docteur Beauregard. Elle comprendrait peut-être qu'il y a de la place pour tout le monde dans un hôpital», songea Simone tout en écoutant le médecin.

* * *

Jetant un dernier regard dans le miroir, Simone ajusta ses lunettes et replaça une mèche de cheveux derrière son oreille. Évelina insista pour lui prêter son collier de perles. Simone accepta, non par coquetterie mais bien parce que son amie l'agaçait: elle lui tournait autour, lui prodiguant mille et un conseils vestimentaires. «Tu devrais mettre mon manteau; tu serais plus chic qu'avec ton cache-misère brun! Prends au moins mon foulard pour ajouter de la couleur à ton manteau. Tu es certaine, Simone, que tu ne veux pas mettre mes souliers? Il me semble que l'effet avec ta robe serait beaucoup plus flamboyant qu'avec ces chaussures noires. N'es-tu pas de mon avis, Flavie?» Cette dernière leva à peine les yeux de son livre et ne répondit pas.

Évelina émit un profond soupir et s'assit sur son lit.

— Vous m'exaspérez tellement toutes les deux! Je fais vraiment tout pour vous faciliter la vie. Je vous offre mes bijoux, mes chaussures pour que vous ne ressembliez pas à des filles de la campagne. Ben non! Vous persistez à faire fi de la mode.

— On n'a pas besoin de briller comme des vedettes d'Hollywood à un premier rendez-vous, c'est tout, Évelina, déclara Simone.

— Tu nous es d'un grand secours, parfois; on en convient, Simone et moi, admit Flavie. Mais laisse-nous faire à notre guise. Bastien a invité Simone sans artifice.

— J'abandonne! Si vous vous liguez toutes les deux contre moi, je ne peux rien faire!

— Aide-moi donc à attacher le collier de perles que tu m'as si gentiment prêté. Et puis, si ça peut te consoler, j'aurai besoin de ton aide pour m'acheter un nouveau manteau pour l'hiver prochain. J'écouterai chacun de tes conseils, c'est promis. Allez! Souhaite-moi bonne soirée au lieu de bouder!

Simone s'arrêta devant Évelina qui avait croisé les bras et faisait la moue. Cette dernière attacha le collier au cou de son amie. Après avoir observé Simone des pieds à la tête, elle conclut:

— Tu es pas mal, finalement! Passe une belle soirée avec Bastien.

Simone prit une grande inspiration et sortit de la chambre. Elle se dirigea vers le portique de l'hôpital. Bastien l'attendait de l'autre côté de la rue. Ils s'étaient donné rendez-vous dans le parc pour éviter d'ébruiter leur sortie. À cause des mauvaises langues de l'hôpital, les rumeurs circulaient toujours à une vitesse surprenante dans l'établissement. Bastien avait émis le souhait de rester discret quant à leur première rencontre, tandis que Simone, elle, aurait voulu crier sur les toits qu'elle sortait avec le docteur Couture. Toutefois, elle avait opté elle aussi pour la discrétion. Tout l'hôpital saurait bien assez vite qu'ils se fréquentaient.

Bastien écrasa du pied sa cigarette quand il vit Simone. Il vint à sa rencontre. La jeune femme sentit les battements de son cœur s'accélérer quand Bastien déposa un baiser sur sa joue avant de lui prendre la main.

— Je ne sais pas si le film qui est à l'affiche au cinéma est bon. Je n'ai lu aucune critique sur celui-ci dans les journaux, mais tentons notre chance. De toute façon, nous sommes tous les deux libres ce soir, alors aussi bien en profiter.

Simone devait sa liberté à Flavie qui avait accepté de la remplacer pour la soirée. Mais elle ne le mentionna pas à Bastien. «Il pourrait croire que j'étais prête à faire n'importe quoi pour sortir avec lui.» Ils discutèrent de tout et de rien en se rendant au cinéma. Tout au long du trajet, Simone ressentit des papillons dans l'estomac au contact de sa main avec celle de Bastien.

Ils s'installèrent à l'arrière dans la salle de cinéma pratiquement déserte. «Les critiques de ce film doivent être épouvantables pour que la salle soit vide un vendredi soir», pensa Simone qui retira son manteau et son foulard tout en jetant un coup d'œil aux quelques spectateurs présents. Elle s'installa aux côtés de Bastien. Ils attendirent le début du film en parlant. La jeune femme essayait d'être attentive aux propos de son compagnon, mais elle n'y parvenait pas – elle respirait avec délice les effluves de sa lotion après-rasage. L'obscurité se fit dans la salle et le projecteur diffusa les bandes-annonces. Simone retenait son souffle : la main de Bastien avait glissé de l'appuie-bras du siège vers sa cuisse. Elle en sentait la chaleur à travers sa robe. Son cœur battait la chamade et elle s'efforçait de garder les yeux rivés sur l'écran par peur de croiser le regard de Bastien. «On dirait une écolière de douze ans! Franchement, Simone Lafond! Dégourdis-toi un peu, ma vieille ; tu viens d'avoir vingt-six ans!» se réprimanda-t-elle intérieurement. Malgré son âge, elle n'avait encore jamais connu une telle intimité avec un homme. Alphonse Boucher, son ancien fiancé, n'était jamais allé jusqu'à glisser sa main sur sa cuisse. Durant tout le temps qu'avaient duré leurs fréquentations, il s'était contenté de l'embrasser sur la joue et de lui prendre la main de temps en temps. Simone s'était souvent demandé, ironiquement, s'il savait que ce n'étaient pas les «Sauvages» qui apportaient les enfants. La fois précédente, quand Bastien l'avait embrassée dans le parc, c'était la première fois qu'un homme le faisait avec autant d'ardeur. À sa grande surprise, elle avait aimé l'expérience. Bastien avait éveillé en elle des sensations qui lui étaient jusque-là inconnues.

Le film avait débuté depuis un bon moment. Simone faisait semblant de suivre attentivement l'histoire. Bastien s'était rapproché d'elle et il avait passé son bras derrière ses épaules. Avec un frisson, Simone avait posé sa tête sur l'épaule du jeune homme. Elle pouvait sentir le souffle de Bastien dans ses cheveux. Pendant quelques secondes, elle ferma les yeux, savourant ce rapprochement. Bastien se pencha vers elle, lui souleva le menton et déposa ses lèvres sur les siennes. Simone lui rendit son baiser avec un peu plus d'ardeur que la fois précédente. Elle se laissa prendre au jeu. Elle sentit la main de Bastien presser davantage sa cuisse et relever doucement sa robe pour découvrir son genou. La main du jeune homme quitta rapidement sa cuisse et remonta jusqu'à sa poitrine. Simone recula afin de regarder autour d'elle, certaine que toutes les personnes présentes dans le cinéma suivaient avec intérêt cette scène passionnée entre Bastien et elle. Mais les quelques spectateurs, les yeux rivés sur l'écran, ne portaient nulle attention au couple. Simone se détendit. Devant sa réticence, Bastien s'était rassis correctement dans son siège. Simone se rapprocha de lui. Elle prit sa main et la remit près de son décolleté. Bastien l'embrassa de nouveau, puis il lui murmura à l'oreille:

— Et si on quittait ce film ennuyant pour se rendre dans un endroit plus confortable ?

Simone s'étonna de la vitesse à laquelle elle prit son manteau et suivit Bastien vers la sortie.

Ils marchèrent quelques minutes avant de s'arrêter devant un petit hôtel à quelques pas de l'hôpital. Simone se sentait tiraillée entre l'envie de fuir et celle d'accompagner Bastien dans cet établissement. Ses convictions profondes d'attendre le mariage avant d'avoir sa première relation sexuelle avec un homme étaient ébranlées. Elle ne se reconnaissait plus : elle désirait ardemment se retrouver avec Bastien dans une chambre de cet hôtel. Le jeune médecin entra le premier. Simone lui emboîta le pas avec un sentiment d'appréhension tout en appréciant pleinement la parcelle de bonheur qui s'offrait à elle. Bastien la désirait, et c'était réciproque. Simone était prête à se donner à lui. Pour une fois dans sa vie, elle avait envie de sortir du cadre rigide imposé par la société. Évelina ne semblait pas s'en porter plus mal avec toutes ses conquêtes. Simone avait droit, elle aussi, de connaître la joie d'être aimée d'un homme.

Bastien prit possession de la clé de la chambre. Simone s'efforçait de repousser ses chastes pensées. Dans la chambre faiblement éclairée, elle enleva son manteau. Aussitôt, Bastien la plaqua contre le mur ; il était pressé de l'embrasser et de la dévêtir. La robe de la jeune femme, judicieusement choisie pour cette sortie, se retrouva bien vite par terre. Puis, Bastien entraîna sa compagne vers le lit. Il lui retira avec empressement ses sous-vêtements. Simone se laissa aller aux caresses brûlantes de son amant.

Elle avait rêvé de ce moment bon nombre de fois tout en se disant qu'elle ne connaîtrait cette joie avec personne. Il y avait tant de femmes plus belles et mille fois plus intéressantes qu'elle. Simone s'était faite à l'idée qu'aucun homme ne la désirerait jamais. Mais Bastien contredisait tout ce qu'elle pensait depuis si longtemps. Elle se laissa aller, essayant de ne pas avoir l'air d'une fille qui ne connaît rien de l'amour. Le jeune homme n'en était sûrement pas à sa première relation ; il était un amant expérimenté et il ne cherchait qu'à faire jaillir son plaisir. Simone tressaillit avant de presser de ses doigts tremblants le dos de Bastien pour qu'il continue.

Ce dernier se laissa tomber à ses côtés avant de pousser un soupir de contentement. Simone enfouit sa tête au creux de son épaule tout en demeurant silencieuse, profitant de cette accalmie pour reprendre son souffle et réaliser ce qui venait de lui arriver. Bastien déposa un baiser sur son front et remonta le drap sur leurs épaules. Simone n'avait plus conscience de rien ; le temps s'était arrêté. Un léger sourire sur les lèvres, elle ferma les yeux.

* * *

Évelina et Flavie regardaient l'heure toutes les cinq minutes. Simone n'était toujours pas de retour de sa sortie avec Bastien et le couvre-feu était passé depuis près d'une demi-heure. Entendant des pas dans le couloir, Évelina entrebâilla la porte pour regarder si c'était Simone qui rentrait. En voyant la religieuse qui surveillait le dortoir, elle referma aussitôt le battant. Paniquée, elle souffla à Flavie de défaire le lit de Simone à toute vitesse, puis elle plaça deux oreillers sous les draps pour imiter la silhouette d'une dormeuse. Le subterfuge complété, Évelina éteignit toutes les lumières et se précipita dans son lit. Elle essaya de calmer sa respiration accélérée pour feindre un sommeil profond. Flavie s'était elle aussi dépêchée de se coucher, même si elle était encore habillée. Les deux amies attendaient dans le noir la visite de la religieuse.

La porte s'ouvrit, laissant entrer la clarté du couloir dans la chambre. La sœur mit quelques secondes seulement à vérifier que les trois occupantes étaient présentes, puis elle referma la porte doucement. Évelina poussa un soupir de soulagement avant de chuchoter à Flavie :

— La maîtresse d'école nous en doit une, cette fois-ci !

— Elle t'a déjà couverte à plusieurs reprises, Évelina, alors ce n'est que service rendu. J'espère seulement qu'il n'est rien arrivé de grave. J'avoue que je suis inquiète.

— Tu ne devrais pas, Flavie. Elle se trouve sûrement dans les bras de Bastien actuellement. Mais il faut qu'elle rentre avant demain matin. Nous ne pourrons cacher son absence à sœur Désuète bien longtemps !

— Nous trouverons bien un moyen de créer une diversion, Évelina, dit Flavie en bâillant. Bonne nuit !

— Bonne nuit à toi aussi, Flavie. Et souhaitons que Simone rentre bientôt !

* * *

Quand Simone vit les deux oreillers installés à sa place dans le lit, elle sourit. Évelina et Flavie s'étaient organisées pour couvrir son absence. Simone fut soulagée en constatant que ses deux amies dormaient. La jeune femme n'avait pas envie de répondre à leurs questions aussi rapidement ; elle voulait encore profiter du souvenir des étreintes de Bastien. Elle ressentait encore la morsure de sa bouche sur la sienne. Simone savait qu'elle aurait beaucoup de mal à trouver le sommeil ce soir-là.

Bastien et elle s'étaient donné rendez-vous quelques jours plus tard dans la même chambre d'hôtel. Le médecin, qui venait de terminer ses études en chirurgie, habitait dans la même maison de chambres depuis le début de ses études. «Ma chambreuse m'a bien averti que je loue une chambre pour une seule personne. Dès que j'en aurai les moyens, je compte bien me trouver un appartement. De toute façon, comme je suis presque toujours à l'hôpital, celui-ci est pratiquement ma résidence principale», avait-il confié. C'était la raison pour laquelle il préférait que Simone et lui se rencontrent à l'hôtel. Il avait aussi ajouté qu'il voulait faire preuve de discrétion quant à leur relation. «Pour nous porter chance, j'aimerais mieux que nous n'ébruitions pas le fait que nous nous voyons à l'occasion.» Simone n'avait rien dit. Bastien s'était ouvertement affiché avec Évelina; après la rupture, il avait sûrement trouvé difficile d'expliquer à tout le monde qu'ils n'étaient plus ensemble. De toute façon, cette clandestinité plaisait bien à Simone. Lorsqu'elle croiserait Bastien dans un couloir ou dans une salle de l'hôpital, elle devrait rester imperturbable tout en sachant que quelques heures plus tard, elle se trouverait probablement dans ses bras.

Simone mit plus d'une heure à s'endormir; elle ne cessait de penser à Bastien. Pour la première fois de sa vie, elle se sentait désirable et aimée. Il lui semblait encore sentir le parfum de tabac de Bastien sur sa peau et ressentir la chaleur des caresses prodiguées. Simone ne voulait pas s'endormir par peur de se réveiller le lendemain pour constater qu'elle avait rêvé. Mais les respirations apaisantes de ses deux amies parvinrent à la faire tomber dans les bras de Morphée.

Le matin venu, Évelina la tira de ce précieux sommeil en lui retirant ses couvertures.

— Allez, ma vieille! Lève-toi, si tu ne veux pas être en retard! Tu as passé tout droit au couvre-feu hier soir, mais il est hors de question que tu fasses la grasse matinée! Debout, la maîtresse d'école!

Simone s'étira et se frotta les yeux. Puis, elle mit ses lunettes et regarda l'heure sur sa montre abandonnée sur la table de chevet.

— Je ne suis pas encore en retard.

Elle chercha des yeux Flavie. Évelina déclara, avant que Simone ne s'informe au sujet de leur amie:

— Flavie est déjà partie déjeuner. Elle voulait essayer de rencontrer Clément avant le début des classes. Ils ne se voient pas beaucoup, ces temps-ci, et Flavie s'ennuie de son beau docteur. Le tien est-il en forme?

— Si tu parles de Bastien, il n'est pas encore mon beau docteur, comme tu dis.

— Voyons, Simone! Franchement! Hier soir, tu as manqué le couvre-feu, et ce n'est sûrement pas parce que tu étudiais dans la bibliothèque. Flavie et moi, nous avons dû prendre les choses en main pour que personne ne remarque ton absence. On ne sera pas toujours là pour couvrir tes arrières.

Simone se souvint de la fois où elle avait reproché à Évelina d'avoir eu à cacher son absence durant le couvre-feu alors que cette dernière était sortie avec le docteur Jobin. «Elle veut me rendre la monnaie de ma pièce en me sermonnant, celle-là!» Hochant la tête, elle décida d'entrer dans le jeu d'Évelina.

Je ne pourrai jamais assez vous remercier de ce que vous avez fait pour moi hier soir. C'est une chance que vous ayez eu la présence d'esprit de placer des oreillers dans mon lit.

— C'est moi qui en ai eu l'idée, annonça fièrement Évelina. La religieuse qui a ouvert la porte pour vérifier les présences n'y a vu que du feu.

— Quelle ingéniosité! Mais tu te souviens que j'ai déjà fait la même chose pour toi?

— D'accord, je n'ai rien inventé. Mais avoue que j'ai réagi vite.

Simone lui sourit, puis elle revêtit sa robe et ajusta sa coiffe. Évelina l'observa en silence. Soudain, n'y pouvant plus, elle posa la question qui lui brûlait les lèvres.

— Comment s'est passé ton rendez-vous avec Bastien? Puisque tu es rentrée si tard, j'en conclus que votre sortie au cinéma s'est bien déroulée.

— Très bien, en effet, répondit Simone. Et nous sommes allés prendre un café après, ajouta-t-elle en lissant les plis de sa jupe et en replaçant sa mèche rebelle derrière l'oreille.

Elle n'avait pas envie de tout dévoiler à Évelina. De toute façon, Simone ne savait pas encore ce que l'avenir leur réservait, à Bastien et elle. Le jeune médecin commençait son travail de chirurgien et il avait dit à Simone que, pour l'instant, il ne souhaitait pas entreprendre une relation trop sérieuse. Mais c'était avant qu'ils se retrouvent à l'hôtel; peut-être voyait-il leur histoire d'un autre œil ce matin-là? Simone rêvait d'un avenir avec Bastien Couture. Elle comprenait à présent ce que Flavie ressentait lorsque celle-ci parlait de Clément. Le grand amour venait peut-être de frapper à la porte de Simone. Elle était prête à le laisser entrer doucement.

* * *

Dans la classe, sœur Désuète se promenait entre les rangées en expliquant aux étudiantes en quoi consisterait le cours de religion cette année-là. Sa façon de marcher donnait l'illusion qu'elle flottait : sa robe frôlait le sol sans laisser voir ses pieds. Simone observait la religieuse avec fascination. De toute évidence, le sujet de son enseignement la passionnait ; sœur Désuète paraissait être dans un état second.

— Une bonne infirmière se doit d'être une bonne chrétienne. Ces deux principes sont étroitement liés, mesdemoiselles. Le christianisme doit être présent dans tout ce que vous entreprenez, et jamais je ne cesserai de le répéter. C'est votre don de soi qui fera une différence dans la vie des patients. D'ailleurs, tout comme les religieuses, la plupart des infirmières restent célibataires, se dévouant corps et âme à leur métier.

Simone vit Évelina remuer sur sa chaise. De toute évidence, son amie n'était pas d'accord avec les propos de la religieuse – ce qui semblait être le cas de plusieurs étudiantes, d'ailleurs. Simone percevait des murmures de mécontentement. Seule Charlotte écoutait attentivement les propos de sœur Désuète. « Elle entend probablement ce genre de discours toute la journée dans la communauté », pensa Simone qui ferma les yeux. Elle ne comprenait pas pourquoi une bonne infirmière ne pourrait pas être également une bonne épouse pour son mari. Elle désirait réellement obtenir son diplôme d'infirmière, mais elle voulait aussi vivre sa vie. Si elle était appelée à devenir la femme de Bastien, elle pourrait très bien concilier son travail et sa vie familiale.

Lorsqu'elle sortit du cours, Évelina et Flavie attendaient Simone dans le couloir. Les trois jeunes femmes firent quelques pas ensemble. Elles discutèrent du cours qui venait de se terminer.

— Je vous avais prévenues : le lavage de cerveau commence ! s'exclama Évelina. Sœur Désuète veut faire de nous des gardes-malades vieilles filles ! En tout cas, elle a presque réussi avec Charlotte.

— Charlotte est novice, Évelina, déclara Flavie. Elle a choisi d'être religieuse.

— Peut-être, mais moi j'ai choisi d'être infirmière, pas de rester célibataire toute ma vie.

— Il me semblait que ton but premier en venant étudier les soins infirmiers était de te trouver un mari ? commenta Simone.

— Pour le moment, je me consacre à mes études. De toute façon, il n'y a rien d'intéressant pour moi.

— C'est vrai que le docteur Jobin est déjà marié...

— Moque-toi tant que tu voudras, Simone ! On sait bien, maintenant que madame pense avoir trouvé la perle rare, elle...

Évelina s'interrompit en voyant le docteur Litwinski qui approchait d'un pas pressé. Il tenait une pile de documents dans ses mains, et son sarrau déboutonné volait dans son dos. Quand il arriva à la hauteur des trois amies, Évelina le suivait toujours des yeux. Regardant droit devant lui, le médecin dépassa les jeunes femmes sans les voir.

— C'est lui, ton médecin polonais ?

— Ce n'est pas mon médecin, mais j'avoue que j'aimerais bien qu'il le devienne. Je vous laisse, mesdemoiselles. Je vais aller lui proposer de l'aider avec sa pile de dossiers.

— N'oublie pas tes patients, Évelina. Ils t'attendent pour que tu leur serves leur dîner !

Flavie et Simone regardèrent Évelina tenter de rattraper le docteur Litwinski. « Il n'est pas sorti du bois, celui-là », se dit Simone. Cette dernière profita des quelques minutes de temps libre qui lui restait pour demander à Flavie si elle avait réussi à voir Clément avant le cours.

— Je l'ai croisé et nous avons discuté un peu. Il est très occupé ces temps-ci. Il doit faire ses preuves auprès des autres chirurgiens. Sœur Désuète dit que les infirmières sont vouées au célibat ; j'imagine qu'il en est de même pour les jeunes médecins.

— Bastien m'a dit que les jeunes chirurgiens subissent beaucoup de pression au début de leur pratique.

— Il t'a quand même invitée à sortir. Moi, je n'ai eu droit qu'à quelques minutes avec Clément depuis que je suis revenue de vacances.

— Tout nouveau, tout beau, probablement ! Dans quelque temps, Bastien me délaissera au profit d'un scalpel !

— Je ne te le souhaite pas. Je ne voulais pas m'attacher trop vite à Clément ; toutefois, je dois dire que je me sens délaissée ces temps-ci. Mais assez pleuré sur mon sort ! Je suis contente de voir que votre relation semble devenir sérieuse, Bastien et toi. Vous prévoyez vous voir bientôt ?

— Dès que nos horaires le permettront.

— Profites-en pendant que ça passe, Simone !

Flavie la salua, puis elle se rendit dans la salle commune qui lui avait été assignée. Simone se hâta de se rendre au deuxième étage où elle devait distribuer les plateaux pour le dîner. En entrant dans la salle commune où se trouvaient ses patients, elle arriva face à Paul. Ce dernier sortait de la pièce avec son carnet à la main.

— Garde Lafond! Je suis content de vous croiser. J'espère que vous allez bien.

— Je suis un peu pressée, docteur Choquette.

— Mon offre pour aller prendre un café tient toujours, si ça vous tente un de ces jours.

— J'y penserai dès que j'aurai deux minutes, docteur Choquette. Bonne journée à vous!

Simone continua son chemin en se disant que Paul était tenace. Cependant, il finirait bien par comprendre qu'elle avait d'autres préoccupations et, surtout, qu'elle voulait céder toute la place à Bastien dans sa vie. Paul était prévenant, sympathique et il souhaitait ardemment qu'ils soient amis. Mais c'était Bastien qui faisait battre son cœur…

5

Simone avait revu Bastien à quelques occasions au cours du mois. Ils se rencontraient toujours à l'hôtel où ils étaient allés la première fois. Ils réussissaient à se libérer, mais ils étaient toujours pressés par le temps. Simone aurait aimé que leurs étreintes durent plus longtemps. Ils ne bavardaient pas beaucoup et profitaient du peu de temps dont ils disposaient pour s'aimer.

Un soir, Simone – voulant connaître un peu plus son amant – avait interrogé Bastien sur ses origines.

— Tu ne me parles jamais de toi, Bastien. Pourtant, tu sais tout de moi.

— Que dire, Simone ? J'ai dû travailler dur pour réussir à me payer mon cours de médecine. Mes parents n'avaient pas les moyens de financer mes études. Clément a eu plus de chance avec son père, qui est médecin. Tout ce que j'ai aujourd'hui, c'est à moi seul que je le dois.

— Nous avons ce point en commun, tous les deux. Je n'ai jamais eu besoin de l'aide de personne.

— En effet, moi non plus, je n'ai besoin de personne, répondit Bastien en s'étirant. Tout ce que je veux pour le moment, c'est me consacrer à mon travail. J'aimerais tellement devenir le chirurgien en chef de l'hôpital quand le docteur Talbot prendra sa retraite.

Simone était restée silencieuse. Bastien était ambitieux et indépendant, ce qu'elle avait constaté à plusieurs reprises. Il venait de lui signifier clairement que l'obtention du poste de chirurgien en chef occupait toutes ses pensées. Simone aurait bien voulu raisonner comme lui. Avant chaque rencontre avec Bastien, elle prenait la résolution de se montrer un peu distante pour éviter qu'il ne la trouve trop accaparante. Mais dès qu'elle se retrouvait dans ses bras, elle oubliait tous ses principes; elle aurait voulu occuper les pensées du médecin autant qu'il occupait les siennes. Jamais elle n'aurait cru qu'il était possible de songer autant à quelqu'un.

La jeune femme s'efforçait de rester concentrée sur son travail et sur ses cours, mais le souvenir de la chaleur et de l'odeur de Bastien venait parfois lui troubler l'esprit. Une de ses patientes lui fit une remarque qui la ramena à la réalité.

— Vous avez les yeux pétillants, mademoiselle! Je suis certaine qu'un beau jeune homme est derrière tout ça. Cependant, j'aurais besoin que vous m'aidiez à me replacer dans mon lit. Il y a plusieurs minutes que j'ai sonné.

Simone s'excusa de l'avoir négligée.

— Ce n'est rien, garde. J'ai déjà été jeune aussi!

Simone se jura qu'une telle situation ne se reproduirait plus. Elle ne voulait pas commettre d'erreurs ou mettre la vie d'un patient en danger. À partir de ce moment-là, elle décida que dès qu'elle mettrait sa coiffe, Bastien serait relégué au second plan. Elle voulait obtenir son diplôme à tout prix.

En cette deuxième année de formation, Simone préférait les cours dispensés par le docteur Beauregard. Celui de techniques de salle d'opération et celui d'anesthésie suscitaient grandement son intérêt. Et puis, le fait de croiser Bastien de temps à autre à ces occasions n'était probablement pas étranger non plus à son appréciation de ces deux cours.

Le docteur Beauregard était d'une patience exemplaire avec les élèves qui distinguaient difficilement les différents types d'anesthésie et les divers produits utilisés. Même la détestable Georgina, habituellement douée en classe, peinait à comprendre les diverses techniques.

— Les médecins anesthésistes tendent à être davantage reconnus dans la profession médicale depuis quelques années. Heureusement, le temps où les chirurgies se déroulaient sans aucune anesthésie est révolu. Les médecins devaient alors procéder rapidement pour éviter aux patients de trop souffrir.

Simone frissonna en entendant les propos du docteur Beauregard. Heureusement, les techniques modernes permettaient désormais d'endormir les patients durant les chirurgies. Les infirmières attitrées à la salle d'opération devaient assister l'anesthésiste dans la surveillance des fonctions vitales des patients en plus de préparer la salle d'opération, de stériliser les instruments et de préparer les patients. Simone et ses consœurs aimaient particulièrement les cours du docteur Beauregard parce que celui-ci valorisait le travail de l'infirmière. Cette attitude représentait un grand changement par rapport aux cours dispensés par d'autres médecins de la vieille école ou par des religieuses qui remettaient en question l'utilité pour l'hôpital d'engager des infirmières diplômées.

En sortant du cours, Évelina s'exclama :

— Une chance qu'on a des cours avec le docteur Beauregard ! Ça fait un bien fou de se faire dire qu'on est indispensable !

— Parce que tu en as déjà douté? lui demanda Flavie.

— Avec sœur Désuète et le docteur Bourque qui disent que les infirmières devraient se contenter de s'occuper de l'hygiène du patient, oui! On vit dans une société moderne, il me semble!

Simone et Flavie acquiescèrent en silence. Le visage de celle-ci s'éclaira quand elle vit Clément qui venait dans sa direction. Elle s'excusa auprès de ses amies avant d'aller rejoindre son amoureux.

Évelina dit à l'intention de Simone:

— L'as-tu vue, celle-là? Prête à tout quitter pour jaser quelques minutes avec son beau docteur. Vous me surprenez, les filles. Tu t'absentes de plus en plus souvent, toi aussi, pour passer du temps avec le docteur Couture. Il n'y a que moi qui suis sage en ce moment.

Simone sourit en entendant Évelina se qualifier de «sage». Cette dernière voyait encore le docteur Jobin et, en plus, elle avait jeté son dévolu sur le nouveau pédiatre, Wlodek Litwinski. Évelina avait essayé la «méthode douce de séduction», comme elle disait: cette stratégie consistait à sourire au médecin, à lui dire bonjour et à s'informer de son travail. Le docteur Litwinski avait répondu poliment à chacune de ses questions, mais sans aller plus loin. La jeune femme était désemparée. Sa méthode d'approche avait toujours fonctionné; dès qu'elle s'informait du travail de son gibier, il ne résistait plus et l'invitait à prendre un café et à sortir. Mais le docteur Litwinski s'était contenté de la remercier de prendre le temps de se soucier de lui et était aussitôt retourné vaquer à ses occupations.

Évelina avait confié à ses amies:

— Je vais devoir passer à la «méthode directe» avec lui. Là, il n'est plus question des insignifiantes questions de pluie et de beau temps. Je vais lui demander s'il a envie qu'on sorte tous les deux, point final. Il doit se sentir bien seul, loin de son pays. Qu'en pensez-vous ?

Simone et Flavie n'avaient rien trouvé à dire à ce moment-là. À présent, Simone avait envie de savoir si Évelina était finalement passée à l'attaque.

— Et puis, Évelina, as-tu réussi à avoir un rendez-vous avec le docteur Litwinski ?

— J'y travaille, j'y travaille... J'avoue que ce n'est pas évident avec les horaires de fou qu'on a. Je me demande où tu trouves le temps de sortir avec Bastien. C'est certain que depuis que tu boudes la bibliothèque, tu as beaucoup plus de temps pour toi. Tu as enfin compris qu'il y a autre chose dans la vie que des vieux livres poussiéreux !

Simone avait négligé un peu ses études dernièrement, mais elle aurait bien le temps de s'y remettre avant les examens. Flavie discutait encore avec Clément et, à sa façon de bouger les bras, elle paraissait mécontente. Simone connaissait son amie : quand quelque chose ne lui convenait pas, Flavie avait tendance à gesticuler en parlant pour expliquer son point de vue. Évelina s'en rendit compte, elle aussi. L'air contrarié, Flavie revint vers les deux jeunes femmes.

Évelina la questionna.

— Qu'est-ce qui se passe, Flavie ?

— J'ai essayé de fixer un rendez-vous avec Clément, mais monsieur est beaucoup trop pris par son travail. Tant pis !

Victor m'a invitée à lui rendre visite et c'est ce que je vais faire. Vous voulez m'accompagner demain soir ?

— Désolée, mais je travaille, dit Évelina en hochant négativement la tête.

— Et toi, Simone ? demanda Flavie en se tournant vers l'interpellée.

— Je sors avec Bastien. On se reprendra, Flavie.

— C'est ça ! Je vais y aller seule.

La jeune femme tourna les talons et s'éloigna d'un pas furieux. Simone et Évelina avaient rarement vu leur amie dans cet état.

— Flavie vient de déchanter à propos de son beau prince charmant, commenta Évelina. Le docteur Langlois est pas mal moins «fin», *astheure* !

* * *

Simone attendait Bastien depuis un certain temps dans la chambre d'hôtel. Lorsqu'elle regarda l'heure sur sa montre, elle conclut qu'il ne viendrait probablement pas. «Il a sûrement eu une urgence», dut-elle admettre avant de se décider à rentrer à l'hôpital. En arrivant, elle croisa Flavie qui traversait le hall d'entrée.

— J'aimerais t'accompagner, si l'invitation tient toujours, déclara Simone. Bastien m'a fait faux bond et je n'ai pas envie de rester toute seule ici.

— Pas de problème ! Victor sera content de te voir. Ils ne sont vraiment pas fiables, ces maudits chirurgiens ! Mais tant qu'ils le sont pour leurs patients, c'est le principal !

— Arrête, Flavie, on croirait entendre Évelina! ironisa Simone.

Flavie se détendit. Arthur, le chauffeur de Victor, attendait au coin de la rue. Lorsqu'il vit les deux jeunes femmes arriver, il sortit de sa voiture pour leur ouvrir la portière. Flavie le remercia et s'installa à l'arrière de l'automobile. Toujours aussi mal à l'aise devant la politesse du chauffeur, Simone songea: «Je ne m'habituerai jamais à me faire dire "vous" par un homme plus âgé que moi.» Puis, elle s'installa près de son amie.

Arthur s'informa poliment de leurs cours durant le trajet. Quand le véhicule s'immobilisa devant la maison du père de Flavie, Simone contempla le bâtiment comme si elle le voyait pour la première fois. Elle ne se lassait pas de détailler la remarquable demeure de briques de la rue Hartland. Flavie l'entraîna vers la porte d'entrée, puis hésita avant de frapper. Arthur rejoignit les deux visiteuses et les introduisit dans la résidence.

— Mademoiselle Flavie, vous n'avez pas besoin de frapper pour entrer chez votre père.

— C'est ridicule, n'est-ce pas? s'écria Flavie. Je ne sais pas si je m'habituerai un jour!

— Tu ne penses pas t'habituer à quoi, au juste? lui demanda Victor qui avait surgi dans l'entrée en entendant la porte s'ouvrir.

— À me sentir chez moi quand je viens ici, répondit Flavie en tendant son manteau à Arthur.

Ce dernier prit également le manteau de Simone, puis il s'éloigna.

— Je suis content de vous voir toutes les deux, déclara Victor.

— Évelina aurait bien aimé se joindre à nous, mais elle travaille ce soir. Simone a bien failli ne pas venir, elle non plus.

— Un rendez-vous galant, je suppose ? s'enquit Victor, l'air taquin.

— Eh ben, oui, Victor ! s'exclama Flavie. Notre belle Simone a maintenant un prétendant !

Simone fit la grimace à son amie. Elle ne pouvait pas encore qualifier Bastien de prétendant. Elle était impatiente de le voir pour tirer les choses au clair avec lui. Simone voulait confier à Bastien qu'elle s'était beaucoup attachée à lui au cours des semaines précédentes et qu'elle rêvait de passer sa vie à ses côtés. Elle ne savait pas comment le jeune homme réagirait, mais c'était important qu'il sache à quel point il comptait pour elle. Simone décida de s'amuser un peu des propos de Flavie.

— Nos «prétendants», comme le dit si bien Flavie, sont occupés en ce moment à sauver des vies. Ils nous négligent un peu, c'est certain, mais des patients chanceux bénéficient de leurs bons soins.

— Et vous, vous allez passer la soirée avec un vieux malcommode ! Figurez-vous qu'Arthur trouve que je suis pas mal «grognon» ces temps-ci !

Flavie aida Victor à s'asseoir dans son fauteuil préféré dans la bibliothèque. Simone observa pendant quelques minutes le père et la fille. La tendresse des gestes de Flavie lui fit monter les larmes aux yeux. Victor avait vieilli depuis son infarctus. La maladie avait fragilisé cet homme que Simone avait eu la chance de côtoyer à quelques reprises.

Arthur avait dit dans la voiture que son maître se fatiguait plus rapidement et qu'il s'ennuyait beaucoup.

— Je passe mes journées à lire de vieux livres poussiéreux, confia Victor. Quelques amis me visitent régulièrement, mais ça me fait tellement plaisir de vous voir toutes les deux. Qu'est-ce qu'un père peut souhaiter de plus que de passer du temps avec sa fille et la charmante amie de celle-ci?

— Et moi, j'aimerais avoir plus de temps à consacrer à mon père, indiqua Flavie. Je suis très prise, avec les cours et le travail à l'hôpital, tenta-t-elle de se justifier.

— Je sais que vous travaillez fort toutes les deux. C'est seulement que parfois je trouve le temps long, surtout depuis cet infarctus. Je réalise que mes années de jeunesse sont derrière moi. Profitez-en; ça passe si vite!

Simone ne pouvait qu'approuver les conseils de Victor. C'est ce qu'elle avait décidé de faire en acceptant de sortir avec Bastien. Elle s'était toujours empêchée d'être heureuse, brimée par le sentiment de rejet dont elle souffrait à cause de son oncle et de sa tante. Delvina, la grand-mère de Flavie, l'avait convaincue qu'elle était l'artisane de son propre bonheur. Simone n'en avait que faire des convenances et des qu'en-dira-t-on. Elle n'avait de comptes à rendre à personne, et peu lui importait d'avoir une relation intime avec un homme en dehors du mariage. «Quel risque pourrais-je bien courir en essayant d'être heureuse, tout simplement?»

Simone demeura silencieuse pendant une bonne partie du souper. Flavie raconta à Victor l'épisode des oranges que les étudiantes devaient piquer pour s'exercer à faire des injections intramusculaires.

— Je me suis quand même bien débrouillée avec l'orange. Mais j'ai un peu peur de la première fois où je me retrouverai à injecter un médicament dans un vrai muscle.

Simone tenta de la rassurer :

— Flavie, c'est dans ta nature de toujours appréhender le pire. Tu sais que tout se passera à merveille. En suivant les consignes, tu te débrouilleras fort bien – autant avec les injections intramusculaires que la technique de pontages veineux et d'injections intraveineuses.

— J'ai une sainte horreur des injections, indiqua Victor avant de prendre une gorgée de vin.

Flavie le regarda poser son verre avant de s'enquérir sur un ton candide :

— Est-ce que tu as le droit de boire du vin, Victor ?

— Mon médecin m'a dit qu'un verre de temps en temps ne pourrait pas me nuire. Ne crains rien, Flavie, je n'en abuse pas. Mais ça me fait tout drôle que tu te tracasses, car personne ne s'est jamais soucié de ma santé auparavant.

— Maintenant, vous avez une fille qui s'inquiète pour vous, certifia Simone. Flavie n'a pas envie de vous perdre avant de vous connaître davantage.

Victor sourit à Simone. Il prit la main de Flavie dans la sienne et murmura :

— Et je veux être là le plus longtemps possible pour rattraper le temps perdu.

* * *

En rentrant de chez Victor, Simone trouva une petite carte sous la porte de la chambre avec son prénom inscrit sur l'enveloppe. Bastien s'excusait d'avoir manqué leur rendez-vous. Elle ne s'était pas trompée : il avait eu une urgence. Il voulait la voir le lendemain soir, si elle était disponible. Simone sortit son horaire du tiroir de sa table de chevet. Elle grimaça en constatant qu'elle travaillait le lendemain soir.

En voyant la mine dépitée de son amie, Flavie s'informa :

— Ne me dis pas que Bastien veut te voir demain soir et que tu travailles ?

— Comme tu es perspicace, Flavie ! Mais bon, Bastien devrait comprendre.

— Je peux te remplacer, si tu veux. Ça me ferait plaisir.

— C'est beaucoup trop te demander de me remplacer encore une fois.

— Je te le propose de bon cœur. Et puis, je n'ai rien de prévu pour demain. Je me doute bien que Clément sera trop occupé pour me voir. Alors, profites-en !

— Bon, d'accord ! Mais c'est la dernière fois que je compte sur toi pour me remplacer. Je ne voudrais pas ambitionner sur le pain bénit.

— Ambitionne tant que tu veux ! Je vais sûrement avoir besoin de ton aide dans le courant de l'année.

— Et ça me fera plaisir de te remplacer pour une sortie avec Clément.

— Bof ! Je ne pensais pas à Clément, mais plutôt à te demander de l'aide dans mes études.

Flavie s'assit lourdement sur son lit, les yeux dans le vague. Simone comprenait que son amie soit triste de ne pas voir Clément aussi souvent qu'avant. Flavie s'était confiée à Simone ; elle s'était fait une joie durant l'été à l'idée de se rapprocher de lui en revenant à l'hôpital. Mais avec son horaire chargé, Clément n'arrivait pas à trouver du temps pour elle. Simone voulut la consoler en lui disant qu'il était normal que Clément soit si absorbé par son travail puisqu'il était en début de carrière.

— Bastien aussi commence en chirurgie. Pourtant, il réussit à trouver du temps pour toi.

Simone ne commenta pas, car Évelina venait d'entrer dans la chambre. Cette dernière enleva sa coiffe d'un geste rageur. Flavie interrogea Simone du regard. « Qu'est-ce qui a bien pu la mettre dans cet état ? » sembla-t-elle lui demander. Simone, qui se doutait bien que seul un homme avait pu perturber autant son amie, se lança :

— Qu'est-ce qui se passe, Évelina ? interrogea-t-elle. Ta tentative de séduction auprès du docteur Litwinski a-t-elle fait patate ?

— Ce n'est pourtant pas parce que je n'ai pas essayé. J'ai passé la soirée en pédiatrie dans le but de pouvoir lui parler quelques minutes. Vous savez que je n'aime pas tellement les enfants. Ils veulent toujours qu'on leur raconte des histoires et je déteste ça, moi, les livres pour enfants ! Je me suis sacrifiée pour m'occuper d'eux toute la soirée. Je me suis dit : « Enfin, je vais pouvoir faire connaissance avec lui. » Ben non ! Monsieur était bien trop occupé à soigner les petits morveux.

Quand j'ai réussi à lui parler, il m'a rappelé que nous étions en devoir et patati, et patata...

— Il n'a pas tout à fait tort, formula Flavie.

— Je lui ai demandé si nous pouvions aller prendre un café un de ces jours, dans le but de faire plus ample connaissance. Il m'a seulement répondu avec son accent qui me chavire : «Ce n'est pas bon idée que je sortir avec vous, garde Richer.» Je trouve au contraire que c'est une excellente idée! Il me connaît mal s'il pense que je vais me contenter de cette réponse.

— Il s'exprime réellement de cette manière? s'enquit Flavie.

— Bah! J'exagère un peu. C'est fascinant d'entendre un Polonais parler aussi bien le français, avec un si léger accent. Cela le rend tellement séduisant!

Évelina resta quelques secondes les yeux dans le vague avant de poursuivre :

— Je ne peux pas laisser tomber quelqu'un comme lui. Il verra que je ne lâche pas facilement prise!

— En effet, il s'apercevra que tu es quelqu'un de tenace! la taquina Simone.

— Oui, madame! Comment allait Victor, Flavie?

— Il se porte bien, mais il s'ennuie. Je devrais lui rendre visite plus souvent.

— J'ai croisé Clément en revenant. Il te fait dire qu'il essaiera de se libérer bientôt pour te voir.

— Ah bon! Espérons que ce soit vrai!

Flavie se coucha et remonta ses couvertures sous son menton. Simone savait que l'attitude de Clément blessait son amie et qu'elle ignorait comment remédier à la situation. La jeune femme se glissa sous les couvertures, puis elle souhaita bonne nuit à ses deux amies. Flavie grommela : « Bonne nuit, Simone ! » Évelina se contenta de hocher la tête tout en continuant de se brosser les cheveux, le regard perdu. Simone était certaine qu'elle réfléchissait à un nouveau stratagème pour se rapprocher du docteur Wlodek Litwinski. Simone ferma les yeux et prit une profonde inspiration. Un peu avant de s'endormir, elle pensa, le cœur léger, qu'elle serait dans les bras de Bastien le lendemain soir.

* * *

Bastien était assis sur le bord du lit et tournait le dos à Simone. Un silence glacial régnait dans la chambre, et la jeune femme ignorait comment s'excuser. Elle attendait que son amant se retourne et lui parle. Elle avait osé prononcer les trois mots que Bastien craignait le plus. Après, il l'avait repoussée et s'était assis au bord du lit. Simone s'était pourtant juré de ne pas lui révéler ce qu'elle ressentait pour lui. Mais elle s'était laissée aller et lui avait soufflé dans un moment de bonheur : « Je t'aime. » Ramenant les draps sur sa poitrine dénudée, elle se rapprocha de Bastien et posa une main sur son épaule. Il se leva précipitamment et enfila son pantalon.

Simone tenta de se justifier :

— J'ai lancé ça juste comme ça.

— Et tu ne le pensais pas ?

— Oui, je le pense. Mais je ne voulais pas te faire peur en te disant que je t'aime.

— Je n'ai peut-être pas été assez clair, Simone. Je n'ai pas du tout envie de m'embarquer avec quelqu'un pour le moment. Ça me fait du bien de te voir, mais je ne veux pas que tu t'attendes à plus de ma part. Je n'ai pas le temps d'entretenir une relation. Mon choix est fait : c'est ma carrière qui passe en premier.

— Je comprends tout ça. Mais on pourrait quand même envisager une vie à deux, non ?

Bastien ne répondit pas. Simone ferma les yeux. En lui avouant qu'elle l'aimait, elle avait espéré qu'il lui dirait la même chose. Mais sa déclaration semblait l'avoir mis en colère. Le dos tourné, Bastien boutonnait sa chemise. Simone se leva. Elle revêtit rapidement sa robe et alla se poster devant lui.

La jeune femme essaya de s'expliquer. Mais Bastien l'interrompit rapidement :

— Il n'y a rien à expliquer, Simone. Je veux seulement que tu ne t'imagines rien à mon sujet. Nous sommes libres tous les deux, et moi je tiens à le rester. Non mais, tu t'attendais à quoi de ma part ?

Simone avala péniblement sa salive. Bastien semblait furieux alors que, quelques minutes plus tôt, leur étreinte passionnée prenait toute la place. Il attendait en silence devant elle, les mains sur les hanches. Il répéta sa question.

Simone répondit dans un souffle :

— Je ne m'attendais pas à une telle réaction de ta part.

— Qu'est-ce que tu croyais, Simone ? Que j'allais te demander de m'épouser sur-le-champ ? Je ne veux pas d'une relation de ce genre entre toi et moi. Comme je te l'ai dit tout à l'heure, ce qui compte le plus pour moi actuellement, c'est ma carrière. Je pense que le mieux, c'est que chacun rentre chez soi. On en reparlera une autre fois.

Bastien saisit son manteau et mit ses chaussures, puis il sortit. Simone était désemparée. Elle se rassit sur le lit et enfila ses bas comme un automate, en essayant de comprendre ce qui venait de se passer. Elle était certaine que ses sentiments étaient partagés. Pourtant, Bastien venait presque de lui signifier que pour lui, elle n'était qu'une aventure parmi d'autres. Incrédule et triste, Simone mit son manteau et sortit de la chambre. Elle jeta un dernier regard désolé sur le lit défait.

* * *

Simone ressassait sa dernière rencontre avec Bastien et n'arrivait pas à comprendre pourquoi il avait réagi de la sorte. Il y avait presque une semaine qu'elle n'avait pas eu de ses nouvelles. «J'ai précipité les choses, je pense. Je vais devoir m'expliquer avec lui. Ça n'a tout simplement pas d'allure de laisser les choses s'envenimer comme ça!» Simone n'avait pas raconté ce qui s'était passé à Flavie et Évelina. Elle n'avait pas du tout envie de recevoir les conseils de cette dernière. Et puis, elle trouverait bien un moment pour s'expliquer avec Bastien.

Essayant de mettre de côté ce malentendu, Simone reporta son attention sur la femme devant elle. Pour la première fois, elle devait procéder à un prélèvement sanguin sur une patiente. Comble de malchance, Suzelle était l'infirmière désignée pour superviser sa première ponction veineuse. Simone avait tout fait dans les règles de l'art : les fioles étaient prêtes, l'avant-bras de la patiente avait été nettoyé et stérilisé. Elle tenait la seringue, prête à enfoncer l'aiguille. Le garrot était bien installé, mais Simone ne parvenait pas à obtenir un quelconque gonflement qui lui aurait indiqué quelle veine elle pouvait piquer.

«Évidemment, pour mon premier prélèvement, je me retrouve avec un cas compliqué. Et en plus, je dois endurer Suzelle qui se réjouit à côté de moi. Je n'aurais pas pu mieux tomber!» songea-t-elle en prenant une profonde inspiration pour se calmer. Il lui semblait que Suzelle souriait, mais Simone ne voulait pas détourner les yeux de la patiente.

Suzelle décida de faire un peu d'humour :

— Madame Laurin, vous pouvez dire que vous n'avez pas de veine – c'est le cas de le dire – de tomber sur garde Lafond. Elle vient tout juste d'apprendre comment effectuer des prélèvements.

— Ça prend de la patience pour réussir à me piquer, garde.

Madame Laurin et Suzelle rirent de la boutade. Pour sa part, Simone cherchait une solution. «Il doit bien y avoir un moyen!» Elle essaya de se souvenir des explications de sœur Désuète en pareil cas, mais elle ne parvenait pas à réfléchir. La patiente attendait toujours, le garrot serré autour de son bras tendu. Figée devant la femme, Simone ignorait ce qu'il fallait faire.

Suzelle la poussa et prit sa place.

— Je vais m'occuper de vous, madame Laurin.

Suzelle desserra le garrot et le comprima de nouveau. Elle incita madame Laurin à pencher son bras. Une veine finit par apparaître; Suzelle y enfonça l'aiguille et remplit les fioles. Puis, sous l'œil admiratif de la patiente, elle retira l'aiguille, mit un pansement sur le bras piqué et défit le garrot.

— On peut dire que vous connaissez ça, vous, garde Pelletier!

— Ça s'appelle l'expérience, madame Laurin.

Simone aurait voulu ajouter qu'à force de s'exercer, elle acquerrait elle aussi de l'expérience. Mais elle se contenta de ramasser la seringue utilisée et d'identifier les fioles. Suzelle continuait de plaisanter avec madame Laurin tout en ignorant complètement Simone. Les dents serrées, cette dernière alla porter les fioles au laboratoire. Elle ruminait tout en rageant intérieurement, car elle n'avait pas pensé à demander à la patiente de pencher son bras afin que la gravité fasse son effet. «Ce n'est vraiment pas fort, Simone. Un peu de concentration ne te ferait pas de tort. Une fois de plus, Suzelle s'est bien amusée à tes dépens.»

Regardant sa montre, elle constata qu'elle bénéficiait de quinze minutes de pause avant le service du souper. En entrant dans la salle de repos, Simone trouva Évelina enfoncée dans un fauteuil, le visage livide.

— Mon Dieu, Évelina! On dirait que tu viens de voir un fantôme. Qu'est-ce qui se passe?

— C'est tout comme! Tu n'as pas l'air d'en mener large, toi non plus.

— J'ai eu une mauvaise journée. J'ai complètement figé devant les veines fuyantes d'une patiente. Mais heureusement, Suzelle s'est portée à mon secours!

— Cette chère Suzelle! Toujours prête à nous aider quand on en a besoin!

— Mais dis-moi ce qui t'est arrivé, Évelina. Pas une mauvaise prise de sang, toujours?

— Si ce n'était que ça! J'ai eu la peur de ma vie, Simone. J'étais affectée au nettoyage d'une salle d'opération avec Georgina. Et je n'ai pas eu plus de chance avec ma consœur que toi. Celle-là passe son temps à se moquer de moi et à me ridiculiser.

Évelina se mit à faire les cent pas tout en déblatérant contre Georgina: «Elle a dit ça la maudite, peux-tu imaginer? Je lui ai répondu... Et puis, ensuite, elle a fait ça...»

— Évelina, je connais très bien Georgina et je sais comment elle est, la coupa Simone. Viens-en au fait. Qu'est-ce qui t'a autant terrorisée dans la salle d'opération?

— Georgina a décidé de ramasser un amoncellement de draps, serviettes, pansements et autres bouts de tissu qui avaient servi lors de la chirurgie. J'ai voulu l'aider, mais j'ai échappé le tas. Quand celui-ci s'est défait, sais-tu ce qui est tombé sur moi?

La bouche grimaçante et le regard dramatique, Évelina attendit la réponse de Simone. Celle-ci haussa les épaules et posa la question qui s'imposait:

— Quoi donc?

— Tiens-toi bien, Simone! J'ai reçu un pied ensanglanté sur moi! C'était totalement dégoûtant! Si tu avais entendu mon cri de mort! Georgina s'est mise à rire en me voyant reculer pour éviter que le pied échoue sur mes souliers. J'ai taché ma robe en plus, maudit! Eurk! Ça m'écœure tellement!

— Il faut s'attendre à ce genre de choses dans une salle d'opération. Les chirurgiens ne font pas toujours attention à l'endroit où ils placent les membres coupés. J'ai entendu dire que parfois, à la buanderie, on trouve des fœtus dans les draps.

— Ark! Ça me lève le cœur! Ben non, je ne m'attendais pas à ça, c'est certain. En plus, c'était un pied noirci par la gangrène.

— C'est certain que si le membre avait été sain, le pauvre patient ne se serait pas ramassé en salle d'op'.

— J'aurais bien voulu te voir à ma place. En tout cas, Georgina ne perd rien pour attendre. Je suis sûre qu'elle a fait exprès. À voir son maudit sourire, c'est évident qu'elle avait mijoté quelque chose. Je vais essayer d'oublier ça. Heureusement, après souper, je verrai Marcel. Sa femme joue au bridge, alors on en profite!

Un peu lasse de sa conversation avec Évelina, Simone regarda sa montre. Elle s'excusa, car elle devait retourner auprès de ses patients.

— On se revoit au souper! déclara-t-elle. À tout à l'heure!

Simone laissa Évelina se remettre tranquillement de sa frayeur. Il y aurait toujours des Suzelle et des Georgina pour s'amuser aux dépens des autres...

* * *

En entrant dans la salle à manger, Simone croisa Bastien qui, lui, en sortait. Elle était certaine qu'il l'avait vue, mais il avait feint le contraire. Elle l'intercepta:

— J'aimerais qu'on se parle tous les deux.

— Ce n'est pas le moment, Simone. J'entre en salle d'opération dans quelques minutes; il s'agit d'une urgence.

Bastien tenta de s'esquiver pour éviter une discussion. Simone le suivit. Elle lui demanda quand il serait disponible.

— Je ne sais pas, car je n'ai pas mon horaire sous les yeux. Dès que j'ai deux minutes, je regarde ça. Bonne soirée !

Bastien tourna les talons, la laissant seule au milieu du couloir. Simone s'en voulut d'avoir insisté, mais elle restait convaincue qu'une conversation s'imposait. Elle revint sur ses pas et entra dans la salle à manger, retrouvant Évelina et Flavie à leur table habituelle. Elle saisit machinalement son plateau, et ne regarda pas ce qui figurait au menu. En s'asseyant, elle s'aperçut qu'Évelina chipotait dans son assiette, l'air dégoûté. Cette dernière s'adressa à Simone.

— Je pourrais presque croire que Georgina a le bras assez long pour s'imposer dans la cuisine.

Flavie haussa les épaules en signe d'ignorance devant l'œillade furtive de Simone. Évelina repoussa son assiette et croisa les bras.

— Après mon expérience de cet après-midi, il est hors de question que je mange du ragoût de pattes de cochon pour souper !

Devant le ridicule de la situation, Simone éclata de rire malgré son ressentiment à l'égard de Bastien. Elle raconta l'anecdote à Flavie qui n'était pas au courant de l'histoire. Évelina saisit un morceau de pain qu'elle beurra tout en hochant la tête.

— Des pieds de cochon dans mon assiette, non merci ! J'en ai eu assez pour la journée.

Simone plaisanta :

— On pourra dire qu'aujourd'hui tu as pris ton pied, Évelina !

* * *

Un bout de papier à la main, Simone se tenait devant un immeuble de la rue Ontario, non loin de l'hôpital. Elle hésitait à frapper à la porte. Après s'être assurée que tous ses patients étaient fin prêts pour la nuit, la jeune femme s'était rendue au sixième étage – là où se trouvait le bloc opératoire – dans l'espoir d'y croiser Bastien. Elle y avait plutôt rencontré Clément, qui lui avait donné l'adresse de la maison de chambres où logeait Bastien. Simone se demandait si elle avait bien fait de venir sur les lieux. «Je veux juste tirer les choses au clair avec lui. Bastien me fuit, c'est évident, et je veux savoir pourquoi.» Prenant une profonde inspiration, elle frappa doucement à la porte. Après une minute, n'ayant pas obtenu de réponse, elle frappa plus fermement. Une femme vêtue d'une robe de chambre en ratine élimée, les bigoudis sur la tête, vint ouvrir.

— Avez-vous vu l'heure, mademoiselle? Savez-vous qu'il est impoli de déranger les gens la nuit?

— Je suis désolée, madame. Je voudrais voir Bastien Couture.

— Le docteur Couture n'est pas ici.

— Savez-vous où je peux le trouver?

— Il ne m'informe pas de ses allées et venues, mademoiselle. Tant qu'il paie sa chambre, je ne pose pas de questions. Sachez que vous n'êtes pas la première à réclamer le docteur Couture et que vous ne serez pas la dernière, non plus! Il est charmant, ce beau docteur.

Simone s'excusa d'avoir dérangé la chambreuse, puis elle repartit en direction de l'hôpital. Une pluie froide tombait sur Montréal et le vent glacial d'octobre transperçait son manteau. Elle avait froid jusque dans les os. Les vêtements mouillés n'étaient pas la seule raison qui expliquait comment Simone se sentait. Les propos de la chambreuse l'avaient ébranlée ; elle n'était pas la première jeune femme à se présenter où Bastien demeurait. Une boule de chagrin lui remplit l'estomac en réalisant qu'elle n'avait probablement été qu'une aventure de plus pour le jeune homme.

Elle resta de longues minutes à l'extérieur, en face de l'hôpital. La pluie de plus en plus cinglante se mélangeait à ses larmes. Bastien avait obtenu ce qu'il voulait, et désormais, il n'avait plus besoin d'elle. Même si Simone essayait de se convaincre qu'il valait mieux attendre les explications de Bastien, elle savait qu'elle venait une fois de plus d'être rejetée. Après avoir retiré ses lunettes, la jeune femme s'essuya le visage avec le revers de sa manche. Elle n'allait tout de même pas passer la nuit dehors.

Simone se faufila dans sa chambre sans faire de bruit. Flavie et Évelina dormaient déjà. Elle retira ses vêtements mouillés tout en grelottant, et s'épongea ensuite les cheveux avec une serviette. « Il y a sûrement une explication ; je vais attendre de lui parler. » Elle revêtit sa chemise de nuit et se réfugia sous les couvertures pour se réchauffer, se recroquevillant pour trouver un peu de réconfort.

* * *

Simone avait réfléchi à la suite de sa visite impromptue à la maison de chambres où vivait Bastien. Elle avait vraiment besoin de discuter avec ce dernier, tout en se doutant qu'il lui dirait ce qui l'accommodait. Simone attendit que le jeune médecin termine sa chirurgie. Elle avait encore quelques minutes de temps libre avant de devoir retourner auprès de ses patients. Le jeune homme poussa un soupir d'exaspération en l'apercevant dans le vestiaire. Avant de retirer ses gants et ses vêtements de chirurgie, il hocha la tête en signe de désapprobation.

— Madame Racicot m'a dit que tu es venue me relancer jusque chez moi.

— Il faut qu'on se parle, Bastien. Je ne comprends pas ce qui s'est passé l'autre soir et depuis, tu m'évites. Je voudrais régler la question une fois pour toutes.

— Il n'y a rien à régler, Simone. Je ne t'ai jamais rien promis. Tu t'es imaginé une vie à deux dont je ne veux pas. Je suis médecin chirurgien et c'est tout ce qui compte dans ma vie. Je n'ai pas le temps d'avoir une histoire compliquée avec une femme.

— Jusqu'à présent, ce n'était pas compliqué, pourtant.

— Ça l'est devenu quand tu m'as dit que tu m'aimais. Je ne veux pas d'attaches, Simone. C'était bien quand on se voyait, mais je n'attendais rien de plus de nos rencontres. Je pense qu'on est mieux d'arrêter ça immédiatement. Je te saurais gré de cesser de me suivre et d'insister pour discuter de tout ça. C'est fini entre nous et il n'y a rien à ajouter.

Simone reçut les paroles de Bastien comme un coup de poignard en plein ventre. Le jeune homme lança ses vêtements de chirurgie dans le panier de linge sale avant de sortir du vestiaire. Simone fixa pendant quelques minutes le panier de vêtements souillés. L'allégorie était trop grosse, mais elle ne pouvait s'empêcher de comparer ses sentiments aux vêtements que Bastien venait de jeter. Elle avait voulu se protéger et se retenir de tomber amoureuse de lui. Malgré tout, elle avait essayé de faire confiance à la vie. Mais une fois de plus, elle avait été flouée.

Se relevant péniblement du banc sur lequel elle s'était assise, Simone regarda l'heure. Ses patients l'attendaient. Malgré son cœur brisé en mille miettes, elle avait un travail à faire. Ironiquement, elle pensa à sœur Désuète qui disait toujours qu'une bonne infirmière doit réagir promptement et toujours faire passer les patients en premier. Si Simone n'avait pas compris toutes les subtilités d'une relation amoureuse, elle avait au moins saisi les rudiments de la profession d'infirmière.

* * *

En revenant dans sa chambre, Simone trouva Flavie et Évelina en grande conversation. Elle n'avait pas envie de discuter avec ses amies. Bastien l'avait quittée. Elle n'était pas la première fille à qui ça arrivait, et elle ne serait pas la dernière non plus. Elle avait toujours trouvé ridicules les lamentations des filles qui avaient subi une rupture. Elles erraient comme des âmes en peine pendant des jours, pleurant à chaudes larmes, essayant de trouver refuge dans les bras de leurs amies. Simone refusait de se laisser aller de la sorte. « Au moins, mon oncle et ma tante m'ont appris ça de bon. Rien ne sert de s'apitoyer sur son sort. Il faut se retrousser les manches et continuer malgré tout. »

Simone s'efforcerait de suivre cette ligne de conduite, même si elle avait envie de pleurer toutes les larmes de son corps comme ces filles dont elle se moquait. Flavie lui trouva l'air étrange et s'informa de ce qui s'était passé. Simone resta silencieuse. Évelina répondit à sa place.

— Ne me dis pas que tu viens de discuter avec ton beau Bastien.

— Il n'a plus beaucoup de temps à me consacrer, mentit Simone.

— Eh bien! *Join the club!* Une autre cliente déçue par la gent masculine! Clément aussi délaisse Flavie, et moi je commence à me lasser de Marcel qui n'a jamais le temps de me voir. Sa femme avait besoin de lui ce soir pour un souper-bénéfice. Alors, devinez qui est restée ici, cloîtrée comme une vieille fille? Il me semble qu'une petite gorgée de gin à la buanderie nous ferait le plus grand bien!

Un léger sourire se dessina sur les lèvres de Simone. Elle se souvenait du soir de Noël de l'année précédente où ses amies et elle s'étaient réfugiées dans la buanderie pour partager un petit flacon de gin. Quelque temps après, au même endroit, elles avaient prêté serment, se promettant de terminer leurs études en soins infirmiers avant d'accepter une demande en mariage.

— Il n'est probablement plus là ton flacon de gin, Évelina, dit Flavie. Des élèves de première année ou même des bonnes sœurs l'ont peut-être déjà trouvé.

— Dans ce cas, on va en acheter un autre et le cacher ailleurs. Il ne sera pas dit que, si nous poursuivons nos études comme trois vieilles filles abandonnées, nous n'aurons pas un peu d'agrément de temps en temps avec un bon tord-boyaux!

Bastien n'était plus là pour elle, mais Simone pouvait encore compter sur ses amies pour lui remonter le moral. Elle eut une pensée réconfortante: «Une chance que je vous ai, toutes les deux!»

6

Simone se jeta corps et âme dans le travail pour tenter d'oublier la conduite déplorable de Bastien. Elle essayait d'éviter de croiser celui-ci et, jusqu'à présent, elle pouvait se vanter d'avoir presque réussi. Mais ne pas voir Bastien s'avérait plutôt facile, car Simone se tenait loin de l'étage des salles d'opération – là où le jeune homme se trouvait presque tout le temps. Elle l'avait aperçu dans la salle à manger alors qu'il disposait de son plateau, ayant terminé son repas. Simone avait éprouvé un léger pincement au cœur en le voyant se passer la main dans les cheveux, geste qu'il faisait machinalement lorsqu'il réfléchissait.

Elle s'était retenue d'aller le voir, respectant ainsi ses consignes, puis avait reporté son attention sur sa soupe qui refroidissait.

Curieuse de nature, Évelina l'avait questionnée sur sa rupture avec Bastien. Simone lui avait simplement dit qu'il préférait se concentrer sur son travail. Évelina lui avait signifié qu'à son avis, ce n'était pas tellement une grande perte, qu'il y avait d'autres poissons dans le lac. Elle avait même ajouté, pour la consoler, que «chaque torchon trouve sa guenille». Simone avait toujours eu horreur de cette expression, mais elle avait gardé sa réflexion pour elle, sachant que c'était la façon qu'Évelina avait trouvée pour la réconforter.

Simone éprouvait un sentiment de gratitude envers Flavie pour sa discrétion concernant Bastien. Son amie s'était contentée de lui dire qu'elle comprenait sa peine, car elle-même voyait très peu Clément ces derniers temps. Elle avait assuré Simone de sa disponibilité si elle voulait se confier. Pour lui changer les idées, Flavie l'avait invitée à se joindre à Évelina et elle pour rendre visite à Victor. Mais Simone avait décliné l'offre, préférant rester à l'hôpital et travailler. Elle s'était portée volontaire pour remplacer une élève indisposée de troisième année.

Simone souhaita une belle soirée à Flavie et Évelina et leur fit promettre de saluer Victor de sa part. Elle se dirigea vers le sous-sol où elle était attendue aux salles d'urgence. Malgré son peu d'expérience, on lui avait confié cette tâche ; elle assisterait l'équipe qui travaillait dans ce service et qui était composée de médecins, d'infirmières diplômées et de quelques religieuses également diplômées. « La soirée devrait passer rapidement, et j'aurai la chance de prendre de l'expérience en recevant des patients en urgence. » Quand Simone se présenta sur place, on lui indiqua le guichet d'accueil. Elle s'occuperait du triage pour la soirée et procéderait à l'admission des patients qui arriveraient en ambulance.

Ce soir-là, Paul était le médecin de garde à l'urgence. Simone était mal à l'aise de se trouver en sa présence ; elle s'était très mal conduite envers lui au cours des semaines précédentes. Comme s'il avait lu dans ses pensées, Paul lui fit un sourire chaleureux. Plus détendue, Simone s'installa derrière le comptoir. Elle se mit à attendre l'arrivée d'un patient ou d'une ambulance.

La première heure se passa sans encombre. Quelques patients se présentèrent. Ceux-ci auraient très bien pu attendre au lendemain pour consulter un médecin en clinique externe, mais ils avaient préféré venir à l'urgence en soirée. Simone les recevait, remplissait un formulaire et remettait le tout au personnel, qui prenait ensuite en charge ces patients. « C'est presque trop facile comme emploi du temps », songea Simone.

Le calme était revenu depuis une bonne demi-heure, si bien que Simone eut le temps de feuilleter *L'Antenne de Notre-Dame* – publication rédigée par des étudiantes infirmières. « J'ai toujours aimé écrire et je ne suis pas mauvaise en français. Je pourrais écrire dans ce journal », pensa-t-elle avant de lire les différentes chroniques sur la vie étudiante dans l'hôpital. Simone abandonna le journal étudiant en voyant un brancardier franchir les portes de l'urgence en poussant une civière.

— Ça presse, garde! Il y a une autre civière dans mon ambulance et deux autres ambulances vont arriver dans peu de temps. Un autobus est entré en collision avec un tramway. Votre service va être occupé, ce soir.

Simone se dirigea vers la civière avec son carnet de notes pour évaluer rapidement le patient. La femme d'une soixantaine d'années était consciente et se plaignait de douleurs aux jambes. À première vue, Simone estima que la blessée avait probablement les deux jambes fracturées. Avant même qu'elle ait eu le temps d'aller prévenir les infirmières de garde, le brancardier revint avec une autre civière. L'homme au visage ensanglanté avait perdu conscience. Simone laissa la femme pour se rendre auprès de celui-ci.

Le brancardier donna quelques précisions à Simone.

— C'est le chauffeur du tramway. Le chauffeur du bus a eu moins de chance : il est mort sur le coup. Je vais devoir retourner sur les lieux, d'ailleurs, car je dois conduire deux corps à la morgue.

Simone regarda partir l'homme, étonnée du détachement qu'il avait manifesté. Elle espérait parvenir un jour à cet état d'âme concernant ses patients. Simone se dépêcha d'aller prévenir Paul et les autres infirmières qui se trouvaient dans la salle d'examen à côté. Le médecin et son équipe prirent rapidement charge de l'homme blessé. Avant de disparaître avec la civière dans la salle d'examen, Paul pria Simone de joindre par téléphone le médecin qui était de garde sur la liste.

— Je vais avoir besoin de renfort. En attendant les prochains patients, occupe-toi de la dame blessée en attendant qu'une autre équipe d'infirmières vienne nous donner un coup de main. Essaye de la garder consciente le plus longtemps possible en lui parlant. Dès que les prochaines civières arriveront, préviens-moi.

Simone passa rapidement l'appel téléphonique au médecin de garde. Puis, elle retourna auprès de la femme avec son carnet de notes.

— Vous devez me dire votre nom et votre prénom, madame. Dans quelques instants, une équipe vous prendra en charge. N'ayez crainte, tout se passera bien.

La blessée lui donna son nom en gémissant et en demandant qu'on s'occupe d'elle immédiatement. Deux autres brancardiers arrivèrent quelques minutes plus tard, avant l'arrivée du médecin appelé en renfort. Pendant quelques secondes, Simone figea devant l'ampleur de la tâche : cinq patients dans un état sérieux attendaient de voir un médecin. Certes, les brancardiers les avaient stabilisés lors de leur transport, mais une fois dans l'hôpital, l'équipe d'urgence devait assurer leur prise en charge.

«Je ne peux pas croire qu'ils n'auraient pas pu en envoyer quelques-uns à l'hôpital Saint-Luc ou ailleurs. L'hôpital Notre-Dame est spécialisé en traumatologie, mais quand même ! J'ai l'impression de me trouver en plein champ de bataille», se dit Simone en regardant les blessés couchés sur les civières.

Puis, comme si elle avait reçu un coup de fouet, Simone se mit à circuler entre les civières, notant la gravité des blessures des patients. Elle attribua à chacun une couleur : rouge, pour un patient inconscient et requérant des soins immédiats ; jaune, pour un patient conscient devant être rapidement évalué par un médecin ; et vert, pour un patient qui pouvait attendre quelques minutes. La passagère aux jambes fracturées faisait partie de ceux-là. Cette dernière houspilla Simone :

— Si ça a de l'allure ! Je suis presque morte et on me fait attendre sur une civière.

Simone se retint de lui dire que si elle était presque morte, on ne l'entendrait pas hurler. Deux médecins et quatre infirmières arrivèrent en renfort à l'urgence. Simone leur remit les dossiers de chacun des patients classés selon le code de couleur. Elle décida d'aller offrir son aide dans la salle d'examen, laissant ainsi vacant son poste à l'accueil. Les patients avaient assurément plus besoin d'elle et, étant donné l'heure tardive, Simone était presque certaine que plus personne ne se présenterait à l'urgence. De toute façon, quelques minutes plus tard, une infirmière viendrait la remplacer à l'accueil.

— Vous tombez bien, garde Lafond, dit Paul en la voyant. Vous allez préparer un des patients pour la salle d'opération. Nettoyez rapidement ses blessures et faites en sorte qu'il puisse être transféré en chirurgie le plus tôt possible. C'est le docteur Langlois qui le prendra en charge.

Simone fut soulagée en apprenant que Bastien n'était pas le chirurgien de garde. Elle se dépêcha d'accomplir sa tâche et appela les brancardiers pour qu'ils viennent récupérer le patient.

La soirée passa rapidement, même si Simone ne put regagner sa chambre que plus d'une heure après la fin de son quart de travail. Paul, qui avait lui aussi terminé, la raccompagna jusqu'à la résidence des étudiantes infirmières.

— Le docteur Robinson m'a dit que tu t'étais plutôt bien débrouillée avec l'accueil des patients. C'était une bonne idée, le code de couleur. Le docteur Robinson a même suggéré de l'utiliser dorénavant.

— J'utilisais déjà un code de couleur quand j'enseignais. Le rouge était pour les élèves qui troublaient la paix; le jaune, pour ceux qui avaient besoin de mon assistance; et le vert, pour ceux qui pouvaient se débrouiller sans mon intervention.

— Madame Beausoleil aurait donc obtenu la couleur rouge avec ton code scolaire. Elle n'a pas arrêté de se plaindre des soins qu'elle recevait. «J'ai quand même deux fractures, docteur. Je ne comprends pas que je doive attendre aussi longtemps!»

Simone retint un fou rire. Madame Beausoleil avait été classée en vert, mais c'est vrai qu'elle était une patiente turbulente.

— On a amplement mérité une bonne nuit de sommeil après une soirée pareille à l'urgence. J'espère que cela ne t'a pas trop découragée de revenir y travailler. Heureusement que ce n'est pas toujours comme ça.

— Non, j'ai aimé l'expérience. Le temps est passé rapidement.

L'ascenseur s'arrêta à l'étage de la résidence de Simone et les portes s'ouvrirent. Paul la remercia encore une fois pour son aide, puis il lui souhaita bonne nuit. Les portes se refermèrent sur un Paul à l'air réjoui. Un léger sourire de satisfaction parut sur les lèvres de Simone qui se dirigea vers sa chambre. Elle était fière d'avoir su garder son sang-froid et d'avoir réussi à gérer la situation de crise à l'urgence. «Delvina serait heureuse de savoir que j'ai trouvé ma voie et que je me sens enfin à ma place.»

* * *

L'histoire de l'accident entre le tramway et l'autobus fit rapidement le tour de l'hôpital. Simone fut félicitée par la plupart de ses consœurs, à l'exception de Georgina qui trouva le moyen de se moquer d'elle une fois de plus.

— Un code de couleur comme à l'école de rang! Quelle bonne idée! On va trier les patients comme des enfants d'école, *astheure*!

Évelina répliqua aussitôt:

— Au moins, Simone a réagi rapidement pour s'occuper d'eux. Je ne suis pas certaine que tu aurais pensé à cette façon de faire, Georgina Meunier! Tu te serais probablement mise à courir comme une poule sans tête pour trouver du renfort. Tu es jalouse de l'ingéniosité de Simone. Tu aurais aimé penser à cette idée, mais tu es beaucoup trop pressée de critiquer tout le monde.

Georgina poursuivit son chemin suivie de son amie Alma.

— Pff! émit Évelina. Quelle enquiquineuse celle-là! Elle est incapable de féliciter qui que ce soit.

— Bah! Je ne m'en fais pas trop avec ça, Évelina, la rassura Simone. J'ai simplement réagi face à une situation d'urgence, c'est tout. Je devais faire quelque chose pour les patients, car je savais que l'équipe d'urgence était passablement réduite vu l'heure à laquelle l'accident est arrivé.

— Moi, j'aurais paniqué, je pense.

— Et tu aurais couru comme une poule sans tête, toi aussi! la taquina Simone.

— Tu m'impressionnes avec ton sang-froid.

— Comment s'est passée votre soirée chez Victor?

— Beaucoup plus tranquille que la tienne, c'est certain. Victor était en grande forme, même s'il a l'air de s'ennuyer, seul dans sa grande maison. Il a offert à Flavie des bijoux ayant appartenu à sa mère. Tu devrais voir le trésor! Je ne comprends pas la mère de Flavie de refuser de faire vie commune avec lui.

— Bernadette doit avoir ses raisons. Flavie a accepté tous les bijoux?

— Elle semblait mal à l'aise, mais Victor lui a dit qu'ils lui revenaient de droit. Elle est sa fille et, donc, la petite-fille de la très riche madame Desaulniers.

— Je la comprends. À sa place, j'aurais été probablement incapable d'accepter un pareil cadeau.

— Je passe mon temps à vous dire que vous êtes trop modestes, les filles! Flavie hésite à accepter son héritage, et toi, tu ne veux pas prendre le mérite qui te revient pour avoir bien réagi face à l'arrivée de toutes ces civières. Si j'étais à votre place...

— Tu ne te ferais pas prier pour prendre les bijoux et profiter de ta gloire, on sait bien !

Évelina donna un coup de coude à Simone en roulant les yeux.

— N'empêche que vous devriez profiter un peu de la vie, Flavie et toi. Vous êtes choyées toutes les deux. Tu es une des meilleures infirmières en deuxième année et tu continueras sûrement à te démarquer. Flavie a trouvé son véritable père, et ce dernier est riche comme Crésus. C'est très rare, ces temps-ci, avec la crise qu'on a connue.

— Tu es choyée toi aussi, Évelina. Ta mère est également bien nantie. Je ne comprends pas pourquoi tu ne la vois pas plus souvent. Vous habitez la même ville, en plus.

— Tu sais très bien que je n'ai pas envie de prendre contact avec ma mère, Simone. Le chèque qu'elle m'envoie chaque mois me suffit. Et puis, elle serait trop contente si j'avais besoin d'elle pour autre chose que pour son argent.

— Je trouve ça dommage.

Chaque fois qu'il était question de sa mère, Évelina parlait avec un réel détachement. Simone se disait qu'un jour ou l'autre elle trouverait la faille et percerait le mystère de la mère d'Évelina. Elle saurait enfin ce qui avait éloigné les deux femmes.

— Et si on changeait de sujet, Simone ? Je déteste parler de ma mère, et pourtant tu persistes à revenir là-dessus. On devrait se planifier une sortie au cinéma toutes les trois, Flavie, toi et moi. Ça fait une éternité qu'on n'est pas allées voir un film. On n'est quand même pas des novices comme Charlotte. On a le droit de passer du bon temps, d'autant plus que les soupirants se font rares ces temps-ci : ta rupture avec Bastien, Flavie qui ne voit presque plus Clément, et moi qui stagne dans ma relation avec Marcel... Oui, vraiment, une petite sortie nous ferait le plus grand bien.

— Il faudrait sortir, en effet.

Simone regarda sa montre.

— Il me reste quinze minutes avant de devoir retourner auprès de mes patients. Je vais aller dans notre chambre repasser les deux robes que j'ai lavées hier.

— Maudit que tu es disciplinée, Simone ! Ça n'a pas d'allure ! Moi, je préfère faire mille et une choses plutôt que de repasser du linge.

Simone savait qu'Évelina préférait payer le « Chinois » pour l'entretien de ses vêtements. Cette dernière ne s'abaisserait jamais à laver ses vêtements et à les repasser, en plus ! Mais pour Simone, le repassage était en fait un prétexte, car elle avait besoin de solitude. En discutant avec Évelina, un coup de fatigue l'avait frappée soudainement. « C'est sûrement à cause de ma soirée mouvementée d'hier. » Habituellement, le babillage d'Évelina ne la dérangeait pas – il la distrayait même –, mais en cette fin d'après-midi, il l'épuisait.

Évelina se moqua de son excès de zèle.

— Allez, mademoiselle Lafond, vos robes fripées vous attendent ! Je pense que je vais aller faire un petit tour en pédiatrie. Tout à coup que je verrais le beau docteur Litwinski là-bas !

— Si je suis zélée avec mes vêtements, toi, tu l'es avec le nouveau pédiatre.

— Tu me connais : je suis tenace. Allez, ouste ! Va faire ton repassage !

Évelina tourna les talons et Simone se dirigea vers sa chambre. En voyant les deux robes suspendues dans l'armoire, elle changea d'idée. « Et puis, tant pis ! Je les repasserai plus tard. Je suis trop fatiguée pour le moment ; je vais m'étendre quelques minutes. »

* * *

Lorsque Simone se réveilla, la chambre était plongée dans la pénombre. Cherchant à tâtons ses lunettes et sa montre, elle alluma la lampe sur la table de chevet. En voyant l'heure, elle sursauta. Elle avait dormi près d'une heure, elle qui avait souhaité se reposer seulement quelques minutes afin de refaire ses forces. Remettant sa coiffe à la hâte, elle se précipita dans la salle où elle avait été assignée pour faire la distribution des plateaux de repas. Les plateaux vides reposaient sur les tables de chevet, attendant d'être ramassés. Simone se précipita pour faire le ménage.

— Ce n'est pas trop tôt, garde Lafond ! Une chance que j'étais disponible, sinon vos patients seraient morts de faim.

Simone n'eut pas besoin de se retourner pour savoir de qui étaient venus les reproches. Elle avait reconnu la voix moqueuse de Georgina. Celle-ci continua sur sa lancée :

— Un jour, ça sauve l'urgence en proposant d'utiliser un code de couleur – tout à fait ridicule, à mon avis – et le lendemain, ça ne se présente même pas pour servir le repas à ses patients. Sœur Désilets en sera informée, sois-en certaine !

« Je n'en doute même pas ! Tu seras si fière de rapporter mon manquement à sœur Désuète, maudite Georgina ! » pensa

141

Simone en se mordant les joues pour s'empêcher de répliquer à la jeune femme. Mettant de côté son ressentiment, elle offrit à Georgina son plus beau sourire et la remercia de l'avoir dépannée.

— Une chance que vous étiez là, garde Meunier! Mille fois merci! Vous pouvez retourner à vos occupations; je vais prendre la relève pour ramasser les plateaux.

Ne s'attendant pas à des remerciements, Georgina resta figée quelques secondes. Puis, elle haussa les épaules avant de laisser Simone se débrouiller. Celle-ci récupéra les plateaux et consulta rapidement les dossiers des patients. Georgina, dans sa grande bonté, avait même fait la distribution des médicaments que certains patients devaient prendre en mangeant. De plus, elle avait noté toutes les informations pertinentes.

Quand Simone retourna à la résidence des infirmières, elle tomba face à sœur Désuète qui arpentait le couloir. Aussitôt que la religieuse vit la jeune femme, elle l'apostropha:

— Ah! Vous êtes là, mademoiselle Lafond! Mademoiselle Meunier m'a raconté qu'elle a dû vous remplacer au pied levé.

— J'étais indisposée, ma sœur. Je suis vraiment désolée de ce contretemps. Mademoiselle Meunier a très bien travaillé pendant son remplacement. Elle a même administré les médicaments à mes patients.

— Je vous le répète sans cesse: une bonne infirmière se doit d'être toujours disponible. On ne peut pas en dire autant de vous ce soir.

— Je vous promets que ça ne se reproduira plus.

— Et vous avez tout intérêt à respecter votre parole, mademoiselle Lafond. Heureusement, aucun incident fâcheux n'est survenu, et ce, grâce à mademoiselle Meunier. Bonne soirée et tâchez de réfléchir à tout ceci.

Simone suivit des yeux sœur Désuète qui se dirigea vers l'ascenseur. La jeune femme se sentait coupable d'avoir dormi aussi longtemps et de ne pas avoir été disponible pour ses patients. Elle devait une fière chandelle à Georgina, et cette pensée l'enrageait encore plus que le fait d'avoir été négligeante. « Sœur Désuète n'a rien à craindre : on ne m'y reprendra plus, c'est certain. Georgina serait bien trop contente de me tirer d'embarras encore une fois ! »

* * *

Simone repoussa son bol de gruau. La bouillie tiède la dégoûtait. Ses craintes des derniers jours semblaient se confirmer. Après avoir consulté ses notes de cours sur l'obstétrique, elle avait compris que sa fatigue des derniers jours et ses nausées indiquaient une grossesse. Son cycle menstruel n'avait jamais été réglé au quart de tour ; il lui arrivait parfois de retarder de plusieurs jours. Toutefois, son état général confirmait ses doutes.

Fixant sa tasse de café, elle n'arrivait pas à croire que cela ait pu lui arriver. Flavie était déjà partie s'occuper de ses patients. Évelina continuait de lui raconter sa soirée, sans tenir compte du fait qu'elle n'avait pratiquement rien avalé.

— Peux-tu croire, Simone, que j'ai finalement réussi à aller prendre un café avec Wlodek ?

— Wlodek ?

— Ben oui! Wlodek Litwinski, le fameux docteur Litwinski. Tu ne m'écoutes pas.

— Je suis désolée… prononça doucement Simone en se promettant de prêter attention aux propos d'Évelina.

Simone essaya de se concentrer, malgré l'évidence qui venait de la frapper en plein cœur. Elle était enceinte de Bastien!

Évelina poursuivit ses récriminations:

— Ça fait des semaines que j'essaye de l'inviter afin de mieux le connaître, et tu m'écoutes à peine. Quand il m'arrive quelque chose d'intéressant, on ne peut pas dire que vous me prêtiez une oreille attentive! Je soupçonne Flavie d'être partie plus tôt pour s'occuper de ses patients, plutôt que de m'entendre raconter ma soirée.

— Pardonne-moi, Évelina. Et puis? Comment ça s'est passé? demanda Simone en essayant de retenir la boule d'émotion qui remontait dans sa gorge.

— Eh bien, c'est plate à dire, mais il ne s'est rien passé. On est allés dans le petit café tout près d'ici. Tu sais, celui où on ne va plus toutes les trois parce que vous êtes tellement prises par vos études, Flavie et toi...

Simone porta une main à son visage. Évelina, attribuant ce geste au sous-entendu qu'elle venait de lancer, continua son récit.

— Il m'a parlé de sa chère Pologne qu'il a dû quitter. Il avait peur des nazis. Ceux-ci lorgnent en direction de son pays pour combler l'envie d'Hitler d'agrandir son «espace vital», malgré le pacte de non-agression signé en 1934 entre l'Allemagne et la Pologne.

Simone sourcilla en entendant les phrases toutes faites d'Évelina. De toute évidence, cette dernière avait suivi assidûment les propos du docteur Litwinski, car elle détestait lire les journaux et ne s'intéressait pas à l'actualité internationale. Évelina disait que les événements qui survenaient en Europe lui passaient « dix pieds par-dessus la tête ! »

— La situation n'est vraiment pas rose là-bas, selon Wlodek. Savais-tu qu'il a perdu sa femme, en plus ?

— Je ne savais pas qu'il était veuf.

— Eh oui ! Il m'a tout raconté. La mort de sa femme, la fuite de son pays natal avant que le pire n'arrive et sa difficulté à s'intégrer ici, à l'hôpital. Les autres médecins sont un peu méfiants à son égard. Je vais donc essayer de lui faire apprécier sa nouvelle existence. Ce n'est pas drôle, tu sais, d'être un immigrant loin de chez soi. Il a tout quitté, te rends-tu compte ?

Simone cessa d'écouter Évelina. En ce moment, elle s'efforçait de retenir ses nausées. Les quelques gorgées de café qu'elle avait bues ne passaient pas. Elle se leva précipitamment. Regardant sa montre, elle s'excusa :

— Il est tard ! Excuse-moi, Évelina, mais je dois retourner dans notre chambre avant d'aller distribuer les plateaux à mes patients. À tout à l'heure !

Simone se précipita le plus rapidement possible aux toilettes. Elle vomit le peu de nourriture qu'elle avait absorbée. Pendant qu'elle s'essuyait la bouche avec une serviette en papier, elle contempla son reflet dans le miroir. Que deviendrait-elle à présent qu'elle s'était fait prendre comme ces pauvres filles dont elle plaignait l'existence ? Ravalant ses larmes et s'épongeant le front, elle essaya de respirer calmement pour faire taire la nausée qui refaisait surface. «Je trouverai bien le temps d'y penser un peu plus tard. En attendant, mes patients ont besoin de moi.»

* * *

Simone n'en menait pas large. Malgré tout, elle assistait à ses cours et accomplissait ses tâches. Les nausées étaient presque constantes et elle mangeait peu pour ne pas surcharger son estomac. Évelina et Flavie étaient absorbées par leurs tâches et leurs études et n'avaient pas remarqué les changements qui s'étaient produits chez leur amie. Simone était plus songeuse et repliée sur elle-même. Flavie et Évelina attribuaient sans doute cet isolement à sa rupture avec Bastien. Simone était soulagée qu'elles ne la questionnent pas. Elle avait besoin de réfléchir à sa situation et n'avait pas envie de se confier.

La seule personne qui devait être prévenue pour lors était Bastien. Simone se blâmait de s'être fait prendre, mais il portait lui aussi sa part de responsabilité dans cette affaire. Elle devait lui parler ; il l'aiderait sûrement à trouver une solution. «Il ne peut quand même pas me laisser tomber», essayait-elle de se convaincre en attendant qu'il termine son quart de travail.

Elle avait croisé Clément. Ce dernier lui avait dit que Bastien était en salle de chirurgie et qu'il n'en avait plus pour très longtemps. Simone avait encore en tête sa dernière rencontre catastrophique avec Bastien. Elle souhaitait que, cette fois-ci, les choses se déroulent un peu mieux. Elle avait besoin de l'appui du jeune homme. Quand il sortit du vestiaire et qu'il l'aperçut, il leva les yeux au plafond.

— Bastien, il faut absolument que je te parle. Donne-moi au moins quelques minutes de ton temps, c'est important.

— Je pense qu'on s'est tout dit, Simone. Pourquoi reviens-tu à la charge?

— Il me reste une heure avant le couvre-feu. C'est vraiment important que je te parle et je ne peux pas le faire ici, dans ce corridor. Si on allait prendre un café au coin de la rue?

— Bon, puisque tu insistes… Mais je te préviens: je n'ai que quelques minutes à te consacrer. J'ai des rapports à rédiger et d'autres choses importantes à faire.

Simone se doutait bien qu'il devait avoir des milliers de choses plus importantes à faire que de la voir. Elle ne lui fit aucun reproche, préférant garder ses états d'âme pour elle.

— Je vais chercher mon manteau et je te rejoins dans le hall d'entrée.

— J'y serai, mais ne me fais pas attendre. Comme je te l'ai dit, j'ai d'autres chats à fouetter.

Elle se précipita dans sa chambre pour récupérer ses affaires. Flavie lui jeta un regard interrogateur. Simone se contenta de lui dire qu'elle s'en allait prendre un café avec Bastien pour discuter.

— Évelina sera contente d'apprendre que les choses rentrent dans l'ordre pour vous deux. Elle était inquiète de te voir aussi triste.

— Rassurez-vous, ça va aller mieux bientôt, lui répondit Simone en tentant par le fait même de se convaincre elle-même. Bonne soirée!

— Bonne soirée à toi aussi, Simone.

Vêtue de son manteau, Simone se posta devant l'ascenseur. Habituellement, cela ne la dérangeait pas d'attendre pour descendre, mais ce soir-là, elle était pressée. Comme l'ascenseur n'arrivait pas, elle perdit patience et se précipita vers l'escalier, ne voulant pas être en retard. «Je ne vais pas prendre le risque de faire attendre Bastien. Pour une fois qu'il a accepté que nous parlions...»

Quand elle rejoignit le jeune homme, ce dernier faisait les cent pas dans le hall d'entrée. Simone le remercia de sa patience. Ils se dirigèrent en silence vers le café au coin de la rue. En entrant dans le commerce, Bastien parcourut la salle des yeux. En voyant que les lieux étaient pratiquement déserts, il poussa un soupir de soulagement – ce qui n'échappa pas à Simone. Ils s'installèrent à une table dans un coin de la pièce. La jeune femme commanda un café ; Bastien ne prit rien.

— J'ai bien failli laisser tomber, Simone. Il me semble que nous n'avons plus rien à nous dire.

— Toi, tu as dit tout ce que tu avais à dire, Bastien. Mais tu ne m'as pas laissé le temps d'expliquer comment je me sentais dans tout ça. J'avoue que je n'ai pas encore compris ce qui avait pu se passer entre nous deux.

— Tu veux vraiment revenir encore une fois là-dessus, Simone ?

Bastien sortit un briquet de sa poche et son étui à cigarettes. Puis, il alluma une cigarette. Il expira une bouffée de fumée bleutée. Simone ne put s'empêcher de retenir son souffle quelques secondes. La fumée de cigarette lui avait toujours piqué les yeux, mais cette fois-ci, ils lui picotaient pour une tout autre raison. Simone n'était plus certaine d'avoir fait le bon choix en décidant de parler de sa grossesse à Bastien. « Tu n'as plus le choix, ma vieille ; tu dois trouver rapidement une solution à ton problème. Et le seul qui puisse t'aider pour le moment, c'est probablement Bastien.» Prenant son courage à deux mains, Simone avala une gorgée de café avant de se lancer.

— Je comprends que ta carrière passe avant toute chose, Bastien, et que, pour le moment, tu désires continuer ta route seul. Je ne suis pas ici ce soir pour te faire revenir sur ta décision, même si j'aimerais en être capable.

— Dans ce cas, pourquoi as-tu insisté pour me rencontrer, Simone?

— Nous avons un problème à résoudre.

— Et quel est-il? demanda Bastien en balayant de la main le devant de sa veste pour en retirer quelques brins de tabac.

— Je suis enceinte.

Bastien arrêta son geste. Lorsque son regard croisa celui de Simone, ce que la jeune femme vit dans les yeux de son compagnon lui fit peur. Elle recula sur sa chaise, attendant qu'il parle.

— Quoi? Qu'est-ce que tu me chantes là?

Simone se pencha vers lui et répéta sa phrase.

— C'est le moyen que tu as trouvé pour que je revienne vers toi? cria Bastien.

Voyant qu'il venait d'attirer l'attention des quelques rares personnes présentes dans le restaurant, Bastien baissa le ton.

— Franchement, Simone, comment peux-tu être aussi naïve et penser que je vais te croire? déclara-t-il en écrasant sa cigarette à peine entamée dans le cendrier à côté de lui.

— Bastien, je n'ai rien inventé. Je suis réellement enceinte. Nous sommes tous les deux responsables de la conception de cet enfant.

— Et qu'est-ce qui me prouve qu'il est de moi ?

— Voyons, Bastien ! Je ne voyais personne d'autre que toi.

— Que tu dis ! Devrais-je te croire sur parole ? Qu'est-ce qui me prouve que ce bébé est le mien ? De toute façon, que veux-tu que j'y fasse ? Tu ne t'attendais pas à ce que je te demande en mariage sur-le-champ et que je prenne la responsabilité de cet enfant, tout de même ?

En fait, Simone ne savait plus ce qu'elle faisait dans ce café. Elle avait espéré que Bastien l'aiderait à trouver une solution, mais au contraire, il réagissait très mal. De plus, il mettait en doute sa responsabilité. Simone se mordit la lèvre inférieure afin de retenir ses larmes.

— Je ne sais pas quoi faire, Bastien.

— Tu vas agir comme toutes les filles qui se laissent prendre, Simone. Ne t'attends pas à un dédommagement de ma part. C'est bel et bien fini entre nous. Arrange-toi toute seule avec ce problème qui n'est pas le mien.

Bastien saisit son manteau et se dirigea vers la porte. Simone se leva dans le but de le retenir, mais finalement elle n'en fit rien. Elle le regarda émerger dans la rue. Elle se rassit, prit sa tasse de café ; en constatant que celui-ci était froid, elle déposa la tasse sur la soucoupe. À quoi bon tenter de retenir Bastien ? Elle avait été naïve de croire qu'il la soutiendrait dans son malheur. Il avait eu ce qu'il voulait sans se préoccuper des conséquences. Il était même allé jusqu'à mettre sa parole en doute. Se relevant péniblement, Simone régla l'addition avant de sortir dans la froideur de la nuit.

* * *

Flavie lisait un livre, bien calée dans ses oreillers, et Évelina se limait les ongles quand Simone entra dans la chambre. La jeune femme leur tourna le dos pour enlever son manteau et revêtir sa chemise de nuit. Elle voulait cacher ses yeux bouffis par les larmes; elle avait honte de s'être laissée aller ainsi. Évelina lui demanda comment s'était passée sa soirée. Quand Simone la regarda, Évelina vit qu'elle avait pleuré.

— Flavie m'a dit que tu rencontrais Bastien ce soir. À te voir l'air, je me doute que ça n'a pas bien été.

— Non, pas vraiment. C'est bel et bien fini entre nous.

— Ça ne vaut pas la peine d'essayer de réparer les pots cassés, Simone. Crois-moi, tu n'as pas perdu grand-chose. Bastien est imbu de lui-même et il ne pense qu'à sa carrière de chirurgien.

— Je n'ai pas envie d'en parler ce soir, Évelina, et surtout pas de t'entendre dire que tu m'avais prévenue. J'ai juste besoin d'une bonne nuit de sommeil, c'est tout, déclara Simone en défaisant son lit.

Il lui aurait fallu beaucoup plus qu'une simple nuit de sommeil. Simone ne pouvait pas garder ce bébé qui l'empêcherait de terminer ses études, mais elle ne savait pas quoi faire. Les «faiseuses d'anges» ne s'affichaient pas publiquement. Pour lors, Simone était confuse et elle préférait sombrer dans le sommeil. Peut-être parviendrait-elle à trouver une solution avant que son état ne soit trop visible? Évelina lui souhaita une bonne nuit, ajoutant qu'elle finirait par trouver chaussure à son pied pour remplacer cet imbécile de Bastien. Mais Simone ne désirait pas remplacer Bastien ; tout ce qu'elle voulait, c'était oublier son existence. Le jeune chirurgien s'était comporté comme le pire des goujats et elle, elle était tombée dans un puits sans fond. Couchée sur le côté et les jambes ramenées contre son corps, Simone adressa une prière – pour la première fois depuis des années – à cet Être céleste dont elle doutait de l'existence. « Mon Dieu, aidez-moi à trouver une solution ! »

7

Évelina et Flavie avaient noté un changement dans l'attitude de Simone. La jeune femme était triste et songeuse, mais elles attribuaient ce comportement à sa récente rupture avec Bastien. Simone dormait mal et très peu. Elle ne mangeait plus avec autant d'appétit, touchant à peine à son assiette.

— Simone, on ne te reconnaît plus, Flavie et moi, déclara Évelina après avoir avalé une bouchée de ragoût. Ne te laisse pas mourir pour Bastien Couture. Il n'en vaut pas la peine, crois-moi. Il faut que tu te ressaisisses.

La jeune femme aurait bien voulu «se ressaisir», mais elle n'y parvenait pas. Son monde s'était littéralement écroulé. Que ferait-elle de cet enfant? Elle avait cru que Bastien lui viendrait en aide, car il connaissait certainement des moyens de procéder. Il n'avait rien fait et, en plus, il avait mis sa parole en doute quant à la paternité de l'enfant.

Simone essayait de vaquer à ses occupations sans que rien paraisse, mais la fatigue et la nervosité nuisaient à son travail. Le docteur Beauregard lui avait dit de passer à son bureau cet après-midi-là quand elle serait libre; il voulait lui parler. Simone repoussa cette visite à la fin de la journée. Frappant doucement à la porte du bureau du professeur, elle attendit que celui-ci l'invite à entrer. Le docteur Beauregard lui indiqua une chaise devant son bureau. La jeune femme s'y installa.

— Je n'irai pas par quatre chemins, mademoiselle Lafond. Je ne sais pas ce qui se passe ces derniers temps, mais je vous trouve très distraite. Aujourd'hui, vous avez oublié de stériliser les instruments chirurgicaux comme je vous l'avais demandé. Fort heureusement, quelqu'un s'est aperçu de cette bévue avant la chirurgie. Cet incident aurait pu avoir des conséquences très fâcheuses. Comme c'est la première fois que cela se produit, je serai indulgent envers vous, mais je vous prierais à l'avenir d'être plus attentive.

— Je suis vraiment désolée, s'excusa Simone.

— Vous étiez une de mes meilleures élèves et, du jour au lendemain, vous êtes devenue étourdie. Que vous arrive-t-il ?

Simone se contenta de hocher la tête. Elle ne raconterait pas ses malheurs à un professeur, tout de même. On la jugerait pour s'être faite avoir par les belles paroles de Bastien, puis elle serait probablement renvoyée étant donné son état.

— Je vous promets que ça ne se reproduira plus, docteur Beauregard. J'ai connu quelques ennuis récemment, mais maintenant ça va beaucoup mieux. Je serai plus vigilante à l'avenir. Vous n'aurez plus rien à me reprocher, je vous le jure.

— Je l'espère, mademoiselle... je l'espère sincèrement.

Elle se dirigea vers la porte. Le docteur Beauregard vint la rejoindre et lui prit le bras.

— Vous êtes une étudiante prometteuse, mademoiselle Lafond. Ne gâchez pas tout.

Simone lui adressa un faible sourire avant de sortir. Les reproches du docteur Beauregard l'avait passablement ébranlée. Elle portait le plus grand respect à ce médecin et elle se sentait fautive d'avoir commis une erreur dans la préparation de la salle d'opération. «Je ne suis plus moi-même ces derniers temps. Ça ne peut pas continuer comme ça, c'est certain. » Simone l'avait échappé belle, car son oubli avait été réparé, mais elle n'aurait plus droit à l'erreur. Son cœur se serra, et l'envie de fuir le plus loin possible l'envahit. « Qu'est-ce que je vais faire ? »

Elle ne savait pas où aller. Flavie et Évelina travaillaient ce soir-là. Simone n'avait pas faim pour le souper. Et elle n'avait pas envie de se retrouver dans la salle de repos, entourée de ses consœurs qui s'amuseraient en jacassant. La jeune femme n'avait nulle part où se réfugier, et elle ne voulait surtout pas tomber sur Bastien. De toute façon, à son grand soulagement, il semblait l'éviter lui aussi. Elle s'en voulait d'avoir cru qu'il l'aimait sincèrement. « J'ai été tellement naïve ! »

Simone regarda autour d'elle. Des visiteurs, des patients et du personnel médical circulaient dans les couloirs sans se préoccuper d'elle. « Comment pourraient-ils savoir que j'ai le cœur réduit en miettes ? Je ne sais même pas ce que vivent ces hommes et ces femmes. Chacun a son histoire, vit ses drames, et personne ne parvient à déchiffrer les vrais sentiments des autres. » Debout au milieu du couloir, Simone, entourée de tous ces étrangers, ressentait une solitude accablante. Elle avait besoin de s'isoler pour réfléchir à la suite des choses. Trop impatiente pour attendre l'ascenseur, elle se précipita vers la cage d'escalier et descendit au sous-sol, le seul endroit où elle serait seule dans ce bâtiment surpeuplé.

En arrivant à la buanderie, elle croisa deux religieuses qui sortaient de la pièce en poussant un chariot rempli de serviettes. Simone leur dit qu'elle cherchait des draps et les pria de ne pas se déranger, car elle pouvait se débrouiller seule. Se faufilant parmi les étagères, elle se réfugia dans le coin où Évelina, Flavie et elle aimaient venir de temps à autre pour discuter et boire quelques rasades de la bouteille de gin qu'Évelina cachait sous une pile de guenilles. La bouteille n'y était plus ; une religieuse en avait probablement disposé. Simone s'adossa à une pile de couvertures qu'elle avait ramassées au passage. Repliant ses genoux sous son menton, elle laissa libre cours à son chagrin. Elle ne s'était pas encore permis de le faire, se retenant sans cesse pour éviter que quelqu'un la questionne. Peut-être devrait-elle confier ses tourments à Évelina et Flavie ? Elles étaient ses amies et elles l'aideraient sans aucun doute à trouver une solution. « Je ne m'en sortirai pas toute seule, c'est sûr… » se dit Simone entre deux sanglots.

Elle réfléchit de longues minutes tout en prenant de grandes respirations pour se calmer. Ses larmes semblaient intarissables ; elle s'était retenue pendant trop longtemps. Soudain, Simone entendit des pas venir dans sa direction. Elle retint son souffle et chercha un mouchoir dans sa poche pour s'essuyer les yeux. Elle se releva, prête à faire face à la personne qui s'approchait. En reconnaissant Charlotte dans sa robe grise de novice, elle se détendit.

— C'est toi, Simone ! Je suis descendue porter un chariot de vêtements souillés et j'ai entendu du bruit. Tu m'as fait peur. Que fais-tu ici ?

— J'avais envie de me trouver seule quelques instants, répondit Simone en se mouchant bruyamment.

— Qu'est-ce qui se passe ? Tu ne vas pas bien ?

La jeune femme aurait voulu dire que tout allait bien, que Charlotte pouvait retourner vaquer à ses occupations. Mais elle se remit à pleurer. Charlotte lui tendit un mouchoir propre.

— Est-ce que je peux faire quelque chose pour toi ?

— Ça me surprendrait beaucoup que ce soit possible, Charlotte.

— Tu peux quand même te confier à moi, Simone. Parfois, ça fait du bien de parler.

Simone était acculée au pied du mur. Elle n'en pouvait plus de garder pour elle son lourd secret. Après tout, peut-être que Charlotte pourrait l'aider. Elle se lança :

— Je suis enceinte.

Charlotte resta silencieuse quelques secondes, puis elle demanda :

— Le père est-il au courant ?

— Oui, mais je ne peux pas compter sur une aide de sa part. Je me retrouve seule avec mon problème.

— On ne peut pas qualifier un enfant de problème, Simone. Il existe une solution. Si tu ne veux pas le garder, tu peux le donner en adoption.

— Il est hors de question que je porte cette grossesse à terme ni que je garde ce bébé.

— Tu ne peux pas t'en débarrasser, Simone. C'est un péché.

— Eh bien, j'irai brûler en enfer, Charlotte. Je ne veux pas de cet enfant, c'est certain.

Simone voulut contourner la novice afin de sortir du petit espace où elle avait trouvé refuge. Charlotte la retint par le bras.

— Réfléchis, Simone. Je vais t'aider à trouver une solution. Tu peux compter sur moi.

Simone adressa un signe de tête à sa compagne avant de sortir de la buanderie. Elle s'était confiée à Charlotte tout en sachant que celle-ci ne pourrait probablement pas l'aider. Au moins, désormais, elle avait le cœur plus léger. Toutes ces larmes versées lui avaient fait du bien. Le lendemain, elle serait encore aux prises avec son problème, mais pour le moment, elle éprouvait du soulagement : quelqu'un partageait son secret.

* * *

Durant le cours de pathologie externe et interne du docteur Bourque, Charlotte fit signe à Simone qu'elle voulait lui parler après le cours. Évelina avait été témoin de l'échange silencieux entre les deux jeunes femmes. Malgré son envie de réfréner sa curiosité, elle n'y parvint pas. À la sortie du cours, elle retint Simone qui se dirigeait vers Charlotte.

— Qu'est-ce qui se passe, Simone ? Tu veux entrer chez les bonnes sœurs et tu demandes des trucs à Charlotte ?

— Voyons donc, Évelina ! s'exclama Simone. Charlotte a simplement besoin de mon aide pour le cours de pathologie. Tu sais comme j'aime jouer à la maîtresse d'école ! plaisanta-t-elle pour éviter les soupçons d'Évelina.

— Tu es tellement serviable, Simone Lafond ! OK, tu peux aller aider Charlotte, mais promets-moi qu'on va s'organiser une sortie bientôt. On ne te voit plus, Flavie et moi. Tu rentres tard, tu travailles tout le temps. Tu n'as plus de loisirs et ça, c'est très dommageable. Il n'y a pas que le travail dans la vie. Et puis, il y a des gars tellement plus gentils et beaux que Bastien Couture. Ce n'est pas en te cloîtrant comme Charlotte que tu pourras passer à autre chose.

— Merci de t'inquiéter pour moi, Évelina. Rassure-toi, je vais bien. Dis-le à Flavie. Et je te promets que je vais essayer de trouver un peu de temps pour mes vieilles amies.

— Bon, j'aime mieux ça! Allez, dépêche-toi! Charlotte regarde sa montre. On dirait qu'elle s'impatiente.

Simone rejoignit la novice. Cette dernière lui proposa d'aller faire quelques pas à l'extérieur, car elle avait quelque chose d'important à lui dire. Simone la suivit en silence. Malgré le début du mois de novembre, le temps était encore très doux. Les deux jeunes femmes n'avaient donc pas besoin de porter un manteau.

— On se croirait en plein été des Indiens, souligna Charlotte. Aussi bien en profiter! Évelina semblait curieuse de savoir ce que je te voulais.

— C'est dans sa nature. Évelina aime être au courant de tout.

— Mais elle ne sait rien de ta grossesse, à ce que j'ai cru comprendre l'autre soir dans la buanderie.

— Non. Et Flavie non plus.

— J'ai quelque chose à te proposer, Simone. J'en ai parlé avec sœur Larivière et...

— Quoi? explosa Simone.

Elle n'en revenait tout simplement pas que Charlotte ait tout raconté à sœur Larivière, l'hospitalière en chef de l'école d'infirmières. C'était la dernière personne que Simone aurait voulu informer de sa grossesse. Elle se ferait sûrement renvoyer.

Charlotte posa une main sur l'épaule de Simone.

— Je ne lui ai pas dit ton nom, voyons! Sœur Larivière n'est pas une religieuse comme les autres, Simone. Elle est comme une mère pour moi. Qui d'autre va-t-on trouver lorsqu'on a besoin de quelque chose, sinon sa mère?

— Je ne me suis pas confiée à toi pour que tu ailles tout déballer à sœur Larivière. Elle va me renvoyer, c'est certain!

— Non, non, rassure-toi! Je lui ai expliqué que j'avais une amie laïque qui avait des problèmes; elle a tout de suite compris de quoi il était question. Elle t'aiderait le temps de la grossesse et pour trouver une famille au bébé. Par contre, il faudrait que tu interrompes tes cours en soins infirmiers avant que ta grossesse soit visible. Elle t'enverrait passer les mois restants en retraite et tu pourrais reprendre les cours l'an prochain.

— Il est hors de question que j'aie cet enfant, Charlotte. Je ne me suis jamais sentie désirée par ma famille, alors je n'ai pas du tout envie que cet enfant connaisse le même sort.

— Voyons, Simone! C'est le seul moyen.

— Dans ce cas, je me débrouillerai toute seule.

— C'est un péché de commettre ce à quoi tu songes, Simone.

— J'ai déjà péché en tombant enceinte hors mariage. Je ne suis pas à un péché près, Charlotte.

Furieuse de la proposition de la novice, Simone tourna les talons. Il était totalement exclu qu'elle garde cet enfant. Elle avait beaucoup trop souffert durant toute sa vie d'orpheline, elle dont l'existence avait perturbé la vie de son oncle et de sa tante. Jamais Simone ne tolérerait que son enfant vive dans un orphelinat et se sente rejeté par sa propre mère. Elle parviendrait bien à trouver une solution. Il y avait sûrement des « faiseuses d'anges » dans une grande ville comme Montréal !

* * *

C'était avec la meilleure intention du monde que Charlotte était allée trouver sœur Larivière pour lui demander conseil. Cette dernière était crainte des étudiantes infirmières. Pourtant, Charlotte savait très bien que dans la poitrine de la religieuse battait le plus généreux des cœurs. La supérieure aurait réellement pu aider Simone, mais celle-ci refusait de garder le bébé. De plus, Simone n'avait même pas confié ses soucis à ses deux meilleures amies – probablement par peur d'être jugée. La charité chrétienne lui ayant été enseignée depuis son plus jeune âge, Charlotte ne pouvait donc se résoudre à laisser sa consœur dans le pétrin. Elle n'avait d'autre choix que de faire part à Flavie et Évelina de ce que la jeune femme lui avait confié. Simone lui en voudrait probablement d'avoir divulgué son secret, mais Charlotte croyait de son devoir d'intervenir. Cela l'avait bouleversée lorsqu'elle avait trouvé Simone dans tous ses états dans la buanderie.

Charlotte décida donc de convoquer Flavie et Évelina à la bibliothèque, dans une des petites salles d'étude où les étudiants en médecine venaient étudier durant les sessions d'examens. Flavie avait accepté aussitôt, tandis qu'Évelina s'était montrée un peu réticente. Cela ne l'enchantait pas de prendre quelques minutes de son temps libre pour discuter avec une novice.

— J'ai deux millions de choses à faire, Charlotte, déclara Évelina. J'espère que tu as une très bonne raison de nous avoir fait venir ici.

— Laisse-la donc parler, Évelina, ordonna Flavie en voyant la nervosité de Charlotte.

— Simone va probablement m'en vouloir jusqu'à la fin de ses jours, mais je ne peux pas la laisser comme ça. Elle a grandement besoin de votre aide.

Flavie demeura silencieuse, attendant les explications de Charlotte. Même Évelina, habituellement plus loquace, préféra se taire.

— Elle s'est confiée à moi sous le coup de l'émotion, et je ne peux rien faire pour l'aider.

— Elle n'est pas enceinte, toujours ? plaisanta Évelina.

Devant la mine grave de Charlotte, Évelina cessa de ricaner et mit les mains sur sa bouche. Voilà qui expliquait le comportement de Simone au cours des derniers jours. Flavie était aussi troublée qu'Évelina. Elle avait porté une main à son cœur et avait fermé les yeux.

— Je lui ai proposé de donner le bébé en adoption, mais elle ne veut rien savoir. C'est la raison pour laquelle je me confie à vous. J'ai peur qu'elle recoure à différents moyens et qu'elle mette sa santé en danger.

— Je ne sais pas ce que nous pourrons faire, Évelina et moi… souffla Flavie.

— Merci Charlotte de nous avoir averties. Simone peut compter sur nous. J'espère par contre que tu sauras rester discrète. Simone ne veut certainement pas que cette affaire s'ébruite.

— Vous pouvez compter sur ma discrétion. Je dois maintenant vous quitter. J'espère seulement que Simone ne m'en voudra pas trop de vous avoir tout dit.

Charlotte quitta la pièce dans un froissement de tissu presque imperceptible. Flavie hochait la tête en regardant Évelina.

— Qu'est-ce qu'on peut faire pour Simone, Évelina?

— On commencera par lui dire que Charlotte nous a mises au courant. Ensuite, on avisera. Allez, viens, des patients nous attendent!

* * *

— Charlotte vous a tout raconté! s'exclama Simone sur un ton rageur en s'asseyant sur la chaise dans le coin de la chambre.

— Charlotte a agi pour le mieux. Mais Flavie et moi ne comprenons pas que tu ne nous aies rien dit.

— Je ne voulais pas vous déranger avec ça… bafouilla Simone.

— Nous sommes amies toutes les trois pour le meilleur et pour le pire, tu devrais le savoir, déclara Flavie en lui prenant la main.

— J'imagine que le père est au courant? interrogea Évelina en arpentant la pièce.

— Oui. Mais il ne veut rien faire. Il met même en doute sa paternité.

— Pff! Ça ne me surprend pas du tout de Bastien Couture, répondit Évelina. Parce que c'est bien de lui dont il est question?

— Voyons, Évelina! s'insurgea Simone en se levant. Tu me prends pour qui?

— Je voulais juste être certaine ! Bon, laisse-moi réfléchir à tout ça quelques heures. Je te reviendrai avec une solution, c'est promis. En attendant, ne tente rien qui puisse être dangereux.

— Dangereux ? Tu t'attends à quoi de ma part, franchement ! Que je saute en bas d'un pont ?

— Non, que tu te précipites à la bibliothèque pour consulter des livres sur les plantes abortives ! Ça me surprend d'ailleurs que tu ne l'aies pas encore fait.

— J'avoue que j'y ai pensé, reconnut Simone. Mais la pharmacie est toujours sous la surveillance d'une religieuse. Je ne pourrais rien y subtiliser, c'est certain.

— Dans ce cas, remercions le ciel que nous n'habitions pas en forêt ! Tu aurais couru dans les bois pour cueillir n'importe quoi. Ensuite, tu aurais concocté des potions tirées des vieux livres poussiéreux de la bibliothèque.

Pour la première fois depuis qu'elle était au courant de son état, Simone sourit. Évelina avait voulu dédramatiser la situation, ce dont Simone lui était reconnaissante.

— Charlotte espère sincèrement que tu ne lui en voudras pas de nous avoir tout raconté, déclara Flavie. Elle ne savait vraiment pas quoi faire ; c'est pourquoi elle a décidé de nous informer.

— Je ne lui en veux pas de vous l'avoir dit. Mais je trouve qu'elle aurait pu s'abstenir d'en parler à sœur Larivière.

— Quoi ? Charlotte est allée raconter ça à l'hospitalière en chef ? s'emporta Évelina.

— Charlotte n'a pas mentionné mon nom, précisa Simone. Elle ne peut accepter le fait que je ne veuille pas garder le bébé. Sœur Larivière m'aurait envoyée en retraite, jusqu'à la naissance de l'enfant. Ensuite, celui-ci aurait été donné à l'adoption.

— C'est peut-être une solution? suggéra Flavie.

— Je lui ai répondu qu'il n'en était pas question. Je ne veux pas de cet enfant. Et je refuse de mettre sur la glace pendant un an mon projet de devenir infirmière. C'est impensable!

— On trouvera autre chose, la rassura Évelina. Tu as le droit de choisir. Les bonnes sœurs ne décideront pas à notre place, non madame! Bon, laisse-moi quelques heures et je te reviens avec une solution.

* * *

Bastien fit entrer Évelina et referma la porte derrière elle. Il l'invita à s'asseoir. La jeune femme posa son sac par terre, mais elle garda son manteau. Bastien lui offrit un verre; elle refusa en hochant la tête. Évelina était pressée de lui parler et elle n'irait pas par quatre chemins.

— Tu as sûrement deviné ce que je suis venue faire ici.

Bastien la toisa d'un regard arrogant tout en demeurant silencieux.

— Simone m'a dit que tu es au courant pour sa grossesse. Que comptes-tu faire?

— Ah! Tu es ici pour ça! Je pensais que tu avais envie qu'on se revoie, toi et moi, puisque je ne suis plus avec Simone.

— Dans tes rêves, Bastien! Franchement! Je n'ai pas beaucoup de temps à perdre, alors réponds donc à ma question au lieu de me faire du charme.

Quand Bastien fit un sourire en coin, Évelina fronça les sourcils. Pensait-il vraiment qu'elle désirait renouer avec lui ?

— Ta copine est allée pleurer sur ton épaule, à ce que je vois.

— Tu connais mal Simone si tu penses qu'elle a agi ainsi. Je répète ma question : que comptes-tu faire ?

— Que dalle, ma pauvre Évelina ! Rien ne prouve que je suis le père de cet enfant. On ne sait jamais avec ce genre de filles.

Évelina se leva. Elle retint à grand-peine son envie de le gifler. Comme s'il avait deviné ses pensées, Bastien recula. Néanmoins, il poursuivit dans la même lignée :

— C'est peut-être la faute de Paul Choquette, d'un autre médecin ou même d'un interne. Franchement, Évelina, je m'en balance complètement. Que Simone s'arrange avec ses problèmes. Je ne veux pas être impliqué là-dedans !

— Tu viens de me confirmer à quel point tu es méprisable, Bastien Couture.

Le médecin demeura silencieux. Évelina saisit son sac et se dirigea vers la porte. Après avoir posé la main sur la poignée, elle déclara sur un ton rempli d'indignation :

— J'ai bien fait de te planter là avant que les choses n'aillent plus loin entre nous. Des salauds, j'en ai connus dans ma vie, mais heureusement je n'en ai pas croisés souvent qui te ressemblent autant. Simone sera beaucoup mieux sans toi. Ne t'avise pas de m'approcher, ni d'approcher aucune de mes amies. Sinon, tu me trouveras sur ton chemin, Bastien Couture !

Évelina claqua la porte en sortant. Elle passa devant la chambreuse ; cette dernière n'avait sans doute rien perdu de la conversation puisqu'elle se trouvait tout près de la chambre de Bastien. « Elle écoute probablement aux portes, celle-là. Elle doit en entendre des vertes et des pas mûres ! » se dit Évelina en dévalant l'escalier avant de se précipiter hors de la maison de chambres.

Il ne restait qu'une chose à faire pour venir en aide à Simone. Et malheureusement, Évelina devait s'y résoudre.

* * *

La domestique conduisit Évelina et Simone dans un salon élégamment décoré. Flavie et Charlotte s'étaient proposées pour les remplacer toutes les deux durant leur quart de travail. Évelina et sa compagne avaient pris un tramway, puis un autre, et s'étaient retrouvées à Outremont, devant une immense maison en brique. « Cette maison est encore plus cossue que celle de Victor ! » avait pensé Simone après qu'Évelina eut frappé à l'imposante porte. La domestique qui les avaient invitées à entrer avait dit qu'elle allait prévenir « madame » de leur arrivée. Évelina n'avait pas voulu dire à Simone où elle l'emmenait, mais Simone se doutait bien qu'une « faiseuse d'anges » ne pouvait habiter une pareille demeure. Évelina s'installa dans un fauteuil confortable et fit signe à Simone de l'imiter. Cette dernière observa pendant quelques secondes son amie. Évelina semblait nerveuse : elle ne cessait de regarder ses ongles manucurés. Elle tentait d'arracher une cuticule avec ses dents quand une femme entra dans la pièce. En la voyant, Simone comprit qu'il s'agissait de la mère d'Évelina. Mère et fille se ressemblaient avec leur abondante chevelure blonde et leur goût des vêtements élégants. Des effluves de parfum floral chatouillèrent les narines de Simone.

La femme embrassa Évelina sur le front.

— Évelina chérie! J'avoue que ton appel m'a intriguée. Ce n'est pas tous les jours que tu me téléphones pour me demander mon aide. Vous devez être Simone? Évelina m'a très peu parlé de vous. Voyez-vous, ma fille ne me tient guère au courant de ce qui se passe dans sa vie.

Évelina poussa un soupir. Ursule Richer s'approcha de Simone; elle lui tendit une main dont les doigts étaient couverts de bagues en or. Simone lui serra la main en restant silencieuse. Elle ignorait ce qu'elle devait dire et ce qu'elle faisait dans ce salon. Ursule Richer se rendit jusqu'au petit guéridon près du fauteuil occupé par Évelina. Elle prit le flacon qui s'y trouvait et se versa une rasade de scotch.

— Je suis ravie de faire votre connaissance. C'est toujours agréable de rencontrer les amies de ma fille. Après ton appel, Évelina, j'ai téléphoné à madame Dubuc. Elle devrait être ici d'une minute à l'autre. En attendant, vous pourriez me parler de vos cours à l'hôpital.

Ursule s'installa dans un récamier près du foyer. Simone observa en silence la mère de son amie. Plus jeune, madame Richer avait dû être une très belle femme. À présent, les années avaient repris leurs droits. Son maquillage ne parvenait pas à dissimuler ses rides. Elle dégageait tout de même encore beaucoup de charme.

Évelina rompit le silence.

— Il n'y a vraiment rien à raconter concernant nos cours à l'hôpital. Nous travaillons fort tous les jours pour concilier études et travail. Simone est une des meilleures élèves de deuxième année.

— Tu exagères… bafouilla Simone, intimidée par la présence de madame Richer.

— Ne proteste pas, Simone. Flavie et toi êtes les meilleures.

— Tu réussis bien, toi aussi, Évelina.

— Bah! Je me débrouille.

— Si tu as besoin de quoi que ce soit, Évelina, ne te gêne pas, dit sa mère. Tu sais que je serai toujours là pour toi.

Ursule Richer paraissait sincère dans ses propos. Mais Évelina croisa les bras et se referma devant le discours de sa mère. Simone ne comprenait pas ce qu'elle était venue faire chez la mère d'Évelina ni qui était cette madame Dubuc. Elle n'aimait pas tellement l'atmosphère qui régnait dans la pièce. De toute évidence, Évelina aurait voulu se trouver à des milliers de lieues de cet endroit et madame Richer faisait de son mieux pour alimenter la conversation. La domestique vint avertir discrètement sa maîtresse que madame Dubuc venait d'arriver.

— Conduisez-la à l'étage dans la chambre d'amis. Nous irons la rejoindre bientôt.

Ursule Richer se tourna vers Simone.

— Tu vas voir, ma chérie, ça va bien se passer. Évelina m'a raconté pour ta petite préoccupation. Dans quelque temps, tout sera réglé et tu pourras reprendre le cours normal de ta vie. Vous venez, toutes les deux?

Simone avait dû mal entendre. Cette madame Dubuc était une «faiseuse d'anges» et Évelina avait tout arrangé avec sa mère. Simone jeta un regard en direction d'Évelina. La jeune femme lui fit un sourire rassurant.

— Madame Dubuc est la meilleure pour remédier à ce problème, Simone. Ta décision de te débarrasser de cet enfant tient toujours?

Simone hocha la tête en signe d'affirmation. Heureusement, elle faisait confiance à Évelina, sinon elle se serait sauvée en courant. Évelina prit la main de son amie et la serra en lui soufflant que tout irait bien. Simone gravit l'escalier derrière madame Richer en se demandant si elle n'était pas en train de rêver, tant la situation lui paraissait étrange. Elle entra dans la chambre où attendait madame Dubuc. La trousse de celle-ci reposait sur une commode. La femme se fit rassurante auprès de Simone qui regardait avec terreur les différents instruments placés près de la trousse.

— Fais-moi confiance, mon petit. Il n'y a aucune inquiétude à avoir.

Madame Richer tendit un verre de scotch à Simone.

— Cela vous détendra un peu, Simone. Évelina et moi attendrons de l'autre côté que tout soit terminé. Madame Dubuc connaît très bien son affaire. Il y a longtemps qu'elle pratique des avortements et elle a mon entière confiance. Viens, Évelina, sortons.

Simone implora Évelina de rester avec elle. Mais madame Dubuc préférait être seule avec sa patiente. Elle aida Simone à s'asseoir sur le lit tout en lui demandant à quand remontait la grossesse.

— Six semaines tout au plus.

— Ce sera très facile dans ce cas.

Simone retira ses sous-vêtements et releva sa robe avant de s'allonger. Elle se mit à fixer le plafond.

— Tous mes instruments ont été stérilisés, rassure-toi. Tu vas sentir un pincement et quelques crampes, mais rien de comparable à un accouchement. Tu devrais saigner pendant quelques jours, puis tout rentrera dans l'ordre par la suite. Tu ne t'en rappelleras plus le jour de tes noces, crois-moi!

Simone ferma les yeux. Elle ne pouvait croire qu'elle en était arrivée là. Elle ne regrettait pas sa décision – avait-elle le choix, de toute façon? Passer entre les mains de madame Dubuc était la seule solution. Évelina ne l'aurait pas conduite dans un endroit où elle se serait fait charcuter. Simone essayait de ne pas songer à ce qui se produisait en cet instant où un objet froid lui déchirait les entrailles. «Évoque quelque chose de plaisant, qui puisse te faire oublier ce qui se passe actuellement.» La seule pensée qui lui vint était qu'Évelina et sa mère attendaient dans une pièce à côté sans s'adresser la parole, fort probablement. Bastien occupa aussi son esprit pendant quelques instants. Elle se sentit honteuse d'avoir pu croire un seul instant qu'il était amoureux d'elle.

Madame Dubuc tapota son ventre d'une main et lui tendit une serviette en l'invitant à la placer elle-même. Simone sentit un liquide chaud couler entre ses cuisses.

— Voilà! C'est fini, ma chère. J'espère que ça n'a pas été trop douloureux. Tu devrais être en mesure d'avoir d'autres enfants plus tard. Reste allongée quelques minutes. Je vais prévenir madame Richer que j'ai terminé. Repose-toi bien et tout devrait rentrer dans l'ordre rapidement.

Simone se replia sur elle-même pour faire cesser ses tremblements. Son corps tout entier était en proie à des frissons. Évelina entra. Elle recouvrit son amie de l'édredon qui avait été enlevé sur le lit avant la délicate opération.

— Madame Dubuc a dit que tout s'était bien passé. Dans quelques jours, les saignements cesseront. Ma mère a prévenu son chauffeur; il nous reconduira à l'hôpital. Il est hors de question que nous rentrions en tramway.

— Je ne sais pas quoi dire, Évelina.

— Il n'y a rien à dire, Simone, dans un tel moment.

Madame Richer frappa discrètement à la porte et entra sans y avoir été invitée. Elle posa sa main sur le front de Simone.

— Je vous garderais bien à coucher ici toutes les deux, mais Évelina m'a dit que vous aviez un couvre-feu à respecter.

— Merci pour tout, madame Richer.

— Il n'y a pas de quoi, ma chère. Si j'ai pu être utile, j'en suis très heureuse. Je vais vous laisser seules quelques minutes, Évelina et toi. J'ai prévenu Gaston de préparer la voiture; il vous raccompagnera.

Ursule sortit. Les effluves de son parfum flottaient dans la pièce. En voyant le regard interrogateur de Simone, Évelina prit les devants:

— Je te raconterai tout à propos de ma mère, Simone, mais pas ce soir. Je suis épuisée et nous devons rentrer avant le couvre-feu. Flavie et Charlotte se sont arrangées pour que notre absence ne paraisse pas trop, mais je doute qu'elles puissent y arriver cette nuit aussi.

Évelina aida Simone à se lever et à remettre ses sous-vêtements. Simone était lasse et se laissa faire. La minuscule vie qui grandissait en elle depuis quelques semaines s'écoulait entre ses cuisses, lui laissant le ventre et l'esprit vides de toute pensée. Elle n'avait qu'une envie : dormir pour oublier.

* * *

Simone resta alitée la journée du lendemain. Quand sœur Désuète, durant le cours de christianisme, demanda où se trouvait mademoiselle Lafond, Évelina expliqua à la religieuse que son amie était indisposée.

— Simone est sans doute clouée au lit à cause de quelque chose qu'elle n'a pas digéré, la pauvre. Elle devrait aller mieux dès demain, ma sœur. Flavie et moi veillerons sur elle et nous ferons tout ce qu'il faut pour la remettre sur pied. Que demander de mieux que deux amies étudiantes en soins infirmiers pour s'occuper d'elle ?

— J'espère qu'elle sera de retour demain matin, sinon j'enverrai un médecin l'examiner, mademoiselle Richer. Transmettez-lui le message, voulez-vous ?

— Sans faute, ma sœur.

Flavie jeta un coup d'œil inquiet à Évelina. Celle-ci sourit pour la rassurer. À la sortie du cours, Flavie interrogea Évelina sur ce qu'elle comptait faire advenant le cas où Simone n'assisterait pas aux cours du lendemain.

— On improvisera, Flavie ! Ne t'inquiète pas. Au pire, on demandera à Bastien de justifier son absence.

— Es-tu folle ?

Évelina éclata de rire.

— Voyons, Flavie, j'ai plus de jugement que ça quand même ! Tu pourrais demander à Clément d'examiner Simone. Sinon, on s'adressera à Paul. Il veut tellement plaire à Simone, le pauvre, qu'il serait prêt à faire n'importe quoi pour ses beaux yeux.

— J'espère sincèrement que nous ne serons pas obligées d'en arriver là.

— Laissons-lui une journée pour se reposer un peu. Je dois m'occuper seulement de quelques patients, ce matin. J'aurai donc le temps d'aller rendre une petite visite à Simone.

— Elle ne semblait pas en mener bien large hier soir quand vous êtes revenues toutes les deux.

— C'est normal, Flavie. Mais tout s'est bien passé, rassure-toi. Allez ! Au boulot ! On se voit tout à l'heure au dîner.

* * *

Simone avait dormi une partie de la matinée. Elle n'avait presque pas touché au petit-déjeuner que Flavie ou Évelina – elle ne savait pas laquelle des deux – lui avait apporté pendant son sommeil. Madame Dubuc avait fait du bon travail. Simone n'avait aucun signe d'infection, pas de fièvre, pas de douleurs outre quelques crampes, comme au plus fort de ses règles. « Ouais, elle a vraiment fait du bon boulot. Mais elle n'a pas pu empêcher la culpabilité que je ressens depuis mon retour de s'installer. »

Évelina frappa discrètement à la porte et entra. Simone se redressa sur ses coudes dans le lit, puis elle replaça son oreiller et s'assit.

— Tu n'es pas obligée de frapper à la porte de ta chambre, Évelina.

— Je ne voulais pas te déranger, Simone. Tu as meilleure mine, même si je vois que tu as à peine touché à ton plateau.

Évelina s'assit à côté d'elle et sortit un thermomètre de sa poche. Simone ouvrit la bouche et Évelina y déposa l'instrument. Après avoir attendu le temps requis, Simone remit le tube en verre à son amie.

— Parfait! s'exclama Évelina. Tout est normal. Madame Dubuc m'a recommandé de surveiller ta température.

— Je l'avais déjà vérifiée.

— Je voulais m'assurer que tout va bien, Simone. Un peu plus tôt, je t'ai apporté ce plateau. Mais tu dormais, alors je n'ai pas voulu te déranger. Comment te sens-tu? Flavie a hâte d'avoir de tes nouvelles.

— Bah! Je me sens épuisée, je dirais. J'ai quelques crampes, mais on devrait me réchapper. Je ne suis pas la première fille à qui ça arrive.

— Crois-moi, tu as pris la meilleure décision, Simone. Bastien est le pire des imbéciles. Sois certaine que je ne me suis pas gênée pour le lui dire.

Les propos d'Évelina tirèrent Simone de sa léthargie.

— Tu es allée le voir?

— Oui madame! Je lui ai demandé ce qu'il comptait faire pour te venir en aide. Évidemment, tu devines qu'il a dit qu'il n'était responsable de rien. J'ai alors décidé de prendre les choses en main.

En effet, Évelina s'était chargée de tout: elle était allée jusqu'à téléphoner à sa mère pour obtenir son aide. Mais Simone n'était pas certaine d'avoir compris le rôle de madame Richer dans toute cette histoire. Elle posa la question qui lui trottait dans la tête depuis la veille.

— Qui est ta mère, Évelina?

— Ouf! Il faut croire que nous en sommes rendues là. Certaines personnes sont très fières de leur famille. C'est le cas pour Flavie, et elle a bien raison. Pour ma part, je préfère ne pas aborder le sujet. Mais puisque tu y tiens...

— Je me doute de l'effort que cela a représenté pour toi de demander l'aide de ta mère. Je te suis très reconnaissante de ce que tu as fait pour moi, Évelina. Donc, si tu ne veux pas en parler, tu n'es pas obligée.

— Bah! Je ne pourrai plus cacher tout ça encore longtemps. De toute façon, je vous fais confiance, à Flavie et à toi, alors aussi bien vous le dire. Ma mère est une maquerelle.

— Une quoi?

— Ma mère est une tenancière de bordel, Simone.

Bouche bée, Simone écouta Évelina lui parler des «activités» de sa mère. Ursule Richer, qui portait également le nom de madame Richer, était une des figures les plus importantes dans le quartier du Red Light. Elle avait commencé au bas de l'échelle.

— Ma mère est orpheline et elle s'est débrouillée comme elle a pu. Elle a commencé à travailler comme effeuilleuse dans un cabaret, puis elle s'est établie rapidement une clientèle d'hommes influents. Je t'épargne les détails, mais elle a gagné suffisamment d'argent pour s'approprier une maison close et un cabaret. La prohibition a joué en sa faveur dans les années 1920. Elle a fait fructifier son argent, a acheté plusieurs maisons closes et, finalement, elle a réussi à prendre le monopole des bordels de la ville.

Évelina en parlait comme s'il s'agissait d'une situation banale, alors que madame Richer était la femme la plus influente du Red Light.

— La vie tumultueuse de ma mère n'est pas ma plus grande fierté, crois-moi. Mais elle a terriblement souffert de la pauvreté quand elle était jeune, alors elle s'est juré d'amasser une fortune colossale. Ma mère a au moins le mérite de s'être toujours bien occupée de «ses filles», comme elle les appelle. Quand certaines d'entres elles se retrouvaient devant les tribunaux, ma mère était là avec son avocat pour les défendre. Tout allait rondement pour madame Richer : elle était protégée par des hommes influents et continuait de faire croître sa fortune. Puis, elle a fait une erreur de parcours : moi.

— Que s'est-il passé ? demanda Simone, intriguée.

— Elle a rencontré l'homme de sa vie. Mais évidemment, il n'était pas libre et elle est tombée enceinte de moi. J'ai toujours soupçonné que mon père est quelqu'un d'important – un politicien, un policier influent… je ne sais pas trop. Il a préféré la laisser s'organiser avec sa grossesse.

— Tu dis que tu es une erreur de parcours, Évelina, mais elle a quand même choisi de te garder.

— Oui, c'est vrai, mais à quel prix ? J'ai été élevée par des nounous dans la luxueuse maison de l'avenue Dunlop, où nous sommes allées l'autre soir. Et puis, quand j'ai eu l'âge, elle m'a envoyée étudier dans un pensionnat.

— Elle voulait probablement t'éloigner de son milieu.

— C'est ce qu'elle m'a dit des millions de fois. Ma mère a brillé par son absence pendant toute mon enfance. Maintenant, elle voudrait que nous soyons les deux meilleures amies du monde. Mais je considère qu'on ne peut pas rebâtir quelque chose qui n'a jamais été construit.

— J'apprécie vraiment ce que tu as fait pour moi, Évelina.

— J'espère bien ! Tu m'en dois tout une, Simone Lafond !

Cette dernière aurait voulu rire de la dernière réplique d'Évelina. Mais elle sentit son cœur se serrer et se retourna pour cacher ses larmes. Évelina posa une main sur la sienne.

— J'ai fait ce que je pensais être le mieux pour toi, Simone. Flavie et toi êtes ma seule vraie famille, tu sais.

— Je ne sais pas si je parviendrai à me pardonner un jour ce que j'ai fait, Évelina.

— Tu y arriveras, mon amie. Laisse-toi du temps.

Évelina se leva en regardant sa montre.

— Je dois retourner m'occuper de mes chers patients. Je reviendrai te voir dès que j'aurai quelques minutes. Je t'apporterai de quoi manger ; j'espère que tu te forceras un peu. Tu dois reprendre des forces pour pouvoir faire acte de présence demain. Sœur Désuète tient à ce que mademoiselle

Lafond soit de retour de son indigestion. Comme tu le sais, une bonne infirmière se doit de toujours veiller sur ses patients.

Évelina sortit. «Si, au moins, il ne s'agissait que d'une indigestion», songea Simone en s'enfouissant la tête sous les couvertures.

8

Depuis l'avortement de Simone, quelques jours s'étaient écoulés. La jeune femme n'avait pas trouvé la force de retourner à ses cours ni d'aller s'occuper des patients. La première journée, sœur Désuète avait questionné Évelina au sujet de l'absence de Simone. Au grand soulagement de Flavie et d'Évelina, le deuxième jour s'était passé sans encombre. Mais le lendemain, la sœur apostropha Évelina qui se rendait à son cours de techniques en salle d'opération.

— Mademoiselle Lafond n'est toujours pas revenue en classe et elle n'a pas repris son travail dans l'hôpital. Prévenez-la que tout ceci a assez duré. Je vais envoyer un médecin l'examiner. Sa condition doit être beaucoup plus grave que ce que vous m'avez raconté.

— Ma sœur, j'ai demandé au docteur Choquette de passer la voir aujourd'hui dès que son emploi du temps le lui permettra.

— Très bien. Dites-lui que j'attends son rapport sur mon bureau le plus rapidement possible. Il est hors de question que nous gardions une étudiante qui n'assiste plus à ses cours. Une infirmière doit faire passer la santé de ses patients avant la sienne.

— Je transmettrai votre message, promit Évelina avant de s'éloigner.

Sœur Désuète et son leitmotiv « une infirmière doit… » l'agaçaient au plus haut point ! Elle se dirigea d'un pas rageur en direction des salles d'opération où se tenait le cours du docteur

Beauregard. Puis, elle s'arrêta net, réalisant ce qu'elle venait de dire à sœur Désuète. «Demander à Paul d'examiner Simone, quelle idée de fou, ça, Évelina!» pesta-t-elle intérieurement. Elle n'avait plus le choix désormais : elle devait demander au médecin de passer voir Simone, car sœur Désuète attendait son rapport. Elle se hâta de se rendre à son cours en espérant trouver une solution à ce problème.

* * *

Simone ne parvenait pas à reprendre le dessus sur sa fatigue. Elle avait beaucoup saigné, mais aucun autre symptôme ne s'était manifesté. Elle avait l'impression que quelque chose s'était brisé à l'intérieur d'elle-même. «Je ne pourrai plus jamais faire confiance à un homme. Dès que ça devient sérieux, ils prennent plaisir à vous laisser tomber.» Elle n'arrivait pas non plus à surmonter la culpabilité qui l'assaillait. Quelques heures après l'avortement, elle avait éprouvé un grand soulagement; cela l'avait convaincue qu'elle surmonterait cette épreuve. Mais avec le recul, elle doutait d'avoir pris la bonne décision en éliminant le bébé qui grandissait dans son ventre. Le remords l'empêchait de dormir. Elle avait tué un petit être vivant, elle qui voulait devenir infirmière pour aider à préserver la vie. Elle ne pourrait jamais se pardonner. Certes, Évelina ne l'avait pas traînée de force chez sa mère, et Simone savait que son amie la conduisait auprès d'une avorteuse ce jour-là.

Le reste, elle l'avait vécu comme dans un rêve : l'intervention, le retour à l'hôpital après, et les quelques heures où elle s'était sentie soulagée. Depuis, elle avait l'impression d'être en enfer. Simone n'était pas croyante, et ce, depuis quelques années, mais la culpabilité l'avait envahie malgré tout. Elle avait commis un péché en étant l'instigatrice de la conception et de la mort de cet enfant. La jeune femme n'avait pas du tout envie de reprendre ses cours et de faire comme si de rien n'était ; elle était persuadée que quelqu'un devinerait ce qui s'était passé. Évelina et Flavie l'encourageaient à retourner en classe, mais Simone s'enfonçait un peu plus chaque jour. « Jamais je ne trouverai la force de reprendre ma vie quotidienne », soupira-t-elle en laissant libre cours à son chagrin une fois de plus. Tant de larmes versées au cours des derniers jours... « Un cœur ne peut pas contenir tant de peine. »

Simone était sur le point de se rendormir quand on frappa discrètement à la porte. Elle retint sa respiration, espérant que la personne derrière la porte repartirait. Mais quelques secondes plus tard, il y eut d'autres coups. La poignée tourna et la clarté du couloir envahit la chambre. Simone réalisa avec colère qu'elle n'avait pas verrouillé la porte. Elle sortit la tête hors des couvertures et aperçut Paul, qui se tenait sur le seuil.

— Je suis désolé de te déranger et d'insister autant, Simone. Évelina m'a demandé de venir te voir. Il paraît que tu ne vas pas bien du tout.

Paul referma la porte et alluma la lumière. Il s'approcha de Simone.

— Je vais mieux, affirma celle-ci. Évelina n'aurait pas dû m'envoyer un médecin.

— En fait, c'est sœur Désilets qui veut savoir ce qui t'arrive. Ton absence a été remarquée durant les cours. Je dois lui faire un compte rendu sur ton état de santé.

Physiquement, Simone allait bien ; elle n'avait pas besoin qu'un médecin le lui confirme. Son cœur souffrait, mais cela n'avait rien de physique. Même un médecin aussi compétent que Paul ne pourrait la guérir. «Je suis bonne pour la maison de fous, je pense.»

— Je crois que Flavie et Évelina s'inquiètent de voir que tu ne prends pas du mieux, Simone.

— J'ai seulement eu un mauvais rhume. Encore quelques jours de repos et tout devrait rentrer dans l'ordre.

— Sœur Désilets a insisté pour que tu voies un médecin. Tu pourrais être renvoyée, Simone.

— Tant pis! déclara-t-elle sur un ton rageur. Je retournerai enseigner dans le fond d'un rang, ajouta-t-elle en rabattant les couvertures sur son visage.

Paul retira les couvertures. Il vit que la jeune femme pleurait.

— Évelina m'a raconté ce qui s'est passé, Simone.

— Elle a fait ça?

— Elle n'a pas eu le choix; il fallait qu'elle m'explique pour le rapport. J'étais vraiment inquiet pour toi. Pour me rassurer, Évelina m'a exposé toute l'affaire.

— Évelina t'a dit que j'étais une tueuse d'enfants?

— Non. Elle estime que tu as fait le meilleur choix pour toi. Je ne te juge pas, Simone.

Après que Simone se fut assise dans le lit, Paul lui tendit un mouchoir. Elle s'épongea les yeux et mit ses lunettes. Réalisant qu'elle devait faire peine à voir, la jeune femme passa une main dans ses cheveux pour se recoiffer.

— Je ne pourrai jamais me pardonner. J'ai agi sous le coup de l'impulsivité.

— Avais-tu vraiment le choix?

«Non, pas vraiment», songea Simone. Jamais elle n'aurait pu placer le bébé en adoption. «Je n'aurais pas été capable de me séparer de lui après l'avoir senti grandir dans mon ventre.»

— Tu devais réagir rapidement, Simone. Je suis content que cette avorteuse ne t'ait pas charcutée. Plusieurs jeunes femmes connaissent des expériences épouvantables. Certaines décèdent même à cause de l'utilisation de méthodes peu orthodoxes.

Paul, qui avait vu à quelques reprises Bastien et Simone ensemble, présumait que celui-ci était le père du bébé. Il s'enquit discrètement:

— J'imagine que le père n'a rien voulu savoir?

— Il m'a laissée m'arranger avec mes problèmes. De toute façon, c'est terminé entre lui et moi.

— Comment te sens-tu?

— Je vais bien. Je n'ai pas fait de fièvre. Je suis seulement très fatiguée.

— J'imagine que tu as eu beaucoup de saignements. Tu fais probablement un peu d'anémie; dans ce cas, une diète riche en fer devrait tout régler. Tu n'as donc aucune raison de rester ici.

— J'ai honte, Paul. Et comme je te l'ai dit tout à l'heure, jamais je ne pourrai me pardonner…

Paul s'assit sur le lit près de Simone. Elle pouvait sentir la chaleur du corps du jeune homme à travers les draps. Elle ferma les yeux à ce contact réconfortant.

— Se pourrait-il que tu ne veuilles pas t'absoudre par peur d'oublier la brève existence de cet enfant?

Simone ouvrit les yeux. Paul avait su exprimer ce qu'elle pensait. Si elle se pardonnait ce geste, c'était un peu comme si elle tuait son bébé une deuxième fois.

— Tu sais, Simone, le pardon n'implique pas nécessairement l'oubli. Tu as la vie devant toi, beaucoup de projets et encore de beaux moments à vivre. Ne te prive pas d'être heureuse pour une erreur de parcours. Ça ne sert à rien.

Simone prit une profonde inspiration. Paul avait raison. Elle devait apprendre à être indulgente avec elle-même. Elle s'était toujours efforcée d'être parfaite depuis sa tendre enfance, probablement à cause de son grand désir de plaire à son oncle et à sa tante. Elle avait droit à l'erreur, elle aussi, sans gâcher sa vie pour autant. Elle avait fait preuve de mauvais jugement en faisant confiance à Bastien. Elle ne pouvait quand même pas passer sa vie à s'en vouloir; il était impossible de revenir en arrière et elle devait passer à autre chose. Paul l'avait secouée en lui disant qu'elle risquait d'être renvoyée. Simone ne voulait pas retourner enseigner dans une école de rang. Elle s'était suffisamment investie dans l'enseignement et dorénavant, elle voulait devenir infirmière. Elle aimait prendre soin des patients, et Flavie et Évelina lui avaient fait découvrir le sens du mot *amitié*. Flavie n'avait pas eu peur de la couvrir le soir de l'avortement. Et Évelina, malgré les tensions avec sa mère, avait pris contact avec cette dernière dans le but de l'aider. Telle que Simone connaissait Évelina, il s'agissait là d'une véritable marque d'affection. Et puis, il y avait Paul. Elle s'était mal conduite avec lui de nombreuses fois au cours des mois précédents alors qu'elle avait consacré tout son temps à Bastien. Ce jour-là, il était auprès d'elle malgré tout. Il essayait de l'aider, alors qu'il aurait fort bien pu choisir de la laisser se débrouiller avec ses problèmes.

Pour exprimer au jeune homme sa reconnaissance, Simone posa la main sur son bras et lui souffla : « Merci… »

* * *

— Enfin ! s'exclama Évelina lorsque Simone se joignit à Flavie et elle pour le dîner. Il était temps que tu reprennes vie, ma vieille ! Je disais justement à Flavie que je serais tellement déçue si tu quittais l'hôpital. Je pense que je n'aurais jamais pu te pardonner ! N'oublie pas que pour te venir en aide, j'ai dû recourir à ma mère. Imagine mon humiliation !

Simone savait l'effort que cela avait exigé d'Évelina d'appeler sa mère à la rescousse. Et elle était persuadée que son amie disait vrai en affirmant qu'elle ne lui aurait pas pardonné si elle avait quitté l'hôpital.

Flavie invita Simone à s'asseoir.

— Tu nous aurais beaucoup manqué, Simone, émit Flavie d'une voix douce. La vie à l'hôpital aurait été tellement différente sans toi.

— Et puis, on a un pacte, tu te souviens ? ajouta Évelina.

— Oui, je sais, répondit Simone. Nous avons promis de rester célibataires et de terminer nos études. Mais je pense bien que je n'aurai aucune difficulté à rester célibataire avec ce qui vient de m'arriver. De toute façon, je ne pourrai pas accorder ma confiance à un homme de sitôt !

— Tu changeras bien vite d'avis, crois-moi ! Le docteur Choquette s'inquiétait vraiment pour toi. Il s'est précipité à ton chevet.

— Je vous laisse toutes les histoires d'amour, les filles. Moi, je vais me concentrer sur mes études. Ça vaudra mieux.

— J'ai bien l'impression que toutes les trois, on va adopter la même ligne de conduite… marmonna Évelina.

— Tu as raison, approuva Flavie. Il ne se passe rien d'intéressant avec Clément. Il est toujours occupé avec ses patients et ne trouve que rarement du temps pour moi. Il m'aime toujours, mais apparemment il trouve difficile de concilier sa vie personnelle et sa vie professionnelle. J'imagine que l'on finit par s'habituer quand on partage la vie d'un médecin…

Simone savait que pour Évelina, les choses n'allaient guère mieux : sa relation avec le docteur Jobin s'étiolait. Elle avait jeté son dévolu sur le docteur Litwinski, sans pour autant obtenir de résultat concluant dans sa recherche d'un aspirant au titre de futur mari.

— Et avec le docteur Litwinski, comment cela va-t-il ?

— Bof ! Il me salue quand je le croise dans le corridor. Mais depuis que nous sommes allés prendre un café, il ne s'est rien passé. Je vais devoir relancer la ligne à l'eau ; il doit bien exister une façon de l'accrocher, celui-là ! Maintenant que ton histoire est réglée, je vais pouvoir me concentrer sur autre chose.

Évelina pensait-elle réellement que tout était réglé avec l'avortement ? « Allez ! On tourne la page maintenant ! » se retint de dire Simone avec rancœur.

— Et puis, avec les cours de pédiatrie qui commenceront bientôt, poursuivit Évelina, je pourrai le voir plus souvent. Qui sait ? Il se décidera peut-être à m'inviter !

En constatant que son amie ne se souciait que d'elle-même malgré le malheur de Simone, Flavie décida de mettre fin à la conversation.

— On verra ça dans le temps comme dans le temps, Évelina ! Maintenant, il ne faudrait surtout pas être en retard au cours de sœur Désuète. Simone doit lui prouver qu'elle est en forme.

Simone fit un clin d'œil à Flavie pour la remercier. Elle termina son bol de soupe, puis elle suivit ses amies.

* * *

Mal à l'aise, Simone attendait l'arrivée de sœur Larivière. Durant le cours de sœur Désuète, elle avait reçu un message l'informant que l'hospitalière la réclamait dans son bureau. Elle ne se souvenait pas d'avoir été aussi nerveuse de toute sa vie. Regardant ses ongles rongés, elle secoua la tête et ferma les yeux quelques instants. Simone ne se reconnaissait plus, elle qui, habituellement, contrôlait si bien ses émotions. Un bruissement de tissu et une porte se refermant lui firent rouvrir les yeux.

Sœur Larivière s'installa derrière son bureau et entama aussitôt la conversation :

— Je vous ai fait venir dans mon bureau, mademoiselle Lafond, parce que votre situation me préoccupe. Sœur Désilets m'a dit que vous avez manqué les cours pendant quelques jours. Auparavant, une de vos consœurs m'avait rapporté que vous vous étiez absentée à quelques reprises. Une novice a aussi requis mon aide pour secourir une étudiante qui se trouvait dans l'embarras. Vous comprenez qu'avec toutes ces informations, j'ai pensé qu'il s'agissait de vous, mademoiselle Lafond. Est-ce que je me trompe ?

Simone se doutait que la «consœur» en question était Georgina Meunier. Sœur Larivière avait omis volontairement de dire son nom, car elle craignait sûrement une réaction de Simone. Celle-ci pinça les lèvres.

— J'ai remédié au problème, ma sœur, se contenta de répondre Simone.

— J'en suis soulagée parce qu'il aurait été hors de question que nous gardions parmi nous une étudiante dans l'embarras. La réputation de notre école d'infirmières est très importante et nous ne pouvons prendre le risque qu'elle soit entachée.

Simone baissa la tête et demeura silencieuse. Sœur Larivière se pencha au-dessus du bureau afin de se rapprocher de la jeune femme.

— Personnellement, je dois vous avouer que j'aurais regretté votre départ, murmura-t-elle. Vous êtes une des meilleures élèves de votre promotion. Je ne reçois que de bons commentaires à votre sujet.

Simone regarda la religieuse. Cette dernière se redressa avant de poursuivre :

— Vous savez, mademoiselle, plusieurs jeunes filles se sont malheureusement déjà retrouvées dans votre condition. Je n'approuve pas la méthode que vous avez utilisée, mais je trouve fort triste tout de même que les orphelinats soient aussi remplis. Vous avez sans doute pris la bonne décision, mademoiselle Lafond. J'espère que votre santé se porte bien, malgré tout. J'espère aussi que vous avez tiré une bonne leçon de cette histoire et que vous ne serez plus… euh… prise au dépourvu. Concentrez-vous sur vos études. Vous aurez amplement le temps – après le mariage, bien entendu – pour toutes ces frivolités !

Simone remercia dans un souffle sœur Larivière avant de sortir du bureau. Elle n'en revenait tout simplement pas ! Elle s'attendait à être renvoyée sur-le-champ, mais la religieuse s'était informée de son état de santé ! « Évelina et Flavie vont tomber de leur chaise quand je vais leur raconter mon entretien avec sœur Larivière. » L'ouverture d'esprit de cette femme étonnait grandement Simone.

Le cœur plus léger, la jeune femme se dirigea vers la salle où se trouvaient les patients dont elle devait s'occuper.

* * *

Simone appréhendait de travailler dans le service de pédiatrie. La vue d'enfants malades l'avait toujours attristée. Simone n'était pas croyante, mais elle avait peine à comprendre que si Dieu existait, il puisse permettre que des petits êtres souffrent. Finalement, en prodiguant les soins aux jeunes malades, elle en oublia toutes ses inquiétudes. La grande force des enfants hospitalisés lui donna l'énergie de s'occuper d'eux. Au contact du docteur Litwinski, elle comprit pourquoi Évelina était attirée par celui-ci. Le charisme du médecin n'avait d'égal que la bonté et le professionnalisme dont il faisait preuve auprès de ses petits patients. Évelina n'avait probablement vu que le charme de l'homme, mais Simone avait su déceler en lui la passion qu'il éprouvait pour son métier.

En revenant de son quart de travail en pédiatrie, encore sous l'effet grisant d'avoir prodigué des soins aux enfants, Simone se dirigea sans s'en rendre compte jusqu'à la pouponnière. S'approchant de la vitrine où l'on pouvait voir les nouveau-nés, elle tenta de maîtriser ses tremblements tout en regardant les quelques poupons qui dormaient à poings fermés. Elle s'était sentie vide après son avortement, mais après avoir repris les cours et retrouvé ses patients, elle ne regrettait plus son choix. Elle salua de la main l'infirmière qui était de garde. Celle-ci lui fit signe de venir près de la porte.

— On cherche des infirmières pour venir bercer et donner le biberon aux nouveau-nés. Est-ce que tu aimerais venir nous aider? Cela ne compte pas sur nos heures de travail, mais si ça te tente de «catiner», tu es la bienvenue.

— Je verrai... murmura Simone tout en sachant qu'elle viendrait probablement dès qu'elle aurait l'occasion.

* * *

— Quoi? Tu vas passer tes temps libres à «catiner»? Je pense que c'est vraiment malsain que tu ailles bercer des bébés, Simone! s'écria Évelina en apprenant que son amie voulait faire du bénévolat à la pouponnière.

— Je pense que tu exagères, Évelina, tempéra Flavie. Si ça apporte du réconfort et de la joie à Simone, elle ne doit pas s'en empêcher.

— Du réconfort? Je ne vois pas ce qu'il y a de réconfortant à bercer un bébé qui braille.

— C'est probablement la seule façon que j'aie trouvée pour me déculpabiliser, Évelina, expliqua Simone.

— Et puis après? intervint Flavie. Qu'est-ce que ça peut bien te faire, Évelina, que Simone souhaite se déculpabiliser de cette façon? Et puis, si elle peut aider les infirmières débordées du deuxième, tant mieux! ajouta-t-elle, exaspérée par le ton condescendant d'Évelina.

Étonnées, Évelina et Simone fixèrent Flavie. La jeune femme se fâchait rarement et montrait habituellement une patience d'ange. Quelque chose la tracassait sûrement pour qu'elle ait réagi aussi promptement.

Simone s'informa de ce qui l'avait mise dans cet état.

— Excusez-moi, les filles, si j'ai été un peu brusque, répondit Flavie. Mais avoue, Évelina, que Simone est assez vieille pour savoir ce qu'elle fait.

— Qu'est-ce qui se passe, Flavie ?

— Bah ! Il n'y a rien de neuf, c'est seulement que Clément est de moins en moins accessible. Il m'a invitée à passer le réveillon chez ses parents cette année, en me demandant de me libérer. Comme si le fait que nous nous voyions moins était entièrement ma faute.

— Pff ! Ils sont tous pareils ! Il faut que nous soyons disponibles pour eux, mais quand nous leur demandons un tant soit peu d'attention, ils nous remettent à notre place assez vite. Marcel est pareil !

— Oui, mais Marcel est marié, Évelina, déclara Simone.

— Hein ? Es-tu sérieuse ? se moqua Évelina. Mais Clément n'est pas marié, lui. En tout cas, penses-y Flavie : as-tu le goût de toujours te plier aux caprices de monsieur ?

Songeuse, Flavie ne répondit pas. Évelina enchaîna :

— Et si on mettait de côté Clément et les autres pour un moment ? Avez-vous entendu parler d'un spectacle de charité que les dames patronnesses veulent organiser pour faire une collecte de fonds ? On cherche des volontaires. Est-ce que ça vous tente, les filles? On pourrait présenter un numéro: je jouerais du piano et vous chanteriez.

— Nous, chanter?

— Ben oui! Vous avez de belles voix, les filles. Je vous accompagnerais au piano.

— Je n'ai jamais chanté devant un public, Évelina, protesta Flavie. Ça me gênerait beaucoup trop!

— C'est vrai que c'est gênant, renchérit Simone. Ça me ferait plaisir de m'impliquer, mais je ne veux pas chanter!

— Voyons, Simone! C'est pour une bonne cause. Flavie et toi, vous pourriez interpréter un cantique de Noël. Il y a même des médecins qui participent. Le docteur Litwinski devrait sortir son violon pour l'occasion.

— Ah! Ça explique tout! s'esclaffa Simone. La voilà, la vraie raison pour laquelle tu veux te porter volontaire, Évelina!

— Ben quoi? Ça pourrait être amusant de participer. Ça te changerait les idées, Simone. Et à toi aussi, Flavie.

Évelina se tourna vers cette dernière, attendant qu'elle lui réponde. Flavie resta silencieuse.

— Ça ne te dérange pas de te retrouver en compagnie de madame Jobin, Évelina? demanda Simone. Tu devras la côtoyer de près, car elle fait partie des organisatrices du spectacle.

— Non, pas vraiment, surtout que je vois de moins en moins Marcel. Et puis, sincèrement, les filles, avouez que l'expérience pourrait être amusante.

— Bof! Je ne sais pas trop... répondit Simone.

La jeune femme n'avait jamais aimé se trouver à l'avant-plan. Cela justifiait en partie pourquoi elle détestait enseigner. Se retrouver tous les jours devant une classe pour expliquer la matière, très peu pour elle. Plus jeune, elle avait dû faire partie de la chorale à l'église, comme tous les enfants de Saint-Calixte qui fréquentaient l'école de rang. Simone avait détesté chanter *Adeste Fideles* devant tout le monde. Une bonne semaine avant la représentation, elle avait commencé à souffrir de crampes abdominales à la seule idée de se produire devant un public.

— C'est correct pour moi, Évelina, mais seulement si Simone chante avec moi. Sinon, toute seule, je ne serai pas capable, c'est certain.

Flavie et Évelina se tournèrent vers Simone, attendant sa réponse. Devant les yeux suppliants de ses deux amies, la jeune femme n'eut d'autre choix que d'accepter. Elle regretta immédiatement d'avoir donné son accord.

— Yé! Vous allez voir comme on va s'amuser! s'exclama Évelina en battant des mains.

* * *

Dès qu'elles disposaient de quelques minutes, Flavie et Évelina se retrouvaient dans la salle de repos près du piano, pour répéter leur numéro. Simone se joignait toujours à elles à contrecœur.

— Je ne comprends pas que tu ne chantes pas plus souvent, Simone, déclara Évelina. Tu as une belle voix, pourtant.

— Je ne suis plus certaine de vouloir chanter lors du spectacle. Je contribue d'une façon différente, Évelina : je m'occupe de coordonner tous les numéros. J'ai même réussi à convaincre des musiciens professionnels de venir jouer quelques pièces.

— Tu as dit que tu chanterais, Simone. Tu ne peux pas revenir sur ta décision, quand même. Et puis, Flavie ne voudra pas chanter sans toi.

Flavie regarda Simone en haussant les épaules.

— Peut-être qu'on ne devrait pas obliger Simone, Évelina. Il faut qu'elle en ait envie, tout de même.

— *Let's go*, Simone! Tu ne peux pas nous laisser tomber, voyons! C'est demain, la représentation!

— J'ai dit que je chanterais et je chanterai, dit Simone avec une pointe d'exaspération dans la voix. C'est seulement que ça me rend très nerveuse de m'exécuter en public.

— Nous sommes toutes dans le même état, très chère, mais on ne peut pas se désister la veille de l'événement. Allez! On reprend au premier couplet.

Évelina s'installa au piano avec un air suffisant. Simone ne voulait pas abandonner Flavie, mais elle était furieuse d'avoir accepté de participer. Elle se sentait de plus en plus nerveuse à la pensée de se retrouver sur scène devant le public le lendemain. Les dames patronnesses avaient réussi à réserver la salle de concert du Plateau. Simone avait cru qu'en participant à la confection des décors et à l'élaboration du programme, Évelina la laisserait tranquille. Mais son amie tenait réellement à ce qu'elle chante. Même Georgina et Alma présenteraient un numéro.

En entendant la voix claire de Flavie, Simone se laissa porter pendant quelques secondes par la mélodie. «Qu'est-ce que je perds dans le fond? C'est un spectacle amateur mis sur pied pour amasser des fonds pour les plus démunis. Ça n'a jamais fait de tort à personne de s'impliquer pour une bonne cause.

Et puis, je ne suis plus une enfant; je devrais être capable de mieux gérer mon stress.» Simone décida d'abdiquer et de profiter de l'événement qui, effectivement, lui avait changé les idées. Évelina avait eu raison sur ce point. Durant ses réunions avec les dames patronnesses pour l'organisation du spectacle, Simone avait réussi à mettre de côté la période difficile qu'elle venait de vivre.

La douleur de l'abandon de Bastien était encore vive. Évelina lui avait dit à maintes reprises qu'elle n'avait pas perdu grand-chose dans cette rupture. «Bastien est tellement égocentrique et suffisant. J'aurais dû te mettre en garde, Simone. Crois-moi: tu seras beaucoup mieux sans lui.» Simone essayait de s'en persuader sans trop y parvenir. Il lui arrivait encore de penser à lui et à ce que leur couple aurait pu devenir. Bastien avait agi avec elle comme le pire des goujats, et aucune femme n'avait besoin d'un tel homme dans sa vie. Simone avait essayé de l'oublier et de se convaincre qu'il valait mieux continuer sans lui. Toutefois, la carapace qu'elle s'était forgée tranquillement au fil des jours s'était quelque peu effritée quand elle avait croisé Bastien dans le corridor. Son cœur battant la chamade, elle avait presque renoncé à sa résolution de se tenir loin de lui et avait failli aller lui parler. Heureusement, Paul était arrivé presque en même temps, ce qui lui avait permis de détourner son attention de Bastien. Paul prenait de ses nouvelles chaque fois qu'il en avait l'occasion. Simone savait qu'elle ne pourrait jamais trouver un ami plus loyal que lui.

Elle se doutait bien que Paul espérait que leur relation évoluerait, mais pour le moment, elle ne pouvait pas lui offrir plus que son amitié. Elle souffrait encore de l'abandon de Bastien, et elle ignorait si elle parviendrait un jour à accorder son entière confiance à un homme.

Évelina interrompit ses pensées.

— Simone! Vous avez déjà chanté ce couplet-là, Flavie et toi. Ça serait l'*fun*, les filles, si vous étiez un petit peu plus professionnelles. Je n'ai pas envie qu'on se moque de nous, demain.

— Professionnelles! s'écria Simone. Mais voyons, Évelina, on est des étudiantes infirmières! Rassure-toi, je ne pense pas faire carrière dans la chanson.

Après s'être tournée vers Flavie, elle ajouta:

— Je vais essayer d'être plus attentive, Flavie. Il ne faudrait surtout pas qu'Évelina passe pour une amatrice!

Flavie se mordit les joues pour ne pas éclater de rire. Évelina poussa un soupir d'exaspération.

— On peut continuer, les deux comiques? rétorqua-t-elle d'une voix impatiente.

— On pourrait prendre une pause, proposa Flavie. Ça nous ferait du bien, il me semble.

— Non, pas maintenant! refusa Évelina. On fait la chanson une dernière fois. Nous devons être bien préparées, les filles!

— Surtout si on veut impressionner le docteur Litwinski! plaisanta Simone.

— Moque-toi tant que tu veux, Simone, mais je tiens à ce qu'on soit les meilleures. On va répéter toute la nuit, s'il le faut!

Simone croisa le regard paniqué de Flavie. Elle la rassura du regard: «Ne t'en fais pas, nous ne passerons pas la nuit sur cette chanson...»

— Va pour une dernière fois, Évelina, accepta Simone. Après, j'aimerais qu'on se repose, Flavie et moi. C'est important que nous ayons une bonne nuit de sommeil si nous voulons avoir des voix limpides demain !

Simone fit un clin d'œil à Flavie et entonna le premier couplet.

* * *

La nervosité était palpable dans les coulisses. De l'autre côté des rideaux, on entendait le brouhaha des spectateurs qui s'installaient peu à peu dans la salle. Simone devait s'assurer que tous les participants étaient prêts à présenter leur numéro. Georgina, qui avait toujours un grain de sel à ajouter à propos de n'importe quoi, s'était retirée dans un coin et récitait à voix basse le texte qu'elle présenterait. Les musiciens avaient accordé leurs instruments et attendaient avec fébrilité leur tour pour monter sur la scène. Pâle et les yeux fermés, Flavie essayait de respirer calmement pour contenir sa nervosité. Même Évelina, si sûre d'elle la plupart du temps, faisait les cent pas sans se préoccuper du docteur Litwinski qui accordait patiemment son violon.

Les lourds rideaux de velours s'ouvrirent pour laisser place à la présidente des dames patronnesses. Celle-ci remercia les bienfaiteurs d'assister en si grand nombre à ce spectacle de charité et souhaita à tous de passer une excellente soirée. Les projecteurs s'éteignirent pour faire place au spectacle. Évelina avait insisté pour que ses amies et elle soient les premières à monter sur scène, malgré les récriminations de Simone et de Flavie. « Ensuite, on pourra se détendre et profiter du spectacle », avait-elle justifié. Évelina s'installa au piano, et Simone et Flavie se placèrent derrière le microphone. Simone essayait de calmer les battements de son cœur, en attendant que le projecteur s'allume et qu'Évelina commence à jouer. Pendant le premier couplet, elle eut l'impression que sa voix chevrotait. De plus, sa bouche et sa gorge sèches lui firent craindre le pire. Elle ne tiendrait pas le coup ! Puis, finalement, en entendant Évelina interpréter avec confiance sa partition, le trac laissa place au plaisir. Flavie et Simone terminèrent leur cantique avec assurance. Les spectateurs applaudirent. Après avoir salué la foule comme il se doit, Flavie, Évelina et Simone retournèrent en coulisse. Un quatuor à cordes prit la relève sur scène.

Simone sentait encore ses genoux trembler, mais un grand sentiment de satisfaction lui emplissait le cœur. Évelina lui chuchota, avant de retourner dans la salle avec Flavie :

— Je te l'avais bien dit que nous aurions du succès !

Simone resta en coulisse pour superviser le spectacle. Elle écouta avec joie le quatuor à cordes qui interpréta l'*Ave Maria* de Gounod. Simone avait toujours aimé cette pièce. Lorsqu'elle entendit les dernières notes et les applaudissements, des frissons la parcoururent.

La soirée se déroula pratiquement sans anicroche. Quand Georgina oublia de réciter quelques lignes de son texte de Gabriel Randon de Saint-Amand Rictus, *La Charlotte prie Notre-Dame*, Simone dut lui souffler son texte. La plus grande surprise de la soirée fut provoquée par le docteur Litwinski, qui interpréta avec brio une sonate pour violon de Mozart. Le médecin eut droit à une ovation à la suite de son interprétation.

Après le spectacle, la présidente des dames patronnesses remercia Simone pour son implication puis elle la libéra, étant donné que quelques internes s'étaient proposés pour ranger les décors. Simone ramassa ses affaires et alla rejoindre Flavie et Évelina, qui l'attendaient dans la salle. Les deux jeunes femmes conversaient avec Léo Gazaille, le journaliste de *La Patrie* et ancien soupirant de Flavie.

Léo serra la main de l'arrivante.

— Bravo, Simone! Flavie et Évelina m'ont dit que tu avais travaillé très fort pour mettre sur pied ce projet.

— Bah! J'ai aidé un peu les dames patronnesses, sans plus.

— Ne sois pas modeste, Simone! déclara Flavie. Tu t'es assurée du bon déroulement du spectacle pendant toute sa durée.

— Encore une fois, bravo à vous trois! Je vais écrire un bel article sur le spectacle de ce soir, qui pourrait devenir une tradition. Ça m'a fait vraiment plaisir de te revoir, Flavie. Bonne fin de soirée, mesdemoiselles!

Léo salua les jeunes femmes, remit son chapeau et quitta la salle.

— Ouais! s'exclama Évelina. Tu occupes toujours les pensées de ton beau journaliste, Flavie. Tu as vu comme il te regardait?

Flavie demeura songeuse. Simone finit d'attacher son manteau et déclara:

— Évelina n'a pas tout à fait tort, Flavie. Léo semblait très heureux de te revoir.

— Je suis contente de l'avoir rencontré. Mais ce n'est pas lui que j'aurais voulu voir dans la salle.

— Clément était de garde, Flavie. Il serait certainement venu, sinon.

— Ouais, probablement! émit Flavie sans conviction. Rentrons, je suis épuisée.

— Si ça ne vous dérange pas, les filles, je vais attendre le docteur Litwinski. Je tiens à le féliciter personnellement.

En voyant Wlodek Litwinski vêtu de son pardessus, l'étui de violon à la main, Évelina se précipita vers le médecin sans attendre la réponse de ses amies. Simone et Flavie se contentè-rent de sourire, puis elles se dirigèrent vers la sortie.

* * *

Évelina rejoignit ses compagnes dans la chambre quelques minutes plus tard.

— Wlodek m'a dit que ce serait un grand honneur pour lui que je l'accompagne au piano quand il se produira à nouveau sur une scène. Je vais me tenir au courant des prochains specta-cles ou autres activités organisés par les dames patronnesses. On pourrait faire un couple d'enfer, tous les deux!

— Il veut seulement que tu l'accompagnes au piano, Évelina. Je ne pense pas qu'il souhaite aller plus loin...

— Il y a un début à tout, Simone! Vous n'avez pas trouvé qu'il était formidable ce soir?

— Je l'ai entendu des coulisses. Il joue bien, en effet.

— Il était merveilleux!

Évelina s'étendit sur son lit en poussant un soupir. Elle ferma les yeux.

— Je pense que je suis amoureuse, les filles! Il est tellement beau!

— Il faudrait que tu passes du temps dans le service de pédiatrie, Évelina. Le docteur Litwinski s'y trouve très souvent ; c'est un médecin dévoué pour ses patients.

— Je serais prête à faire du bénévolat là-bas si ça pouvait faire en sorte qu'on se rapproche, lui et moi.

— Bonne chance ! Mais changement de sujet. Je dois avouer que tu as eu raison de nous obliger à chanter pour ce spectacle de charité. On a reçu beaucoup de félicitations, Flavie et moi.

— Je vous l'avais dit qu'on serait bonnes ! Même Georgina m'a impressionnée avec sa *Charlotte*. Elle a le sens du drame. Son interprétation était un peu exagérée mais quand même bien rendue, il faut le reconnaître. Heureusement que tu étais là pour lui souffler son texte, Simone.

— Et elle ne m'a même pas remerciée !

— Bah ! Il ne faut jamais s'attendre à grand-chose de la part de Georgina. La reconnaissance ne fait pas partie de ses qualités, si elle en a !

Simone sourit. Elle revêtit sa chemise de nuit et se glissa sous les couvertures. Elle était heureuse d'avoir participé au succès du spectacle.

* * *

Simone et Évelina travaillèrent toute la soirée du réveillon. Simone était toujours un peu mélancolique durant cette période de l'année, et la solitude de certains patients l'attristait. Pendant son quart de travail, elle s'efforça d'apporter un peu de joie aux malades qu'elle soignait. Seule Flavie avait pu se libérer. La jeune femme était allée souper chez les Langlois en compagnie de Clément. Après le travail, Simone et Évelina se réfugièrent dans la salle de repos pour écouter quelques émissions spéciales de Noël diffusées à la radio. Quelques-unes de leurs consœurs jouaient une partie de cartes dans un coin de la pièce. La plupart des étudiantes avaient réussi à obtenir un congé ; elles en avaient profité pour rendre visite à leur parenté.

Évelina retira sa coiffe et ses souliers et poussa un profond soupir.

— Ah! J'ai bien cru que cette soirée ne se terminerait jamais! C'est toujours les mêmes qui travaillent la veille de Noël! Aucun danger que je sois invitée pour un souper ou quelque chose du genre. Non! Je suis condamnée à rester avec les patients!

— Tu exagères toujours, Évelina! Et puis, pourquoi as-tu pris un homme marié pour amant? Tu aurais dû y penser avant!

— Sans doute! De toute façon, Marcel, c'est presque de l'histoire ancienne. On se voit de moins en moins.

— C'est peut-être parce que tu as des vues sur quelqu'un d'autre que tu t'investis moins dans cette relation.

— Oui, mais Wlodek ne semble pas s'en rendre compte. J'ai l'impression d'être invisible!

— Tu devrais te joindre à moi et venir t'occuper des nouveau-nés. Tu croiserais souvent le docteur Litwinski sur l'étage. Je compte y aller dès que la frénésie des fêtes sera passée.

— Je verrai. Ça ne me tente pas beaucoup d'aller m'occuper de bébés qui braillent!

— Le sacrifice en vaudrait le coup si tu réussissais à obtenir un rendez-vous avec le docteur Litwinski.

Évelina s'apprêtait à répondre quand Flavie entra dans la salle de repos, au bord des larmes. Elle s'installa sur le fauteuil vacant près de Simone.

— Mon Dieu, Flavie, qu'est-ce qui se passe? s'enquit cette dernière.

— Clément m'a plantée là! C'est son père qui m'a raccompagnée à l'hôpital.

— Comment ça? demanda Évelina.

— Nous étions prêts à passer à table quand il a reçu un appel téléphonique. On avait besoin de lui à l'hôpital pour une chirurgie d'urgence. Il s'est excusé et il est parti aussitôt!

— J'ai entendu dire qu'il y avait eu un accident de la route avec plusieurs blessés, indiqua Simone. Clément est chirurgien, Flavie, alors c'est normal qu'il soit appelé n'importe quand.

— Je sais bien, mais la veille de Noël quand même! Il aurait pu m'informer qu'il pouvait être appelé ce soir!

— Un bon chirurgien est toujours prêt à accourir à l'hôpital dès que ses bons soins sont requis, se moqua Évelina en imitant sœur Désuète.

Flavie ne réagit pas à la plaisanterie d'Évelina. Elle se contenta de se moucher et de s'essuyer les yeux.

— Pour excuser son fils, madame Langlois m'a rappelé à quel point Clément était dévoué et m'a dit que je devais me préparer à le partager avec l'hôpital. C'est l'apanage des femmes d'être compréhensives, blablabla... J'ai terminé mon repas – les parents de Clément sont très sympathiques, soit dit en passant –, mais j'aurais préféré que mon amoureux soit là. Je suis déçue de ma soirée. J'aurais mieux fait de travailler ; au moins, j'aurais été utile.

— Ne t'en fais pas trop avec ça, Flavie. Clément t'invitera sûrement à dîner pour se faire pardonner. Console-toi ; au moins tu n'as pas passé la soirée du réveillon toute seule.

— Simone a raison, intervint Évelina. Tu aurais pu te retrouver dehors à geler sur un coin de rue comme la Charlotte de Georgina ! plaisanta-t-elle.

Flavie esquissa un sourire. Évelina imita l'air grave de Georgina et posa une main sur son front.

— À moi, plutôt qu'au balayeur !

Les trois amies éclatèrent de rire. Elles se souhaitèrent ensuite un très joyeux Noël.

9

Victor porta un toast à Flavie et ses amies.

— Que cette année 1938 soit une des plus belles pour vous, mesdemoiselles. Je suis choyé que vous ayez décidé de venir dîner avec moi. Ce n'est pas tous les jours que je peux me vanter d'être aussi chanceux. Et puis, je n'ai jamais commencé une nouvelle année en compagnie de si jolies jeunes femmes.

L'invitation à dîner de Victor pour le jour de l'An avait réjoui Simone. Elle n'avait pas envie de passer cette journée à l'hôpital. Flavie avait beaucoup de chance d'avoir Victor dans sa vie et était généreuse d'en faire profiter ses amies. À leur arrivée, Victor avait offert à chacune un cadeau : une paire de gants doublés de fourrure. Simone n'avait pas souvenir d'avoir déjà reçu un si beau présent ; elle n'avait pu retenir ses larmes.

Avant de passer à table, Flavie demanda – avec beaucoup d'émotion – que Victor lui donne la bénédiction paternelle. Ce dernier invita Évelina et Simone à se joindre à Flavie.

— Vous êtes un peu comme mes filles, toutes les deux. Et c'est avec plaisir que je vous donnerai la bénédiction à vous aussi en ce premier jour de l'année.

Les trois jeunes femmes s'agenouillèrent. Ému, Victor procéda. Les larmes aux yeux, Flavie embrassa ensuite son père. Simone se trouva privilégiée d'être témoin de cette scène entre le père et la fille. Ensuite, Victor convia ses invitées à passer à table. Il se fit un honneur de servir lui-même la dinde.

— Je vous souhaite un bon appétit, mesdemoiselles. Racontez-moi les dernières anecdotes de l'hôpital. J'ai lu dans *La Patrie* que vous aviez présenté un spectacle-bénéfice ? Il semblerait que vous ayez eu beaucoup de succès lors de cette représentation.

Flavie raconta à Victor comment Simone s'était impliquée pour faire de ce spectacle un succès. Évelina se fit un point d'honneur de dire que, grâce à elle, Flavie et Simone avaient fait entendre leurs magnifiques voix au concert.

— Vous auriez dû voir ça, Victor ! On aurait dit deux anges descendus directement du paradis !

Évelina et son sens de l'exagération ! Simone roula les yeux. Certes, ses amies et elle avaient offert une belle prestation, mais quand même ! Léo avait écrit un article élogieux sur le spectacle, dans lequel il avait émis le souhait que celui-ci devienne une tradition à l'hôpital. Simone avait croisé Paul le lendemain. Il s'était excusé d'avoir manqué la représentation. Simone était toujours heureuse de le voir. Elle n'oublierait pas de sitôt le réconfort qu'il lui avait apporté dans un des pires moments de sa vie. Elle n'entrevoyait pas une relation amoureuse avec Paul, mais elle l'appréciait énormément.

— J'aurais aimé que ta mère et ton frère se joignent à nous pour ce dîner, Flavie. Mais ce n'est que partie remise. Bernadette ne voulait pas quitter La Prairie et Antoine devait s'occuper de sa laiterie.

En entendant le prénom d'Antoine, Évelina leva les yeux de son assiette. «Toujours à l'affût, celle-là !» se dit Simone en souriant. Quelques jours auparavant, Évelina avait signifié au docteur Jobin qu'elle mettait un terme à leur relation. Depuis, le mode séduction d'Évelina était enclenché, et elle ne ratait aucune occasion d'user de son charme. Elle avait accompagné quelques fois Simone dans le service de pédiatrie. Toutes deux berçaient des nouveau-nés dans la pouponnière. Évelina n'avait pas caché qu'elle faisait du bénévolat uniquement dans l'espoir de croiser le docteur Litwinski.

De son côté, Flavie se consacrait à ses patients. Clément était toujours aussi occupé. Le lendemain du départ précipité de celui-ci durant le souper du réveillon chez ses parents, il avait fait parvenir un bouquet de fleurs à Flavie assorti d'un mot d'excuse. Le procédé avait laissé sceptique la jeune femme. Simone avait tenté de convaincre son amie de la bonne foi de Clément.

— Tu devrais lui pardonner, Flavie. Il a fait un effort. De toute façon, tu n'y peux rien : Clément est un chirurgien dévoué et il doit toujours être disponible pour ses patients. Je suis sûre qu'il est désolé d'avoir dû te laisser chez ses parents.

— Je ne sais plus trop où j'en suis, Simone. Je suis contente que les choses n'aillent pas trop vite avec Clément, mais cela me désole qu'on ne se voie presque plus.

— Vous avez tout votre temps, Flavie.

« J'ai peut-être précipité les choses avec Bastien. Si on avait attendu un peu, cela m'aurait peut-être évité bien du chagrin », avait-elle alors songé.

Simone prit une gorgée de vin et savoura le liquide écarlate. Elle avait perdu le fil de la conversation entre Flavie, Évelina et Victor. Simone ferma les yeux, un sourire de satisfaction aux lèvres. Il y avait longtemps qu'elle ne s'était pas sentie aussi bien, entourée de gens qu'elle aimait et qui l'aimaient tout autant. Elle se souhaita une bonne année 1938, en espérant que celle-ci serait meilleure que l'année qui venait de s'écouler.

* * *

Simone se sentait d'attaque pour entamer la nouvelle année. Les cours avaient repris. À ceux de l'automne s'étaient ajoutés les cours en pédiatrie et en orthopédie. Avec les cours d'obstétrique et de gynécologie, Simone prévoyait que ses temps libres seraient consacrés à étudier, ce qui ne lui importait pas vraiment, puisqu'elle n'avait pas d'homme dans sa vie. Paul lui avait fait savoir qu'il aimerait l'inviter au cinéma quand elle en aurait envie. Mais pour lors, Simone préférait se consacrer à ses occupations et à ses études.

Dans ses temps libres, la jeune femme s'enfermait souvent dans la bibliothèque – au grand dam d'Évelina qui n'arrivait pas à comprendre que son amie puisse passer autant de temps dans ce lieu reclus. Sinon, elle se rendait au deuxième, à l'étage de la maternité. Les premières fois où elle avait tenu un nouveau-né dans ses bras, son cœur avait chaviré à l'idée qu'elle avait privé de vie son propre fœtus. Toutefois, par la suite, Simone s'était raisonnée. Elle n'avait pas eu le choix de se faire avorter et puis, d'une certaine façon, elle faisait peut-être une différence dans la vie de ces bébés en leur prodiguant un peu de tendresse. « Je suis là pour eux. Mais les nouveau-nés, sans le savoir, m'apportent un peu de réconfort. Je n'étais pas prête à devenir mère et encore moins à me débarrasser de mon enfant en l'envoyant à l'orphelinat. »

Évelina se joignait encore à elle de temps en temps. Flavie préférait rendre visite aux enfants plus âgés pour leur lire une histoire. Cette dernière y avait retrouvé Robin Arsenault, un jeune garçon qu'elle avait connu l'année précédente ; celui-ci s'était alors amusé à ses dépens lors d'une garde du soir en allumant toutes les lumières d'appel des chambres de l'étage que Flavie supervisait. À quelques reprises, cette dernière avait parlé de Robin à Simone, lui confiant qu'elle s'était attachée à ce garçon taquin et qu'elle espérait que sa santé le tiendrait dorénavant loin de l'hôpital. Cependant, Robin avait été hospitalisé dernièrement pour une crise d'asthme. Flavie avait veillé sur lui comme s'il était son petit frère. Simone l'avait un peu sermonnée en lui rappelant qu'elle ne devait pas s'attacher autant à des patients. Mais la jeune femme n'avait rien voulu entendre ; elle avait noué des liens privilégiés avec le jeune garçon et elle tenait à les préserver.

Évelina accompagnait Simone à la maternité quand elle savait que le docteur Litwinski se trouvait dans les parages. Chaque fois qu'il passait à la pouponnière, il s'arrêtait quelques instants pour saluer les deux amies et reprenait aussitôt son chemin. C'était d'ailleurs ce qu'il venait de faire.

— Tu vois, Évelina, il prend toujours le temps de te saluer, déclara Simone.

— Oui, mais Wlodek agit ainsi parce qu'il est poli. D'ailleurs, il salue toutes les infirmières qu'il rencontre. Je ne sais pas quoi faire pour qu'il me remarque. Il me déstabilise complètement.

Simone sourit aux propos d'Évelina. Celle-ci, habituellement si sûre d'elle quand il s'agissait de charmer un homme, perdait tous ses moyens devant le docteur Litwinski.

— On ne se le cachera pas, Simone. Si je viens travailler à la pouponnière, c'est dans l'unique but de croiser Wlodek Litwinski.

— Je le sais très bien, Évelina. Tu m'as dit cent fois que tu détestes entendre brailler des bébés.

— Je ne sais pas ce qu'il faut faire pour séduire un Polonais. J'ai l'impression de me retrouver en terrain inconnu. Il est si différent des Canadiens français. Wlodek a toujours un regard nostalgique. Il ne sourit qu'en présence des enfants.

— Son pays et sa défunte femme doivent lui manquer.

— Sans doute! Mais il ne tient qu'à lui d'oublier son pays. Il devrait se rendre compte que je suis prête à lui faire découvrir sa nouvelle terre d'adoption. Quoi de mieux pour connaître les us et coutumes d'un pays que de fréquenter ses habitants?

— Surtout si l'habitant est une jeune et jolie infirmière, hein, Évelina?

— Exactement!

— En tout cas, tu ne te décourages pas facilement!

— Non madame! Je compte bien mettre le paquet sous peu. Je n'ai pas envie de passer ma vie dans une pouponnière.

En disant cela, Évelina regarda le docteur Litwinski qui discutait avec l'infirmière de garde. Puis, elle se leva et déposa délicatement le nouveau-né qu'elle berçait dans son lit. «Bon, ça y est! L'offensive est lancée!» pensa Simone en voyant son amie se diriger vers le médecin. L'infirmière de garde laissa Évelina et le docteur Litwinski en tête à tête et vint rejoindre Simone.

— J'aurais besoin de votre aide, garde Lafond, pour préparer la couveuse. Un prématuré est sur le point de naître. Dès qu'il sera là, les brancardiers nous l'amèneront.

Simone recoucha le nouveau-né dont elle prenait soin. Avant de s'occuper de la couveuse, elle eut une dernière pensée pour

Évelina qui discutait toujours avec le médecin. « Si elle réussit à obtenir une sortie avec lui, elle ne tardera pas à me le dire ! »

* * *

Simone se pencha sur la couveuse et détailla le bébé qui s'y trouvait. L'être minuscule qui venait de naître devait demeurer en permanence dans la couveuse pour garder sa chaleur. La petite fille, qui pesait environ deux livres, se battait avec force pour survivre. Beaucoup d'énergie avait été déployée pour sauver l'enfant. La mère n'en était qu'à sa 26ᵉ semaine de grossesse ; quand elle s'était présentée à l'hôpital, l'accouchement était déjà commencé. Toute l'équipe de pédiatrie avait été appelée en renfort pour sauver le bébé.

Simone pouvait voir le bleu des veines minuscules sous la peau diaphane du nouveau-né. La respiration accélérée soulevait la couverture qui recouvrait le bébé, et celui-ci suçait un pouce minuscule en dormant. Simone venait de prendre conscience de la dichotomie entre la fragilité de la vie et la volonté de survivre. La mort pouvait faucher rapidement un homme dans la fleur de l'âge, tandis que cette petite fille prématurée se battait avec toute la force du monde pour grandir et devenir une enfant en pleine santé. Son état précaire requérant des soins spécialisés, la petite serait transférée sous peu à l'hôpital Sainte-Justine. La mère resterait à Notre-Dame jusqu'à ce qu'elle soit sur pied. Simone devait rester au chevet du bébé en attendant l'arrivée de l'infirmière qui surveillerait la petite patiente jusqu'à son transfert.

Le docteur Litwinski venait de passer pour vérifier que tout allait pour le mieux pour le bébé. Simone n'avait pas revu Évelina après sa discussion avec lui ; elle était impatiente de savoir comment s'était passée la rencontre. Quand la garde Brossard prit la relève de Simone, cette dernière regarda une dernière fois la petite fille. Elle lui souhaita la meilleure des chances, puis quitta la pouponnière.

Simone trouva Flavie et Évelina en grande discussion dans la salle de repos. Elle leur raconta brièvement l'arrivée du bébé prématuré et son transfert prochain.

— Vous devriez voir cette petite : elle est si minuscule ! Mais je suis persuadée qu'elle survivra. Elle semble habitée par une telle force !

— C'est certain qu'elle vivra, Simone, affirma Évelina. Elle est sous les soins du meilleur pédiatre de l'hôpital !

— Tu arrives à temps, Simone ! Évelina parlait justement du docteur Litwinski avant ta venue. Figure-toi donc que notre amie a décidé que nous sortions ce vendredi !

Les bras croisés, Flavie paraissait contrariée. Évelina en expliqua la raison à Simone.

— Flavie est fâchée parce que j'ai invité Clément à se joindre à nous. C'est la seule façon que j'aie trouvée pour que Wlodek accepte de m'accompagner au club Montmartre pour voir les Canadian Ambassadors, le groupe de jazz le plus populaire à Montréal.

— Elle a aussi invité Paul pour que tu te sentes moins seule, Simone. Et tout ça, sans nous prévenir, bien sûr !

— Évelina ! s'écria Simone.

Elle comprenait la colère de Flavie. Évelina avait organisé cette sortie sans leur en parler et sans leur demander si elles voulaient être accompagnées.

— J'ai fait ce que je pensais le mieux pour vous, les filles ! Et puis, Wlodek n'aurait jamais accepté de sortir seul avec moi. Quand il a su que Clément et Paul seraient de la partie, il s'est laissé convaincre plus facilement. Je vous le dis : on va s'amuser et se changer les idées. Il n'y a pas que les études dans la vie ! Et puis, avouez que mon choix fait votre affaire.

Simone n'en était pas certaine. Elle aimait bien Paul mais elle ne voulait rien brusquer, n'étant pas prête à s'engager dans une relation. Flavie n'avait pas revu Clément depuis le soir du réveillon ; Simone soupçonnait que son amie gardait rancœur au chirurgien de l'avoir laissée seule chez ses parents.

— On a autre chose à faire le vendredi soir que d'écouter le *Curé du village* à la radio ! Ah ! Pour une fois, les filles, vous pourriez montrer de l'enthousiasme. Je vous promets qu'on aura du plaisir.

En chœur, Simone et Flavie poussèrent un soupir de découragement. Elles ne parviendraient pas à changer Évelina ; elles n'avaient donc pas le choix de composer avec le côté frivole de leur amie.

* * *

Flavie était maussade depuis quelques jours. Simone soupçonnait l'insomnie de son amie d'être en partie responsable de son humeur. Le reste incombait probablement à l'initiative d'Évelina d'inviter Clément. Flavie avait avoué à Simone ne plus savoir où elle en était par rapport à lui. Simone l'avait rassurée en lui disant que son couple traversait seulement une mauvaise passe, et que Clément avait besoin de quelques mois pour s'acclimater à son statut de chirurgien.

— Cette sortie organisée par Évelina vous permettra peut-être de vous rapprocher, Clément et toi. Ne sois pas fâchée contre elle ; Évelina a voulu bien faire.

— Tu as raison, mais je déteste quand elle décide de tout sans nous en parler. Ça ne te dérange pas, toi ?

— Oui, un peu. Mais j'ai été claire avec Paul. Il sait que je ne suis pas prête à m'engager avec quelqu'un. Et puis, tu sais, Évelina a sûrement raison : on va s'amuser lors de cette soirée.

— Peut-être bien...

Flavie et Simone se dirigeaient vers le sixième étage pour y rejoindre Évelina. Celle-ci travaillait aux soins intensifs, où elle était assignée pour la semaine. Le stage aux soins intensifs était redouté des étudiantes de deuxième année ; les patients s'y trouvant étaient – pour la plupart – mal en point. En sortant de l'ascenseur, Flavie et Simone constatèrent qu'une grande agitation régnait sur l'étage. Plusieurs étudiantes discutaient dans le corridor et certaines semblaient affligées. D'un pas rapide, Évelina rejoignit ses amies.

— On vient d'amener un pompier qui a été brûlé alors qu'il se trouvait en service. C'est horrible à voir. Comme il requiert des soins précis et que peu d'entre nous sont habituées à soigner un cas aussi grave, sœur Désuète a plaidé en notre faveur pour une fois. C'est sur la base du volontariat que nous devrons prodiguer des soins à ce grand brûlé. Je vais passer mon tour, car il fait vraiment pitié, le pauvre homme. Je ne pense pas qu'il pourra survivre à de pareilles blessures. Il a l'âge de ton frère, Flavie. C'est tellement triste !

Flavie avait pâli en entendant Évelina parler de son frère.

— Oh mon Dieu! s'écria-t-elle. Je serais incapable moi aussi de m'en occuper. Et si je peux éviter d'être confrontée à ce genre de blessures, j'en profiterai. Les brûlures sont les pires blessures qui puissent affliger un patient. Je sais que nous devrons nous occuper d'un grand brûlé un jour ou l'autre, mais pour le moment, si je peux m'abstenir, je pense que je vais faire comme Évelina.

Simone comprenait que ses deux amies souhaitent se désister. Mais pour sa part, la jeune femme croyait que le plus tôt elle affronterait ce genre de blessures, plus vite elle surmonterait sa crainte.

— Je vais me porter volontaire, déclara-t-elle.

— Cela ne me surprend pas, indiqua Évelina. Toi et ton âme de missionnaire! Tu berces des bébés, tu veux t'occuper de changer les pansements d'un grand brûlé, et puis quoi encore? Tu n'es pas obligée de toujours montrer le bon exemple, Simone. Et puis, sache que plusieurs infirmières diplômées ont vu le patient et qu'elles sont incapables de s'en occuper. Il est vraiment très gravement atteint.

— Évelina a raison, Simone. Il vaudrait mieux que tu passes ton tour.

— Que devrait-on faire dans un tel cas, les filles? demanda Simone. Laisser le patient à lui-même? Je pense que nous sommes là pour une unique raison : s'occuper des gens malades et souffrants. Je trouve inconcevable que l'on se demande si on veut ou non s'occuper de ce grand brûlé.

— Comme étudiantes de deuxième année, nous ne sommes peut-être pas encore assez expérimentées pour ce genre de blessures, dit Évelina.

Malgré les recommandations de ses deux amies, Simone fit la sourde oreille. Elle se rendit au poste de garde pour offrir ses services. L'infirmière qui prit son nom lui indiqua le fond de la pièce, là où se trouvaient les rares infirmières qui s'étaient portées volontaires. L'infirmière responsable du patient expliquait les différents soins à prodiguer à celui-ci.

— Monsieur Provencher a des brûlures aux deuxième et troisième degrés sur pratiquement tout le corps. Il a reçu des médicaments qui l'ont plongé dans un sommeil profond afin de lui éviter de trop souffrir. Je vous préviens, mesdemoiselles : il est dans un triste état. Les médecins craignent qu'il ne passe pas la nuit, mais nous ferons tout en notre possible pour l'aider. Une infirmière restera à son chevet en tout temps afin de vérifier ses fonctions vitales. Dès qu'un problème survient, il faut avertir le médecin de garde. Je vais établir un horaire rotatif aux trois heures en utilisant les noms des personnes ayant manifesté leur intérêt au poste de garde.

Simone se dirigea vers la salle à manger, certaine d'y trouver Flavie et Évelina. Évelina se moqua d'elle.

— Si ce n'est pas sainte Simone qui arrive ! Es-tu prête à aller accomplir ta mission ? J'imagine que ton volontariat fera monter tes notes en travaux pratiques. Vous m'excuserez, mesdemoiselles, moi j'ai des patients qui ont faim et que je dois aller nourrir ! On se revoit plus tard.

Simone s'installa sur une chaise en face de Flavie, encore étourdie par les explications de l'infirmière concernant les soins à apporter à monsieur Provencher.

— Je n'ai vraiment pas besoin des sarcasmes d'Évelina. Je ne le fais pas pour avoir de la reconnaissance, Flavie, mais par charité chrétienne.

— Évelina ne sait pas comment te dire qu'en fait, tu l'impressionnes beaucoup. Elle ne pensait pas qu'une de nous trois s'impliquerait dans de tels soins. J'aurais aimé être capable de le faire, mais les blessures semblent si horribles…

— Je n'ai pas encore vu le patient ; je dois retourner aux soins intensifs dans trois heures. Je ne sais pas ce qui m'a pris de donner mon nom. Plus j'y pense, plus je crains de ne pas être à la hauteur.

— Au contraire, Simone. Je suis convaincue que tu seras excellente.

La mine pensive, Simone esquissa un faible sourire. Elle ne pouvait plus reculer, puisqu'elle s'était engagée à s'occuper de monsieur Provencher. Flavie se leva et s'excusa.

— Je dois y aller ; moi aussi, j'ai une tournée de patients à faire. Ça va bien aller, Simone, j'ai confiance en toi.

Simone avait obtenu congé de ses tâches. Elle décida d'aller se promener. Le grand air lui ferait du bien et lui remettrait les idées en place. Elle se dirigea vers le centre du parc La Fontaine, où plusieurs patineurs s'amusaient sur l'étang gelé. Après s'être assise sur un banc, Simone laissa vagabonder ses pensées. Elle aimait le métier d'infirmière, et donner des soins à un grand brûlé ne pouvait qu'enrichir son apprentissage. L'infirmière diplômée avait expliqué aux bénévoles que l'état du patient troublerait plusieurs d'entre elles, mais qu'elles devraient absolument faire abstraction des blessures de monsieur Provencher. Malgré son appréhension, Simone se sentait d'attaque. Sans doute que l'air frais contribuait à son état d'esprit. Il en avait toujours été ainsi lorsqu'elle se sentait l'esprit tourmenté ou qu'elle était contrariée ; elle trouvait alors refuge dans la bibliothèque ou allait prendre l'air. Simone serra le col de son manteau. Puis, elle retourna à l'hôpital en respirant à pleins poumons l'air froid de janvier.

* * *

L'infirmière au poste de garde rappela à Simone l'obligation de porter un masque et des gants durant tout le temps qu'elle passerait au chevet de monsieur Provencher.

— Il faut absolument éviter tout risque d'infection. Le patient est très vulnérable en ce moment.

En voyant l'inquiétude dans les yeux de Simone, l'infirmière se fit rassurante :

— Tout se passera bien, garde Lafond. De toute façon, s'il y a quoi que ce soit, cela me fera plaisir de vous aider.

Simone remercia l'infirmière. Après s'être lavé les mains, elle mit un masque et des gants. Elle se rendit ensuite dans la chambre de monsieur Provencher. L'infirmière qu'elle venait remplacer se leva à son arrivée.

— Il n'y a eu aucun changement majeur dans son état depuis que je suis à ses côtés. Monsieur Provencher dort profondément et c'est aussi bien pour lui, « magané » comme il est ! C'est triste de penser qu'il s'est brûlé en tentant de sauver deux enfants dans un incendie. Les deux pauvres petits n'ont pas survécu. À mon avis, il aurait mieux valu qu'il ne s'en sorte pas non plus. Je vous laisse maintenant. Un médecin devrait passer sous peu.

Tranquillement, Simone s'approcha du lit. Plusieurs pansements recouvraient les blessures du pompier pour empêcher tout risque d'infection. Il semblait respirer normalement sous le masque à oxygène. Simone posa sa main sur le front du patient. Celui-ci bougea dans son sommeil, mais il garda les yeux fermés. Miraculeusement, son visage avait été épargné ; toutefois, le reste de son corps n'était que supplice. Simone prit les signes vitaux du blessé et les nota dans le carnet. Le pouls battait régulièrement, probablement à cause des calmants que monsieur Provencher avait reçus un peu plus tôt.

Simone s'installa sur la chaise près du lit et observa l'homme. Le médecin de garde, accompagné de deux infirmières diplômées, poussa la porte. Il salua brièvement Simone et se pencha sur le patient.

— Vous allez devoir refaire les pansements, mesdemoiselles. Je dois vérifier qu'il n'y a pas d'infection aux plaies.

Les deux infirmières s'exécutèrent. Simone offrit son aide. Le spectacle qui se présenta lorsque les pansements furent retirés lui fit fermer les yeux quelques secondes. Simone n'avait jamais rien vu de tel. Les chairs noircies lui soulevèrent le cœur, mais elle resta néanmoins près du blessé. Celui-ci bougea et poussa quelques gémissements. D'instinct, Simone posa sa main sur le front du patient et se mit à lui murmurer des paroles réconfortantes. Monsieur Provencher se calma. Le médecin remercia Simone et poursuivit son examen.

La jeune infirmière ne pouvait s'empêcher d'observer les brûlures, même si elle avait une boule dans l'estomac. Le patient devait souffrir atrocement. Quand l'examen fut terminé, les infirmières refirent les pansements, puis elles quittèrent la pièce.

— Ses signes vitaux, pour le moment, sont satisfaisants, déclara le médecin. Mais vous devez rester près de lui en tout temps, mademoiselle. Le patient respire bien, malgré ses brûlures aux poumons. Les prochaines heures seront décisives pour lui. S'il y a quoi que ce soit, faites-moi appeler. Je suis de garde jusqu'à minuit.

— Je veillerai sur lui, docteur, promit Simone.

Le médecin reprit son carnet de notes et sortit. Simone rapprocha la chaise du lit et s'installa. Si ce patient s'en sortait, son corps serait couvert de cicatrices. Elle-même, depuis son avortement, avait l'étrange impression d'avoir des cicatrices sur le cœur. «Mes cicatrices sont invisibles, mais elles sont également douloureuses à porter. Cependant, moi, au moins, j'ai pu retrouver une vie normale», songea-t-elle en retenant ses larmes. Comme si Richard Provencher avait perçu ses pensées, il gémit et remua le bras. Simone saisit sa main avec douceur et fredonna la première chanson qui lui vint à l'esprit. Il s'agissait de *Goodnight, my love,* qui tournait sans cesse sur le phonographe de la salle de repos. Le patient s'apaisa et un léger sourire apparut sur son visage.

* * *

Le pompier Richard Provencher mourut durant la nuit, quelques heures après que Simone eut quitté son chevet. Quand celle-ci apprit la nouvelle le matin en se rendant à ses cours, elle eut une pensée pour l'homme. Simone était soulagée que ses souffrances soient terminées, mais attristée d'avoir perdu un patient. Elle écouta d'une oreille distraite le cours de christianisme de sœur Désuète. Flavie tenta d'attirer son attention pour éviter qu'elle ne se fasse apostropher par la religieuse.

En sortant du cours, Évelina s'adressa à Simone :

— C'est très rare que tu sois aussi distraite. J'imagine que tu as appris le décès de ton patient.

— Effectivement. Ça m'attriste beaucoup, mais en même temps, je me dis que c'est mieux ainsi.

— Ses blessures étaient si terribles que ça à voir ? demanda Flavie d'une petite voix.

— Vous n'avez pas idée à quel point, les filles. Le pauvre homme devait terriblement souffrir.

— Tu as toute mon admiration, Simone, exprima Évelina. Je m'excuse de m'être moquée de toi.

Simone resta perplexe devant les propos d'Évelina. Cette dernière reconnaissait si rarement ses torts.

— Je te trouve courageuse de t'être portée volontaire, poursuivit Évelina. Je n'aurais jamais été capable de supporter la vue de toutes ces horribles brûlures. Juste à y penser, mes jambes tremblent.

— Je n'aurais pas pu moi non plus, Évelina, déclara Flavie. Mais on ne pourra pas toujours éviter de soigner ce genre de lésions.

— La plupart du temps, je suis en total désaccord avec ce que sœur Désuète dit. Mais cette fois-ci, je reconnais qu'elle a eu raison de ne pas nous obliger à nous occuper de ce patient.

— C'est peut-être parce qu'elle en aurait été incapable elle-même, suggéra Flavie.

— Tu as sûrement raison. Pour une fois, elle a eu pitié de nous. Et en plus, elle ne nous a pas balancé une phrase du genre : « Une infirmière est toujours prête à s'occuper d'un grand brûlé, peu importe l'état du patient. »

Simone éclata de rire et se détendit. Elle était bouleversée par l'histoire du pompier brûlé, mais une fois de plus, cela lui avait fait prendre conscience que la vie peut basculer à tout moment. Elle avait commis des erreurs dans sa vie et la dernière, celle de se laisser aller dans les bras de Bastien, aurait pu avoir des conséquences graves sur son destin. Simone en avait assez de s'apitoyer sur son sort et de tout ramener à sa petite personne. Sa destinée était de s'occuper des malades et des blessés – ce qu'elle ferait de tout son cœur. Ses cicatrices intérieures finiraient par guérir complètement.

* * *

Prêtes depuis un moment, Simone et Flavie attendaient Évelina dans la salle de repos. Au moment où le trio s'apprêtait à aller rejoindre le docteur Litwinski, Paul et Clément, Évelina s'était rendu compte que son vernis à ongles était mal agencé à sa robe et que son bas de soie était filé.

— Je ne sortirai pas ainsi, c'est certain! s'était-elle écriée. Avez-vous vu ça? Des ongles rouges avec une robe lilas! C'est épouvantable et tellement de mauvais goût. Je reviens dans deux minutes.

— On va être en retard, Évelina, avait soupiré Simone.

— Il faut toujours que les hommes nous espèrent un peu, Simone. Ainsi, ils sont heureux de nous voir arriver. Et puis, je veux impressionner Wlodek. Ce n'est pas tous les jours que le docteur Litwinski accepte de sortir.

— Dépêche-toi, sinon on partira sans toi.

— Donnez-moi cinq minutes!

Il y avait une dizaine de minutes qu'Évelina s'était précipitée vers la chambre. Simone commençait sérieusement à s'impatienter. Assise dans un fauteuil, Flavie gardait son calme.

— Maudit qu'Évelina n'a pas d'allure, des fois! pesta Simone. Elle organise cette sortie à notre insu, elle invite nos cavaliers sans notre consentement et maintenant, il faut l'attendre parce que madame ne porte pas le bon vernis à ongles. Elle m'enrage tellement parfois!

— Laisse-lui une petite chance, Simone. Elle est nerveuse à cause du docteur Litwinski.

— Évelina, nerveuse? Elle est si sûre d'elle d'habitude.

— Oui, mais habituellement, les hommes succombent à son charme dès le premier regard. Ça s'est passé différemment avec le docteur Litwinski, ce qui déstabilise complètement notre amie.

— Tu deviens psychologue, Flavie.

— J'observe, tout simplement. C'est toi qui m'as enseigné ce truc l'an dernier. Tu me disais toujours d'attendre avant de m'inquiéter. Tu es passée maître dans l'art d'observer les gens, Simone.

Cette dernière sourit en pensant à Flavie qui, l'année précédente, appréhendait toujours le pire. Tant mieux si elle avait réussi à aider son amie. Évelina revint enfin. Elle avait changé de robe et arborait une nouvelle coiffure. Simone et Flavie revêtirent leurs manteaux.

— Ce n'est pas trop tôt! commenta Simone.

— J'ai finalement décidé de mettre ma robe rouge. Elle est plus chic, à mon avis.

— Et elle s'agence beaucoup mieux avec ton vernis! signala Flavie. Bon, allons-y! Les médecins sont d'un naturel patient, mais il ne faudrait pas exagérer.

Évelina emboîta le pas à ses amies tout en replaçant une mèche de cheveux. Elle tira sur le collet de son manteau, enfila ses gants mais les enleva quelques secondes plus tard afin de vérifier son vernis, puis elle les remit. Simone n'avait rien perdu de son petit jeu. «J'ai rarement vu Évelina aussi nerveuse», se dit-elle.

À l'arrivée des jeunes femmes, les trois médecins – qui les attendaient dans le hall de l'hôpital – vinrent à leur rencontre. Clément embrassa Flavie. Paul offrit son bras à Simone, tandis que Wlodek se contenta d'observer Évelina. Il lui sourit timidement. Évelina décida de prendre les devants et l'attrapa par le bras. Le petit groupe se dirigea vers le tramway.

Durant le trajet jusqu'au club Montmartre, Clément et Paul racontèrent diverses anecdotes concernant l'hôpital. Il fut question du pompier Provencher.

— Il avait très peu de chances de survivre. Les brûlures s'étendaient sur près de 80 % de son corps, expliqua Paul d'une voix résignée.

— On se sent tellement impuissant devant un tel cas, commenta Clément.

— Simone est restée à son chevet pendant quelques heures, déclara fièrement Évelina. Elle a toute notre admiration.

Simone haussa les épaules.

— Si j'ai pu seulement lui apporter un peu de réconfort, j'en suis heureuse.

Paul prit la main de Simone et lui sourit. Wlodek ne participait pas à la conversation. Il regardait la ville défiler par la fenêtre du tramway. Évelina aurait bien voulu qu'il lui prenne la main d'une façon aussi naturelle que Paul l'avait fait avec Simone. Mais le médecin n'en fit rien ; il se frottait les mains pour les réchauffer. Évelina poussa un soupir qui n'échappa pas à Simone. Celle-ci fit un clin d'œil à son amie.

Le tramway s'arrêta au coin de la rue. Le groupe se dirigea vers l'entrée du club Montmartre. De loin, on entendait la musique provenant de là. Après que tous eurent déposé leurs manteaux au vestiaire, Paul repéra une table vide. Il invita les autres à le suivre. Les Canadian Ambassadors se produisaient depuis plusieurs années et leur renommée attirait de nombreux amateurs de musique jazz. Un serveur se présenta à la table des arrivants. Tout le monde passa commande. Même Simone, qui ne buvait presque pas d'alcool, prit un *rhum & Coke*. Wlodek commanda une double rasade de vodka. Clément et Paul l'imitèrent afin de trinquer avec lui.

Évelina semblait s'ennuyer ferme. Wlodek observait les musiciens tout en battant la mesure avec ses doigts sur la table. Paul engagea la conversation avec le médecin polonais.

— Commencez-vous à vous habituer à Montréal, Wlodek ?

— Oui, tranquillement. Je sors très peu, car je travaille beaucoup.

— Tous les médecins de l'hôpital sont dans la même situation. Ce qu'on nous reproche souvent, d'ailleurs !

Clément fit un clin d'œil à Flavie.

— J'aime bien cette musique, dit Wlodek. C'est très différent de ce qu'on entend en Pologne.

Il avala d'un trait son verre de vodka et en commanda aussitôt un autre. Évelina se tourna vers lui :

— J'espère que votre pays ne vous manque pas trop, Wlodek. J'ai pensé que vous aimeriez passer une soirée entre amis. J'ai bien fait de vous inviter, je crois.

— C'est très agréable de se retrouver en compagnie de collègues, mademoiselle Évelina.

Simone se mordit les joues pour s'empêcher de rire devant la mine déconfite d'Évelina. Celle-ci se leva et saisit son sac à main. Après s'être excusée, elle se dirigea vers la salle de bains. Simone alla la rejoindre.

— Une collègue ! s'écria Évelina. C'est comme ça qu'il me voit !

— Il semble très intimidé par toi, Évelina. Il m'apparaît comme quelqu'un de très réservé. Laisse-lui donc une chance. Il se comportera sûrement différemment avec toi quand il sera plus à l'aise avec notre groupe.

— Il me déconcerte complètement !

Évelina s'appliqua du rouge à lèvres avant de retourner dans la salle. Elle fouilla dans son sac à main et sortit une cigarette. Elle attendit que Wlodek sorte son briquet. Celui-ci fouilla dans la poche de son veston et alluma ensuite la cigarette d'Évelina. La jeune femme expira doucement la fumée. Quand le serveur passa à proximité, Évelina lui commanda un verre de vodka. Après avoir eu son verre, elle le leva et fixa Wlodek en lançant :

— *Na zdrowie !*

Évelina avala d'un trait la vodka tout en essayant de retenir sa toux sous le regard amusé de Wlodek. Simone savourait lentement son *rhum & Coke* en songeant qu'Évelina tentait le tout pour le tout avec le docteur Litwinski. Paul, Clément et Flavie discutaient tous les trois pendant que Simone observait le manège d'Évelina qui venait de commander deux autres verres de vodka, dont un pour Wlodek. Elle parcourut la salle des yeux tout en se laissant submerger par la musique endiablée des Canadian Ambassadors. Son regard s'arrêta sur Bastien, qui s'installait à une table un peu plus loin en compagnie d'une femme. Simone voyait celle-ci de dos, de sorte qu'elle n'arrivait donc pas à voir de qui il s'agissait. Quand la jeune femme se tourna dans sa direction, Simone eut le souffle coupé : Bastien était en compagnie de Georgina !

Évelina ne remarqua rien, trop occupée à son jeu de séduction avec Wlodek. Mais Flavie vit le visage livide de Simone ; elle lui demanda si tout allait bien. Paul, qui avait vu Bastien, se pencha vers Simone.

— Aimerais-tu mieux que nous allions ailleurs, Simone ?

— Euh… non... Ça va aller, je pense.

Paul posa sa main sur la sienne et lui serra les doigts pour la réconforter. Simone lui sourit avec reconnaissance. Elle détourna son regard de Bastien. Le lendemain de la mort de monsieur Provencher, elle s'était promis que ses cicatrices guériraient. En gardant Bastien dans ses pensées, elle n'y parviendrait jamais. Elle n'allait pas s'effondrer en voyant son ancien amant dans les bras de cette peste de Georgina, tout de même !

Évelina, les joues roses, s'était rapprochée de Wlodek. Le menton reposant dans la paume de sa main – pour soutenir sa tête alourdie par l'alcool –, elle écoutait avec attention le médecin. Ce dernier commençait aussi à être ivre. Il parlait d'une voix mélancolique de son enfance, de sa vie en général. Si Évelina avait été sobre, elle se serait probablement ennuyée en l'entendant raconter sa jeunesse, mais elle souriait béatement aux propos du médecin. Clément murmura à l'oreille de Flavie ; quelques secondes après, tous deux se dirigèrent vers le plancher de danse. La soirée était des plus agréables et, pour la première fois depuis longtemps, Simone se sentait parfaitement détendue. Les effets du rhum y étaient sûrement pour quelque chose. Quand Paul se leva et lui tendit la main, elle accepta de le suivre sur le plancher de danse.

Simone se laissa envahir par la musique ; elle oublia la présence de Bastien. La musique entraînante des Canadian Ambassadors avait convié presque tous les spectateurs à danser, sauf Évelina qui continuait à écouter Wlodek, le regard perdu dans les yeux du médecin. Après une vingtaine de minutes à suivre le rythme infernal de la musique, Simone et Paul, épuisés, retournèrent s'asseoir. En voyant Évelina la tête sur la table, Paul dit à Simone qu'il était peut-être temps de rentrer. Wlodek semblait dans un meilleur état qu'Évelina malgré la quantité de vodka qu'il avait ingurgitée. Il continuait de raconter ses histoires à Évelina ; un mot polonais fusait par-ci par-là.

Clément et Flavie se postèrent près d'Évelina.

— Clément et moi allons nous charger de ramener Wlodek à sa pension, dit Paul. Flavie et Simone, occupez-vous d'Évelina. Allez, Wlodek, un petit effort ! On rentre à la maison !

Paul et Clément aidèrent le pédiatre à se mettre debout. Évelina leva la tête en entendant le prénom de Wlodek. Simone prêta main-forte à son amie pour qu'elle se lève.

— Je pense qu'il est l'heure de rentrer, Évelina, dit-elle. On a un couvre-feu à respecter.

— Ah non! Je commence à m'amuser!

— Tu vas moins t'amuser demain avec ton mal de tête.

Wlodek s'approcha d'Évelina en titubant légèrement.

— Avant de partir, je dois saluer mademoiselle Évelina quand même, chers collègues!

Il attira à lui la jeune femme et l'embrassa à pleine bouche. Évelina n'opposa aucune résistance et se laissa tomber dans les bras du médecin. Paul et Clément saluèrent Flavie et Simone, puis ils entraînèrent Wlodek hors de la salle.

Évelina balbutia:

— Vous avez vu ça! Personne ne m'a jamais embrassée comme ça!

— Non, en effet! Personne n'embrasse mieux qu'un Polonais soûl!

* * *

Simone et Flavie eurent toutes les peines du monde à ramener leur amie à la résidence. Durant le trajet, elles durent soutenir une Évelina molle comme une poupée de chiffon. Sur la courte distance à marcher pour se rendre à l'hôpital après être descendu du tramway, Évelina vomit deux fois et faillit tomber à la renverse dans une congère en face de l'hôpital. Simone et Flavie l'aidèrent à enfiler sa chemise de nuit et à se mettre au lit. Elles prirent soin de placer un seau près du lit au cas où Évelina vomirait encore. Cette dernière parlait fort et n'arrêtait pas de répéter combien Wlodek embrassait bien, comme c'était agréable dans les bras du médecin et à quel point elle aimait Simone et Flavie – deux véritables sœurs pour elle. Simone dut lui dire de baisser le ton pour ne pas réveiller les autres pensionnaires.

— Je ne sais pas ce que je ferais sans vous deux, les filles, déclara Évelina. Je vous aime tellement !

— Ben oui, nous aussi, Évelina. Mais tu nous aimeras moins demain matin quand on te réveillera afin que tu ailles t'occuper de tes patients.

— Je serai tellement une bonne infirmière ! Vous allez voir ! Les patients vont s'arracher les soins d'Évelina Richer !

— Allez, Évelina, bonne nuit !

— J'ai tellement passé une belle soirée en votre compagnie ! Il faudra se reprendre prochainement !

— Oui, mais une soirée un peu moins arrosée de vodka pour toi, Évelina.

Celle-ci vint pour répliquer, mais elle se pencha plutôt vers le seau pour vomir. Simone lui apporta un gant de toilette humide pour se laver le visage. Flavie se chargea d'aller vider le seau pendant que Simone aidait Évelina à se recoucher.

— Ah ! Comme je me sens mal ! Je ne boirai plus jamais de vodka !

— Promesse d'ivrogne ! Bonne nuit, Évelina !

10

Le lendemain de la fameuse sortie au club Montmartre, Évelina eut beaucoup de difficulté à se tirer hors du lit. Elle se réveilla avec un affreux mal de tête et l'estomac à l'envers. Simone et Flavie se moquèrent en la voyant aussi mal en point.

— Tu as ronflé toute la nuit comme un vieil ivrogne, Évelina, dit Simone. On se serait cru au bon vieux temps, lors de notre première nuit ici, quand Marie-Ange Gascon nous avait tenues réveillées toute la nuit avec ses ronflements.

— Tu exagères ! Je ne ronfle jamais !

L'air interrogateur, Évelina attendait que Flavie la rassure. Mais celle-ci hocha la tête :

— Simone dit vrai, Évelina. Tu as ronflé une bonne partie de la nuit.

— Ah ! J'ai tellement mal à la tête ! Je pense que je vais rester couchée toute la journée. Jamais je ne pourrai travailler avec ce mal de bloc !

Simone lui tendit un verre d'eau et deux cachets d'aspirine.

— Allez ! Avale-moi ça, Évelina. Et viens nous rejoindre à la salle à manger avec ton plus beau sourire.

Évelina grimaça en avalant l'aspirine. Elle tira la langue à Flavie et Simone avant qu'elles sortent dans le couloir. Ces dernières entendirent leur amie protester d'une voix étouffée :

— Pas si fort la porte !

— Je pense qu'Évelina a mal aux cheveux ce matin! s'exclama Flavie. Elle aurait dû y aller doucement sur la vodka.

— Elle aura eu sa leçon, j'espère, répondit Simone en bâillant. Elle nous a tenues réveillées une bonne partie de la nuit avec ses ronflements.

— Ça, c'est quand elle n'était pas malade!

— Espérons que cette cuite sera sa dernière!

Simone se servit un café et une tranche de pain grillé pour déjeuner. Elle avait un peu bu elle aussi, la veille, et une légère nausée lui était venue à la vue du gruau. Les deux jeunes femmes s'installèrent à leur table habituelle et entamèrent leur repas. Évelina se joignit à elles; il n'y avait qu'une tasse de café noir sur son plateau.

— Je suis incapable d'avaler autre chose ce matin. Pff! C'est fort, la vodka. On ne m'y reprendra plus. J'ai tellement mal à la tête!

Pour se moquer, Simone leva sa tasse de café et, fixant Évelina dans les yeux, elle dit:

— *Na zdrowie!*

Évelina grimaça avant de prendre une gorgée de café.

— Je pense, Évelina, que tu t'y es mal prise pour impressionner le docteur Litwinski. Il semble mieux supporter l'alcool que toi.

— C'est bien vrai. Le pire, c'est que je n'ai pas bu tant que ça. Quelques verres seulement.

— Il y en avait un de trop, forcément!

— Peut-être bien. En tout cas, je n'en ai pas pris suffisamment pour avoir oublié qu'il m'a embrassée avant de partir.

— Parlant du loup...

Wlodek Litwinski arriva à la table. Il toussota au moment où Évelina se retournait dans sa direction.

— Je peux vous parler, mademoiselle Évelina ?

Évelina prit son café, fit un clin d'œil à Flavie et Simone. Puis, elle suivit Wlodek à une table inoccupée un peu plus loin.

— Je pensais rendre visite à Victor en fin de journée ; tu veux venir avec moi ? demanda Flavie tout en ne quittant pas Évelina des yeux.

— Peut-être une autre fois. J'ai rendez-vous avec Charlotte en fin d'après-midi. J'ai décidé d'écrire quelques lignes dans le journal étudiant *L'Antenne de Notre-Dame*. J'ai toujours aimé écrire et c'est une bonne occasion. Charlotte et quelques consœurs cherchaient une chroniqueuse et je me suis proposée.

— C'est une bonne idée. J'ai hâte de te lire !

L'air furieux, Évelina revint à la table. Avant que ses amies puissent l'interroger, elle déclara :

— Il s'est excusé de sa conduite inappropriée d'hier soir en me promettant que ça ne se reproduirait plus. Il avait abusé de l'alcool et il regrette amèrement de s'être laissé aller ainsi ! Moi qui pensais qu'on avait enfin franchi une étape dans notre relation ! Je n'en reviens pas ! Il m'a embrassée et il le regrette. Comprenez-vous ça, vous autres ?

— Il a probablement besoin de temps pour se rendre compte à quel point tu es formidable, Évelina, formula Flavie.

— Tu as sûrement raison ! En tout cas, je suis bien déçue. Mais je ne lâcherai pas prise, c'est certain ! Tiens, parlant de ténacité...

Évelina suivit des yeux Georgina, pendue au bras de Bastien. Simone termina son café avant de dire :

— Je les ai vus au club Montmartre hier soir. J'avoue que j'ai eu un petit pincement au cœur, mais bon, je devrais m'en remettre.

— Pincement au cœur ? Tu n'as aucune raison, à mon avis ! Ils vont tellement bien ensemble, ces deux fripouilles ! « Qui se ressemble s'assemble », paraît-il. Ils forment un beau couple de sans-cœur, tu ne trouves pas ?

Simone ne put s'empêcher de pouffer. Évelina n'avait pas tort : Bastien et Georgina allaient vraiment bien ensemble.

* * *

Simone avait rejoint Charlotte et deux étudiantes de troisième année dans un petit local adjacent à la bibliothèque. La jeune femme avait été intriguée lorsque Charlotte lui avait demandé si elle voulait participer à la rédaction de *L'Antenne de Notre-Dame*, un journal étudiant créé quelques années auparavant. Simone appréciait beaucoup cette publication mensuelle. Les quelques pages concernant la mode et les différents potins ne l'intéressaient guère – c'était les seuls articles qu'Évelina lisait –, mais Simone prenait plaisir à lire tout ce qui concernait les avancées médicales et les différentes technologies mises sur le marché pour améliorer les soins aux patients.

Charlotte lui expliqua en quoi consisterait son travail de rédaction.

— Marguerite, Yvette et moi aimerions apporter un aspect plus humain à notre journal. Ce serait agréable de connaître un peu mieux les différents intervenants dans l'hôpital. Tu pourrais interroger des médecins et des infirmières à propos de leur décision d'exercer ce métier, par exemple. Les possibilités sont infinies!

«L'idée pourrait être intéressante», pensa Simone. Ça ajouterait un peu de contenu à cette publication qui propose un peu trop de potins à mon goût!» Yvette, une étudiante de troisième année, intervint:

— Nous avons pensé que tu pourrais rencontrer le docteur Litwinski pour qu'il nous parle de son pays, de la raison pour laquelle il a choisi la pédiatrie. Il est nouvellement arrivé et ce serait intéressant d'en apprendre davantage à son sujet.

Simone sourit en pensant à la tête que ferait Évelina quand elle lui annoncerait qu'on lui avait demandé d'interroger Wlodek pour un article dans le journal. Yvette continua:

— Tu pourrais même questionner quelques religieuses, dans le but de faire un lien entre l'aspect laïque et religieux de l'hôpital. Nous côtoyons tous les jours des sœurs que nous ne connaissons pas.

Yvette n'avait pas tort. Simone connaissait bien Charlotte, mais qu'en était-il de ses consœurs? Marguerite, l'autre étudiante, se joignit à Yvette afin de convaincre Simone de s'impliquer dans le journal.

— Charlotte nous a dit que tu étais une ancienne enseignante. Peut-être pourrais-tu aussi réviser nos textes, si tu as le temps? Je dois avouer que l'orthographe et la grammaire ne sont pas nos points forts, malheureusement.

— Bon, vous m'avez convaincue, ce n'est pas nécessaire d'insister. Je ferai les entretiens avec les différents intervenants. Mais je dois vous prévenir que mes études et mon travail passeront toujours avant la rédaction des articles.

— Bien entendu, Simone, approuva Charlotte. Bienvenue parmi nous !

* * *

— Tu feras quoi, exactement ? s'enquit Évelina.

— Je questionnerai des médecins, des religieuses, des infirmières sur leur métier.

— Ah ! Si je savais écrire aussi bien que toi, je prendrais ta place ! Je suis jalouse, Simone ! Tu te rends compte que tu as l'occasion idéale pour passer du temps avec Wlodek ! Il n'y a pas de justice sur cette terre !

— Qu'est-ce qui est injuste, Évelina ? l'interrogea Flavie qui venait d'entrer dans la chambre.

— Simone rencontrera Wlodek pour le journal étudiant ; elle le questionnera sur sa vie et sur son métier. Je vendrais mon âme au diable pour être à la place de notre chère amie ! Mais j'y pense… Je pourrais peut-être t'assister, Simone ?

Celle-ci laissa la question d'Évelina en suspens. Elle s'adressa à Flavie :

— Comment va Victor ?

— Il semble fatigué depuis quelque temps. Sa crise cardiaque de l'an dernier l'a beaucoup affaibli. Ça m'attriste énormément. Il sort très peu, selon Arthur. Je pense que je vais appeler ma mère pour qu'elle vienne lui rendre visite. Il me semble que ça ferait du bien à Victor de la voir.

— Comme je comprends ce pauvre Victor! s'exclama Évelina. Il se laisse dépérir parce que l'amour de sa vie ne veut pas de lui. Je devrais peut-être faire pareil?

Simone roula les yeux. Évelina ramenait toujours tout à elle-même. De toute évidence, Flavie s'inquiétait pour son père. Simone essaya de rassurer celle-ci:

— C'est probablement le trop long hiver qui le rend aussi mélancolique et affaibli. Ce n'est peut-être pas une mauvaise idée d'appeler ta mère. Et puis, on devrait essayer de le visiter plus souvent. Je suis certaine qu'il apprécierait. Ça doit être long de passer ses journées seul avec son majordome.

— C'est une bonne idée, Simone. Et puis, puisque ma mère et Victor sont amis depuis longtemps, elle saura peut-être ce qu'il convient de faire. Mais dis-moi, quand commences-tu à écrire pour *L'Antenne*?

— J'ai déjà quelques idées que j'ai prises en note dans mon carnet. Et j'ai récupéré une vieille machine à écrire au secrétariat pour rédiger mes articles. De cette façon, je remettrai mes textes au propre.

— Charlotte et les autres filles ont beaucoup de chance de te compter parmi leurs journalistes, déclara Évelina. Minutieuse comme tu l'es, tes articles seront impeccables. Même le journaliste de Flavie ne ferait pas mieux.

— C'est gentil, Évelina, de me complimenter. Mais je n'ai pas besoin de ton aide pour écrire l'article sur le docteur Litwinski.

Simone lui fit un clin d'œil ; elle connaissait trop bien Évelina. Cette dernière lui tira la langue.

— Que voulez-vous ! Une fille s'essaye...

* * *

Le docteur Litwinski avait promis à Simone de lui accorder une entrevue dès qu'il serait disponible. En attendant, Simone s'exerçait sur la machine à écrire dès qu'elle en avait le temps. Elle avait entrepris de rédiger quelques textes sur les différents services de l'hôpital avec l'accord de Charlotte. «De cette façon, chacun des services sera mieux connu de toutes les étudiantes et des infirmières diplômées», avait expliqué Simone à Charlotte. Après l'obtention de leur diplôme, les infirmières diplômées restaient affectées pendant quelques années au même service. Puisqu'elles se promenaient d'un service à l'autre pendant leurs trois années d'études, les étudiantes se faisaient rapidement une idée du domaine où elles voulaient travailler plus tard.

Simone étudiait et accomplissait ses tâches durant le jour. Le soir, elle s'installait à sa machine à écrire et y passait une partie de ses temps libres. Évelina avait peine à comprendre cet engouement pour l'écriture. Elle lui en avait fait la remarque.

— Ne me dis pas que tu as abandonné ta bibliothèque poussiéreuse pour passer tes journées à taper sur une machine à écrire.

— J'aime ça, Évelina. Je ne vois pas le temps passer quand j'écris.

— Tu négliges tes amies. On s'ennuie toutes les deux, Flavie et moi.

— Flavie est elle aussi très prise par ses études et son travail. Sœur Désuète nous avait dit à quel point la deuxième année serait occupée.

— Et toi, tu te rajoutes une corvée de plus en écrivant pour ce journal.

— Ce n'est pas une corvée pour moi, Évelina. J'adore écrire. Mais toi, tu pourrais rédiger un article sur les nouvelles tendances de la mode. Ça pourrait être intéressant de lire tes recommandations.

— Moi, écrire? Je ne sais pas trop, Simone. Bon, je pense que je vais aller faire un tour dans la salle de repos. Il y a sûrement une bonne émission de radio à écouter à cette heure, plutôt que le cliquetis de ta machine!

Évelina avait saisi un flacon de vernis à ongles avant de partir. Simone perdait la notion du temps quand elle laissait son esprit guider ses écrits. Elle aimait circuler dans l'hôpital pour y observer ce qui s'y passait et ensuite coucher sur le papier ce qu'elle avait vu. Simone ne savait pas si tous les articles qu'elle rédigeait paraîtraient dans *L'Antenne*, mais elle prenait plaisir à écrire.

* * *

Simone avait été assignée à la même salle commune que Suzelle Pelletier. Elle détestait toujours autant travailler avec la garde diplômée. Suzelle la surveillait étroitement et, à la moindre incartade, elle se précipitait dans le bureau de sœur Désuète. Simone subissait ensuite les reproches de la religieuse. Pendant l'été précédent, Simone était restée constamment sur ses gardes au travail, et la surveillance assidue de Suzelle avait presque eu raison de son désir de poursuivre ses études. Six mois s'étaient écoulés depuis, et Simone avait gagné beaucoup de confiance en elle grâce aux cours suivis et à sa présence auprès des patients. Elle s'était juré de toujours garder son sang-froid en présence de Suzelle.

Après avoir fait le tour des patients pour les installer confortablement pour la nuit, Simone remarqua que monsieur Lanctôt, le patient du lit numéro trois, paraissait souffrant. Suzelle s'était absentée pendant quelques minutes et monsieur Lanctôt était sous sa responsabilité.

Simone attendit quelques minutes avant de se rendre au chevet du patient. Suzelle serait probablement furieuse qu'elle prenne soin de l'homme, mais Simone ne pouvait tout simplement pas le laisser dans cet état. En grimaçant, monsieur Lanctôt essayait de changer de position dans son lit. La jeune femme l'aida à s'asseoir et replaça les oreillers derrière son dos tout en s'informant de son état.

— Vous semblez souffrant, monsieur Lanctôt. Garde Pelletier est sortie pour quelques minutes. Qu'est-ce que je peux faire pour vous?

— Mes médicaments n'agissent pas. Habituellement, ils m'assomment et je tombe endormi dans le temps de le dire. Ce soir, ils n'ont absolument aucun effet.

Simone consulta le dossier du patient. Elle vérifia l'heure à laquelle celui-ci avait reçu son antidouleur. Elle sursauta en voyant ce que Suzelle avait noté : cette dernière avait donné un seul comprimé au malade une demi-heure plus tôt alors qu'il aurait dû recevoir une double dose. Simone téléphona au médecin de garde pour s'assurer que monsieur Lanctôt pouvait prendre un comprimé de plus. Après en avoir reçu confirmation, elle remit un cachet au patient avec un verre d'eau et l'assura qu'une trentaine de minutes plus tard, la douleur aurait presque totalement disparu. Puis, Simone réinstalla confortablement monsieur Lanctôt dans son lit et nota dans le dossier l'heure à laquelle elle lui avait donné le médicament.

Suzelle revint dans la salle au moment où Simone déposait le dossier du patient dans le compartiment prévu à cet effet, au pied du lit. L'air furieux, Suzelle traversa la salle à grandes enjambées. Elle se planta devant Simone, les mains sur les hanches.

— De quoi te mêles-tu, Simone Lafond? Monsieur Lanctôt est mon patient. Tu n'as pas d'affaire à farfouiller dans mes dossiers.

Pour toute réponse, Simone lui fit signe de la suivre dans le couloir. Elle ne voulait pas déranger les patients avec la discussion qui s'annonçait vive, d'après la réaction de Suzelle. Simone referma la porte délicatement derrière elle.

Suzelle pesta :

— Tu n'es vraiment pas gênée, Simone Lafond! Occupe-toi de tes patients et laisse-moi m'occuper des miens.

— Calme-toi, Suzelle. Durant ton absence, monsieur Lanctôt s'est plaint de douleurs. J'ai vérifié dans son dossier. Tu ne lui avais pas donné sa dose d'antidouleurs au complet.

— Voyons donc! Je suis une garde diplômée ; je ne ferais jamais cette erreur de débutante!

Suzelle retourna dans la chambre et s'empara du dossier de monsieur Lanctôt. Elle ne prit pas la peine de le consulter et revint précipitamment vers Simone qui était restée dans le couloir, le carnet sous le bras. Suzelle referma la porte de la chambre. L'air suffisant, elle parcourut le dossier. Elle fronça les sourcils quand elle se rendit compte de son erreur. Simone pointa l'anomalie qu'elle avait constatée.

— J'ai téléphoné au médecin de garde pour m'assurer que je pouvais donner un cachet supplémentaire à monsieur Lanctôt. Celui-ci semble un peu plus calme depuis qu'il a reçu sa pleine dose.

— J'imagine que tu as pris plaisir à rapporter au médecin qu'il s'agissait de mon erreur ?

— Je n'aurais jamais fait cela, Suzelle. Je lui ai dit que c'était moi qui avais omis de donner au patient ses deux comprimés. Le médecin m'a rassurée : cet oubli est sans conséquence.

— Tant mieux ! s'exclama Suzelle.

D'un ton radouci, elle ajouta :

— Je ne sais pas où j'avais la tête. J'ai eu une grosse journée.

— Oh ! Mais je comprends, Suzelle ! Tu n'as pas à te justifier auprès de l'étudiante que je suis ; après tout, tu es une infirmière diplômée. Je veux seulement que tu saches que je n'irai pas « bavasser » auprès de l'infirmière en chef à propos de ton oubli. Ça arrive à tout le monde de faire des erreurs, tu sais. Te souviens-tu de madame Laurin, la patiente qui m'avait donné du fil à retordre lors d'un prélèvement sanguin ? Tu t'en étais occupée en te moquant de moi et en disant que c'était l'expérience qui comptait. Eh bien, je vais clore la discussion d'aujourd'hui en disant que c'est la compétence qui a joué ici et que je suis très fière d'avoir pu soulager ce pauvre patient souffrant.

Sur ces entrefaites, l'air fier, Simone retourna dans la salle en se mordant les joues pour ne pas rire et en se félicitant de son sens de la répartie. Suzelle venait de comprendre qu'elle aussi pouvait commettre des erreurs. Heureusement, celle de ce jour-là n'avait pas eu de fâcheuses conséquences.

Suzelle termina son quart de travail sans plus se préoccuper des allées et venues de Simone.

* * *

— Tu lui as vraiment cloué le bec à cette Suzelle! se réjouit Évelina en entendant le récit de Simone. Elle ne sera plus constamment sur ton dos, car elle t'en doit une maintenant!

— Je ne me suis pas occupée de son patient pour cette raison. Le pauvre homme souffrait réellement.

— Je sais, Simone, à quel point tu es consciencieuse. Mais avoue que cela a été très plaisant pour toi de lui remettre la monnaie de sa pièce.

— En effet!

Les deux amies plaisantèrent sur le sujet pendant de longues minutes. Puis, Évelina se leva précipitamment en regardant sa montre.

— Je dois te quitter, car j'ai rendez-vous avec Wlodek dans la bibliothèque.

— Hein? Comme se fait-il qu'une fille dans le vent comme toi aille s'enfermer dans ce lieu rempli de poussière et de vieux livres?

— C'est la seule façon que j'aie trouvée pour être seule avec Wlodek. Je lui ai demandé de m'aider un peu dans mon cours de pédiatrie. Il a accepté sans que je doive lui tordre un bras, le croiras-tu?

— Tu l'as eu par les sentiments. Pauvre docteur Litwinski qui pense vraiment qu'en se rendant à la bibliothèque il te rend service! Il s'apprête à tomber dans un guet-apens!

— Bah! J'ai quand même quelques trucs à lui demander en ce qui concerne le cours de pédiatrie. Mais je vais aussi en profiter pour en apprendre un peu plus sur lui et pour lui donner l'occasion de me connaître un peu mieux.

— C'est sûr! Pourquoi ne pas joindre l'utile à l'agréable? Bonne soirée, Évelina! Ne t'épuise pas trop avec les études.

Évelina lui fit un clin d'œil. Puis, elle jeta un dernier regard à son reflet dans le miroir, pour vérifier que sa coiffure soit impeccable, et sortit d'un pas assuré. Simone lâcha son fou rire. Évelina était vraiment tenace. Le docteur Litwinski l'attirait tellement qu'elle était prête à toutes les bassesses. Inviter le médecin à la bibliothèque pour étudier! N'importe quoi!

Simone saisit un livre et s'installa dans son lit; elle se plaça confortablement contre les oreillers. Sa journée de travail l'avait épuisée. Elle avait envie de lire un peu pour se distraire et se coucher tôt. Elle s'était presque assoupie quand Flavie entra dans la chambre sans faire de bruit. Celle-ci retira sa coiffe et la déposa sur la commode. Flavie s'excusa auprès de Simone, croyant l'avoir réveillée.

— Je ne dormais pas, la rassura son amie. J'essayais de lire, mais mes paupières se sont fermées quelques instants. De toute façon, il fallait que je me change. Pas question que je dorme habillée en infirmière!

— Une bonne infirmière se doit d'être toujours prête en cas d'urgence!

— Quand même! Mais tu as travaillé tard, ce soir.

— J'étais de garde pour la soirée. En revenant, j'ai croisé Clément et nous avons discuté un peu. Évelina n'est pas là?

Simone devina que Flavie détournait la conversation pour éviter de parler de Clément.

— Non. Évelina est partie étudier à la bibliothèque.

— Hein? Évelina?

Simone lui raconta la dernière idée que leur amie avait eue pour se rapprocher du docteur Litwinski.

— On ne pourra pas dire qu'Évelina n'aura pas tout tenté pour se rapprocher du docteur Litwinski!

— Non, en effet! Elle est très déterminée, notre amie!

Flavie revêtit sa chemise de nuit et s'assit sur le bord du lit pour se brosser les cheveux. Simone prit place à ses côtés.

— Comment va Clément?

Flavie ferma les yeux.

— Il va bien, répondit-elle. C'est toujours pareil: il est débordé par son travail. Je me demande si un jour il y aura une accalmie de ce côté-là, ajouta-t-elle avant de déposer sa brosse à cheveux sur la commode.

— Tu devras être patiente avec Clément, Flavie. J'ai l'impression que c'est toujours compliqué d'être amoureuse d'un médecin. Les patients passent en premier dans leur vie – sauf dans le cas de Bastien: c'était lui le plus important.

Mais bon, pour la majorité des médecins, les patients sont leur priorité. Évelina devra se faire elle aussi à cette idée, que ce soit avec le docteur Litwinski ou avec un autre médecin.

— Je le sais, Simone. Mais je trouve ça difficile quand même d'être constamment reléguée au second plan. En tout cas, j'ai quand même réussi à réserver Clément pour demain soir. Ça fait une éternité que je n'ai pas mangé au restaurant des Zheng et il a accepté de m'y accompagner.

— Ça va vous faire du bien de vous éloigner de l'hôpital.

— C'est ce que je pense aussi.

Évelina entra dans la pièce. Elle déposa ses notes de cours sur sa table de chevet. Simone et Flavie constatèrent que leur amie paraissait abasourdie.

Simone la questionna :

— Mon Dieu, Évelina, qu'est-ce qui s'est passé ?

— J'ai tout déballé à Wlodek ! Je lui ai dit à quel point il m'attirait et combien j'aimerais qu'on se rapproche.

— Pourquoi cet air, alors ? Tu as toujours été directe avec les hommes, Évelina. Ce n'est pas nouveau.

— Il me déstabilise complètement ! Je l'ai presque imploré de considérer la question ! Je n'ai jamais fait ça auparavant. Je ne m'acharne pas habituellement sur les hommes que je n'intéresse pas. Mais je signerais un pacte avec le diable seulement pour que Wlodek m'accorde un peu d'attention ! Je ne peux pas croire que je me sois laissée aller comme ça ! J'ai presque versé une larme en le suppliant de m'accorder un rendez-vous !

— Et comment a-t-il réagi?

— Il m'a simplement dit qu'il réfléchirait à tout ça. Et il m'a encouragée à poursuivre sur ma lancée dans le cours de pédiatrie. Wlodek semble croire que je réussirai le cours sans problème.

— C'est encourageant! se moqua Simone.

— Si tu savais comme je me fous de ce cours, Simone! En tout cas, on verra bien. La balle est à présent dans le camp de Wlodek!

— C'est certain, puisqu'il connaît maintenant tes intentions!

— Oui madame! Je ne sais pas si je trouverai le sommeil ce soir. Je suis enfin sur le point d'obtenir un rendez-vous avec le beau Wlodek Litwinski!

— On te le souhaite, Évelina, dit Flavie en bâillant. Bonne nuit, les filles! J'ai eu une grosse journée!

— Moi aussi! Bonne nuit, Évelina, et fais de beaux rêves!

— Je vais rêver à la Pologne ce soir, c'est sûr!

* * *

Simone parcourait le restaurant du regard, attendant que monsieur Zheng apporte les bols de soupe. Flavie ne parlait pas, fixant un point droit devant elle. Elle avait attendu Clément de longues minutes dans le hall d'entrée. Finalement, il était venu la prévenir qu'il ne pourrait pas aller au restaurant ce soir-là. Lorsqu'elle avait vu la mine déconfite de son amie, Simone avait proposé de l'accompagner.

— Ça va te faire du bien de sortir, et puis je n'ai rien de prévu pour ce soir, avait menti Simone en pensant à ses devoirs écrits qu'elle n'avait pas encore terminés. Évelina travaille et on n'est pas obligées de passer la soirée ici à s'ennuyer.

Flavie avait esquissé un petit sourire avant d'accepter la proposition de Simone. À présent, les deux amies se faisaient face en silence. Simone ne savait pas quoi dire à Flavie pour amoindrir sa tristesse et sa colère que Clément l'ait laissée tomber une fois encore. Monsieur Zheng déposa les bols fumants devant les deux jeunes femmes. Flavie le remercia, puis elle soupira en regardant Simone.

— Je suis de piètre compagnie ce soir, pauvre Simone. J'aurais mieux fait de rester à l'hôpital. Tu avais probablement mille choses de mieux à faire que de remonter le moral de ton amie.

— Bof ! Mes devoirs peuvent attendre. Ça me fait plaisir d'être ici avec toi. Mais j'aimerais que tu sois moins triste, Flavie.

— Je ne sais pas du tout où s'en va ma relation avec Clément. Je t'avoue que je suis déçue.

— Laisse le temps passer un peu, Flavie. Concentre-toi sur tes études. La situation est extrêmement décevante, c'est vrai, mais tu ne dois pas en vouloir à Clément. Ce n'est sûrement pas évident de se tailler une place en chirurgie. Clément est nouvellement diplômé et il doit faire son nom.

— Tu as sans doute raison.

Flavie prit une cuillerée de soupe. Elle souffla sur le bouillon pour qu'il refroidisse avant de porter la cuillère à ses lèvres. Simone fit de même. Un courant d'air froid s'engouffra dans le restaurant et la porte d'entrée se referma. Simone vit Léo

Gazaille se diriger vers leur table. Elle n'eut pas le temps de prévenir Flavie qui tournait le dos à l'arrivant.

— Flavie! Comme je suis heureux de te revoir! Bonsoir, Simone!

Flavie se retourna en entendant Léo. Simone perçut le trouble chez son amie.

— Tu veux te joindre à nous, Léo? demanda Flavie en rougissant.

— Je ne voudrais pas vous déranger.

Devant le regard insistant de Flavie, Simone prit le relais:

— Ça nous ferait plaisir que tu te joignes à nous, Léo.

— Dans ce cas...

Léo approcha une chaise et s'installa au bout de la table. Monsieur Zheng lui apporta un bol de soupe avant même que Léo ne passe sa commande. Après le départ du serveur, le journaliste déclara:

— Monsieur Zheng connaît bien mes habitudes, car je commande toujours la même chose. J'ai un article à rédiger pour la prochaine tombée, mais j'ai quand même le droit de prendre une pause pour manger. Comment ça se passe à l'hôpital, ces temps-ci?

Flavie entreprit de raconter à Léo son quotidien: les études et les journées bien remplies passées à prodiguer des soins aux patients.

— Simone suit tes traces en journalisme, Léo. Elle écrit maintenant pour *L'Antenne de Notre-Dame*, notre journal étudiant.

— Flavie exagère un peu. Je prends plaisir à écrire, c'est tout. Il s'agit seulement d'un passe-temps ; loin de moi l'idée d'entreprendre une carrière journalistique.

— Il y a un début à tout !

Léo fit un clin d'œil à Simone. Monsieur Zheng revint des cuisines avec un plat de *dim sum*. Simone huma l'odeur appétissante des boulettes de pâtes. Flavie lui avait fait découvrir les mets chinois l'année précédente. Simone avait été conquise par les épices et la saveur des plats du restaurant de monsieur et madame Zheng.

Flavie semblait heureuse de discuter avec Léo. Simone était contente de voir que son amie avait mis de côté ses préoccupations concernant Clément et qu'elle en profitait pour se distraire un peu. Simone se doutait bien que Léo brouillerait les cartes et susciterait un questionnement chez Flavie : voulait-elle être avec Clément ou avec Léo ? « Peut-être que si Clément apprend que Flavie a passé la soirée avec Léo, il réagira et se rapprochera d'elle », pensa Simone en observant son amie. Le journaliste avait beaucoup de charme, ce à quoi Flavie n'était certainement pas insensible. Et puis, ce dernier n'éconduirait jamais Flavie pour faire passer son travail avant elle. Simone avait souhaité à plusieurs reprises que Bastien soit aussi prévenant avec elle que Paul l'était. Probablement que Flavie pensait la même chose vis-à-vis de Clément en voyant à quel point Léo était heureux de souper avec elle. La vie parfois jouait de drôles de tours...

11

S imone était assise dans la salle à manger, son crayon et son carnet de notes posés à côté d'elle. Elle sirotait une tasse de thé en attendant l'arrivée du docteur Litwinski. Ce dernier l'avait prévenue un peu plus tôt qu'il serait disponible pour lui accorder une entrevue pour *L'Antenne* après sa tournée de patients, en fin de journée. Simone avait préparé d'avance ses questions. C'était le conseil que Léo lui avait donné, lors de leur rencontre au restaurant Zheng. Selon lui, on s'assurait ainsi de mener une entrevue efficace.

Simone prit une gorgée de thé et jeta un coup d'œil à sa montre. Le docteur Litwinski était en retard d'une dizaine de minutes. Souhaitant réellement réaliser cette entrevue, elle espérait qu'il ne lui avait pas fait faux bond. Elle décida de relire les questions qu'elle avait préparées. Levant les yeux, elle vit Bastien et Georgina qui s'installaient à une table en face d'elle. Celle-ci lui faisait face et, de toute évidence, elle voulait que Simone se rende compte de sa présence. Elle parlait d'une voix forte, gesticulait et riait à gorge déployée aux moindres propos de Bastien. Simone détourna les yeux. Il lui arrivait encore parfois de souffrir de sa rupture avec Bastien. Ce qui lui manquait le plus était les moments intimes qu'ils avaient partagés dans une chambre d'hôtel. Pour une fois, elle avait eu le sentiment d'être aimée. Bastien s'était probablement amusé à ses dépens. Toutefois, pendant les quelques semaines où elle l'avait fréquenté, Simone s'était sentie désirable. Et elle avait compris qu'elle était autre chose qu'une enfant délaissée et une étudiante en soins infirmiers : elle était une femme qui aspirait à être aimée.

Bastien se retourna quelques secondes et fit la moue en l'apercevant. Simone ressentit un pincement au cœur. Elle avait au moins compris une chose à la suite de sa relation avec Bastien. La prochaine fois – s'il y avait une prochaine fois –, elle prendrait son temps avant de s'investir complètement dans une relation avec un homme. Elle avait failli gâcher son avenir avec cette grossesse non désirée.

Simone venait de terminer son thé lorsque le docteur Litwinski entra dans la salle à manger. Il la rejoignit en souriant et s'installa sur la chaise devant elle.

— Je suis vraiment désolé, mademoiselle Lafond. J'ai dû m'occuper d'un jeune patient qui venait d'être admis. Je craignais que vous n'ayez quitté en pensant que je vous avais posé un lapin.

— Je me doutais bien qu'une urgence était survenue, docteur Litwinski. Nous vous sommes reconnaissantes, mes collègues et moi, que vous nous accordiez une entrevue malgré votre emploi du temps chargé.

— Je dois avouer que cette entrevue m'arrange personnellement. Voyez-vous, ce n'est pas évident d'être un médecin polonais exilé en ces temps de méfiance envers les étrangers. J'espère que cette entrevue fera en sorte que le personnel de l'hôpital me connaîtra un peu mieux.

— J'imagine en effet que ce doit être difficile de se trouver loin de chez soi.

— Effectivement.

— J'ai entendu dire que vous êtes un des meilleurs pédiatres de l'hôpital. Vos collègues doivent apprécier votre compétence.

Bastien, suivi de près par Georgina, passa devant la table occupée par Simone et le docteur Litwinski. Suivant des yeux son collègue, le docteur Litwinski déclara :

— Le docteur Couture fait partie de ceux qui n'aiment pas devoir me côtoyer dans cet hôpital. À vrai dire, plusieurs collègues semblent se sentir menacés par ma présence. Ils ont peur que les médecins venus de l'étranger limitent l'embauche des finissants en médecine. Heureusement, j'ai reçu un accueil chaleureux de la part du docteur Langlois et du docteur Choquette.

— À mon avis, il y a de la place pour tout le monde ici. L'hôpital Notre-Dame est le plus moderne en Amérique du Nord et utilise les technologies les plus avancées. Les religieuses nous le répètent assez souvent !

— Je suis du même avis que vous, mademoiselle Lafond.

— Appelez-moi Simone, je vous en prie.

Le docteur Litwinski lui sourit. Puis, il entreprit de raconter ce qui l'avait poussé à venir s'installer au Canada : le décès de sa femme, la montée du fascisme et l'envie de commencer une nouvelle vie ailleurs.

— J'ai hésité entre les États-Unis et le Canada. Mais j'ai plus de facilité avec la langue française qu'avec la langue anglaise, bien que plusieurs personnes se moquent de mon accent.

— Votre accent est tout à fait charmant, formula Simone en continuant d'écrire, sans se rendre compte qu'elle venait de complimenter le médecin.

Quand la jeune femme le réalisa, elle rougit. «Me voilà maintenant comme Évelina, avec mes flatteries lancées à tout vent!» pensa-t-elle, embarrassée par sa désinvolture vis-à-vis du médecin. Le docteur Litwinski ne releva pas le compliment. Il continua de raconter son enfance en Pologne et les dernières années vécues dans son pays. Simone notait les grandes lignes de ses propos, tout en se disant que son article permettrait au personnel de connaître un peu mieux le pédiatre. Le récit du médecin était intéressant et captiverait sûrement les lecteurs. Simone était fascinée par le vécu de Wlodek Litwinski. Il parla de sa ville natale, Cracovie, avec un peu de nostalgie dans la voix. Wlodek avait connu une vie relativement facile là-bas. Il avait repris le cabinet de son père, médecin lui aussi, après le décès de celui-ci.

— J'étais bien établi là-bas, et j'adorais ma clientèle. La crise économique s'est aussi fait sentir en Pologne, et bon nombre d'enfants ont souffert d'un manque de soins. Je n'ai jamais refusé un patient parce que ses parents ne pouvaient me payer.

— Dans ce cas, pourquoi avoir quitté Cracovie si des enfants avaient besoin de vous?

— Ça a été un choix déchirant. Je ne pense pas que l'Allemagne d'Hitler respectera le pacte de non-agression. Les Allemands veulent agrandir leur troisième Reich; je n'avais pas du tout envie d'être témoin de cette invasion de fascistes. Mes collègues juifs craignaient le pire. C'est la mort de ma femme qui m'a finalement décidé à quitter le pays pendant qu'il en était encore temps.

— La décision de tout quitter a certainement été difficile...

Wlodek resta silencieux quelques secondes. Il semblait loin, perdu quelque part sur les bords de la Vistule. Puis, il confia:

— Je ne regrette pas d'être venu m'établir ici, malgré l'accueil réticent que me témoignent certaines personnes. Montréal est une ville sympathique, somme toute.

Évelina surgit à leur table. La jeune femme tira une chaise et s'assit à côté de Simone, en face du médecin.

— Je ne pensais pas vous trouver ici! Quelle chance que je sois venue me chercher une tasse de thé! Je peux me joindre à vous?

Simone contint à grand-peine son exaspération. «Évelina savait parfaitement que j'étais ici. Heureusement, l'entrevue est presque terminée; sinon, elle ne me laisserait jamais finir, c'est certain!» Simone avait eu le malheur de dire à son amie que le docteur Litwinski lui accorderait enfin l'entrevue qu'elle attendait depuis quelques semaines. Évelina avait juré qu'elle ne les dérangerait pas. De toute évidence, elle avait oublié sa promesse.

— Et puis? Ça avance cette entrevue, Simone? Quels secrets allons-nous découvrir sur vous, Wlodek?

— Aucun secret d'État certainement, mademoiselle Richer! Je pense que j'ai répondu à toutes vos questions, Simone?

— Oui, docteur Litwinski, nous avons fait le tour. Merci encore une fois pour votre générosité.

— Ça m'a fait plaisir. Bonne soirée, mesdemoiselles!

Le docteur Litwinski quitta aussitôt la pièce. Évelina poussa un soupir.

— Mon Dieu! On dirait presque que c'est moi qui l'ai fait fuir.

Simone se retint de lui faire remarquer qu'en effet, le docteur Litwinski avait semblé mal à l'aise en sa présence. Elle se contenta de dire :

— Lui et moi avions terminé notre entrevue, Évelina. Viens, retournons à notre chambre. Je voudrais commencer la rédaction de mon article pendant que les informations sont encore fraîches à ma mémoire.

Se levant à regret, Simone prit son carnet en songeant qu'elle aurait bien aimé poursuivre sa conversation avec le pédiatre.

* * *

— Sincèrement, je ne croyais pas que je vous dérangerais à ce point, Simone !

— En fait, ce qui m'a le plus dérangée, Évelina, c'est le ton sur lequel tu as prétendu ignorer que Wlodek et moi étions dans la salle à manger. Tu savais parfaitement que nous nous y trouvions.

— Je l'avoue : je voulais profiter de l'occasion. Tu discutais avec le plus beau médecin de tout l'hôpital. Je n'allais tout de même pas laisser passer cette chance, n'est-ce pas ?

Simone en voulait à Évelina d'avoir interrompu sa conversation avec le docteur Litwinski. Repentante, Évelina s'approcha de son amie.

— Je suis désolée, Simone. Je ne voulais vraiment pas vous déranger, le docteur Litwinski et toi. Mais Wlodek est une véritable énigme pour moi. Je suis jalouse du fait que tu aies passé une partie de la fin de l'après-midi avec lui, alors qu'il ne veut jamais me voir en tête à tête.

— C'était seulement pour me parler de lui dans le cadre de l'entrevue qu'il a accepté de me rencontrer.

— Je le sais bien, Simone, mais je suis quand même jalouse !

Voulant clore le sujet, Simone s'installa à sa table de travail. Après avoir placé une feuille prête à l'emploi dans la machine à écrire, elle posa les mains sur le clavier, attendant l'inspiration. Évelina la regarda quelques secondes, puis elle haussa les épaules avant de déclarer :

— OK, je te laisse tranquille. Je vais en profiter pour aller manger une bouchée avant ma garde du soir. Promets-moi par contre que je serai la première à lire ton article. Je brûle d'impatience de connaître davantage Wlodek Litwinski.

Simone hocha la tête sans parler, tentant de se concentrer. Elle disposait d'une demi-heure avant de reprendre le service de garde au deuxième étage pour la soirée. Flavie, qui était en congé, avait décidé de rendre visite à Victor. Se laissant bercer par le cliquetis des touches du clavier, Simone retranscrit les notes prises durant l'entrevue.

Le temps passa rapidement. Simone quitta à regret sa machine à écrire. Remettant sa coiffe, elle se dirigea vers l'étage où elle passerait la soirée. Après avoir écouté les instructions de l'infirmière de garde, elle entreprit de faire la tournée des patients. Tout était calme sur l'étage. Plusieurs patients avaient reçu leurs médicaments pour la nuit ; ils étaient déjà dans les bras de Morphée.

La jeune femme s'installa au poste de garde après sa tournée. La soirée s'annonçait tranquille : l'état de chaque patient était stable. Simone préférait les soirées calmes étant donné que le personnel médical était plus restreint la nuit et en soirée. Elle avait terminé la lecture des diverses informations et documents laissés par l'infirmière précédente, comme l'exigeait la procédure, à chaque début de service.

Assise face au tableau lumineux qui l'avertirait si un patient la requérait, Simone comptait commencer à rédiger son article sur le docteur Litwinski. Quand elle regarda le panneau de contrôle, elle vit qu'un des voyants lumineux était allumé. Simone prit la clé permettant de désactiver le voyant lumineux dans l'interrupteur placé au chevet du patient, puis elle se dirigea vers le malade qui l'avait réclamée.

Simone entra dans la salle. Elle s'approcha du lit de monsieur Robichaud, qui semblait agité. Elle commença la lecture du dossier du patient tout en s'informant de ce dont ce dernier avait besoin.

— J'ai beaucoup de difficulté à respirer, garde. J'ai l'impression d'être pris dans un étau.

Monsieur Robichaud se tenait la poitrine à deux mains. Il avait le souffle court, le visage couvert de sueur et les lèvres bleues. Simone se précipita sur le téléphone le plus près pour appeler le médecin de garde. Elle suspectait une embolie pulmonaire, étant donné que l'homme était alité depuis plusieurs jours à la suite d'une chirurgie.

Après avoir joint le médecin, Simone retourna au chevet de monsieur Robichaud. Elle avait apporté une dose d'héparine, ainsi que tout ce qu'il fallait pour installer un soluté. L'état du patient n'avait pas changé; il respirait toujours avec difficulté. Les quelques minutes écoulées après l'appel téléphonique parurent durer une éternité. Le médecin de garde arriva finalement. Simone lui résuma la situation avant même qu'il consulte le dossier posé sur la table de chevet.

— Monsieur Robichaud a été opéré il y a quelques jours, indiqua-t-elle. Il s'agit peut-être d'une embolie pulmonaire. J'ai noté une chute de sa tension artérielle après vous avoir téléphoné. J'ai pris la peine d'apporter tout le matériel nécessaire afin de sauver du temps.

Le médecin haussa les sourcils tout en auscultant le patient.

— Vous avez bien fait, car il s'agit probablement d'une embolie pulmonaire, comme vous le suspectiez. Nous allons commencer dès maintenant le traitement aux anticoagulants.

Simone installa aussitôt le soluté au bras du patient. Le médecin recommanda la mise en place d'un masque à oxygène et injecta un sédatif dans l'autre bras pour calmer monsieur Robichaud.

Le docteur Riendeau et Simone restèrent au chevet du patient durant un bon moment jusqu'à ce que celui-ci soit moins agité et respire un peu plus calmement. Après avoir repris la tension artérielle de monsieur Robichaud, le médecin se tourna vers Simone. Il regarda son insigne avant de déclarer :

— Vous avez bien réagi, garde Lafond, même si vous n'en êtes qu'à votre deuxième année d'études, comme vous me l'avez dit au téléphone tout à l'heure. Les vingt-quatre prochaines heures seront critiques pour monsieur Robichaud, mais les anticoagulants devraient faire effet. Grâce à votre intervention rapide, vous avez probablement sauvé la vie du patient. Je vous félicite également d'avoir tout préparé en attendant mon arrivée. L'hôpital devrait compter plus d'infirmières comme vous, promptes à réagir au moindre signal d'alarme.

Le médecin souhaita une bonne fin de soirée à Simone après lui avoir recommandé de vérifier fréquemment l'état de monsieur Robichaud. Savourant les dernières paroles du docteur Riendeau, Simone resta quelques minutes encore au chevet de l'homme. Elle avait préparé le matériel en suivant son instinct, tout simplement. Le patient s'en sortirait probablement grâce à son efficacité. Simone termina son service très fière d'elle-même.

* * *

Sœur Désuète fit signe à Simone de s'asseoir sur la chaise devant son bureau. Cette dernière se demandait ce que lui voulait la religieuse. Elle avait assisté à son cours d'obstétrique et se dirigeait vers la salle qui lui avait été assignée pour apporter le repas aux patients quand sœur Désuète l'avait convoquée à son bureau.

— Le médecin de garde m'a envoyé une note. Il y précise que lors de votre garde d'hier soir au troisième étage, vous aviez la charge de monsieur Robichaud.

Simone retint sa respiration. Peut-être que l'homme avait succombé durant la nuit et que sœur Désuète voulait lui annoncer la nouvelle. La religieuse poursuivit :

— Le docteur Riendeau tenait à souligner votre intervention. Il m'a écrit qu'il a rarement vu chez une étudiante une telle efficacité. Permettez-moi de vous féliciter, mademoiselle Lafond. Le patient est hors de danger grâce à vous.

Simone était stupéfaite, car la religieuse se montrait habituellement avare de compliments.

— Mes exigences et ma rigueur envers les étudiantes semblent porter leurs fruits ! Je suis très satisfaite des commentaires du docteur Riendeau vous concernant, et j'espère que vous poursuivrez sur cette lancée, mademoiselle Lafond. Une bonne infirmière se doit d'être d'une extrême vigilance.

Simone remercia la religieuse avant de sortir du bureau. Flavie l'attendait dans le couloir.

— Et puis? s'enquit celle-ci d'une voix inquiète.

— Figure-toi que sœur Désuète voulait me féliciter d'être intervenue rapidement auprès de monsieur Robichaud.

— Tant mieux! Je suis soulagée, car on ne sait jamais trop à quoi s'attendre lorsqu'on est convoqué ici. Je t'attendais parce que j'ai un service à te demander.

Contrairement à Évelina, Flavie demandait rarement l'aide de ses amies. Simone avait remplacé Flavie à quelques reprises, ce dont elle se réjouissait. Simone s'apprêtait à lui répondre qu'elle la remplacerait avec plaisir ce soir-là. Flavie fut plus rapide et lui exposa de quoi il était question:

— En fait, si tu es libre un peu avant le souper, je voudrais que tu accompagnes Paul chez Victor. Mon père m'inquiète depuis un certain temps. Arthur m'a dit qu'il refuse d'appeler son médecin. Si le médecin se rend directement chez lui, il n'aura pas le choix de se faire examiner.

— Pourquoi est-ce que tu n'y vas pas avec Paul? Et pourquoi, d'ailleurs, avoir demandé l'aide de ce dernier?

— Je ne voulais pas recourir à Clément. Il est tellement occupé!

Simone perçut une pointe d'ironie dans les propos de Flavie.

— Et puis, je sais que si je suis là, mon père affirmera que tout va bien afin de ne pas m'inquiéter. Victor a beaucoup de considération pour toi; peut-être qu'il te confiera comment il se sent vraiment.

Simone hésitait. Devant son silence, Flavie poursuivit:

— Je sais que tu t'entends bien avec Paul. Il a accepté sur-le-champ de se rendre chez mon père. Victor et lui ne se connaissent pas, alors tu servirais d'intermédiaire entre eux.

Simone sourit devant le ton suppliant et le regard insistant de Flavie. «Évelina commence vraiment à déteindre sur nous deux. Je n'ai jamais vu briller dans les yeux de Flavie cette lueur si commune chez Évelina. Si ça continue, elle va me sortir un argument peu convaincant comme ceux que notre amie utilise habituellement», pensa Simone avec amusement avant de répondre à Flavie.

— Bon, d'accord, je vais accompagner Paul. Mais j'accepte seulement parce que j'ai envie de voir Victor; ça fait longtemps que je ne lui ai pas rendu visite.

— Oh! Merci Simone! Je te revaudrai ça, c'est promis! Arthur viendra vous chercher en fin d'après-midi, vers quatre heures et demie. Je vais lui téléphoner pour lui dire que tout fonctionne. Merci encore!

Flavie s'arrêta au téléphone le plus près pour appeler le major-dome de son père. Simone regarda l'heure sur sa montre. Elle aurait tout juste le temps de faire sa distribution de plateaux avant de se rendre chez Victor. Son amie avait tout prévu. Simone hocha la tête en souriant: «Flavie était certaine que j'accepterais d'aller chez Victor. Elle devient aussi ratoureuse qu'Évelina!»

* * *

Arthur conduisit Simone et Paul au petit salon, puis il alla annoncer à Victor que des visiteurs venaient d'arriver. Paul avait déposé sa trousse médicale à côté du fauteuil qu'il occupait. Simone avait préféré rester debout. En s'approchant d'une petite table d'appoint, elle remarqua le portrait de Flavie vêtue de son uniforme à côté d'un cadre qui contenait les médailles de service militaire de Victor. «Ses deux grandes fiertés!» présuma la jeune femme. Escorté de son majordome, Victor entra dans la pièce, l'air inquiet. Simone alla à sa rencontre.

— Il n'est rien arrivé à Flavie, j'espère?

— Non, rassurez-vous, Victor. Je vous présente le docteur Paul Choquette. Flavie est un peu inquiète de votre santé et elle a demandé à Paul de venir vous examiner.

Victor éclata de rire.

— Flavie est comme Bernadette: elle ne change pas facilement d'idée. Elle a décidé qu'il fallait que je voie un médecin et elle vous a dérangés tous les deux. Je lui ai pourtant dit à maintes reprises que j'allais bien, qu'elle ne devait pas s'inquiéter.

— Ça ne me dérange pas d'être ici, monsieur Desaulniers, indiqua Paul, d'autant plus que je suis en bonne compagnie!

Le médecin fit un clin d'œil à Simone avant de se lever pour serrer la main de Victor. Paul invita ensuite celui-ci à s'asseoir. Il déposa sa mallette sur un petit guéridon et sortit son stéthoscope. Victor soupira, puis il se laissa faire. Simone décida de laisser les deux hommes seuls pendant la consultation. Ainsi, Victor se sentirait probablement plus libre de parler de ses problèmes de santé avec le médecin. La jeune femme sortit dans le couloir et s'assit dans un fauteuil. Chaque fois qu'elle rendait visite à Victor, elle était impressionnée par le luxe de la résidence. La crise économique ne semblait pas avoir affecté les finances de Victor, ni celles de madame Richer. Flavie et Évelina se trouveraient à l'abri du besoin, peu importe ce qu'elles choisiraient comme parcours. «Elles pourront s'offrir le luxe de ne pas travailler si elles le souhaitent», songea Simone. Elle n'éprouvait aucune jalousie à leur égard, même si elle venait de prendre conscience que ses deux amies bénéficiaient d'un grand avantage financier. Heureusement, elle-même pourrait compter sur un métier valorisant qu'elle aimait par-dessus tout. Si la jeune femme avait parfois douté d'être à la bonne place, les félicitations de sœur Désuète l'avaient une fois de plus rassurée sur son choix de carrière.

Paul ouvrit la porte et l'invita à entrer. Victor, qui occupait le même fauteuil que plus tôt, lui sourit en la voyant.

— Tu pourras rassurer Flavie, Simone. Selon le docteur Choquette, je me porte bien.

— Oui, mais je vous ai dit, monsieur Desaulniers, que vous devriez faire travailler un peu votre cœur. Une petite promenade par jour ne vous ferait pas de tort, vous savez. Prendre l'air est bénéfique pour le corps et l'esprit.

— Je vais essayer de suivre vos recommandations, docteur. Peut-être qu'Arthur voudra m'accompagner. Sa santé n'en serait que meilleure, lui aussi !

Paul rangea son stéthoscope dans sa mallette et salua Victor avant de dire à sa compagne qu'il l'attendrait dans le couloir. Simone embrassa Victor sur les joues.

— Flavie va être contente de savoir que vous allez bien, Victor, déclara-t-elle ensuite. Elle souhaite vous garder avec elle encore longtemps.

— Promets-moi, Simone, que tu veilleras sur elle s'il m'arrivait quoi que ce soit. Je vais bien, mais je ne serai pas éternel. Et puis, j'ai bien vu la dernière fois qu'elle m'a rendu visite que ça n'allait pas très bien entre Clément et elle.

— Clément a de la difficulté à trouver du temps pour Flavie, ce que celle-ci prend plutôt mal.

— Je veux tellement que ma fille soit heureuse! Remercie-la d'avoir demandé au docteur Choquette de venir m'examiner. Et merci aussi pour ta visite. C'est toujours agréable de te voir.

Victor lui prit la main et la porta à ses lèvres avant de la laisser partir. Simone rejoignit Paul dans le couloir, puis tous deux regagnèrent le vestibule pour y récupérer leurs manteaux. Ils acceptèrent l'offre d'Arthur de les raccompagner à l'hôpital.

* * *

En sortant de chez Victor, Simone constata que l'heure du souper était passée depuis un moment. Sans trop y penser, elle invita Paul à l'accompagner au restaurant de monsieur et madame Zheng. Arthur les conduisit là-bas. Pendant le trajet, il les remercia d'avoir pris le temps de venir rendre visite à monsieur Desaulniers.

Simone et Paul s'installèrent à une table près d'une fenêtre. Ils passèrent leur commande à monsieur Zheng qui leur versa une tasse de thé avant de retourner aux cuisines.

— C'est vraiment charmant comme endroit! s'exclama Paul. C'est une bonne idée que tu as eue, Simone, de m'inviter à souper. Je travaille beaucoup ces temps-ci et ça me changera du traditionnel menu de la cantine de l'hôpital.

— Il fallait manger, de toute façon. Et puis, je dois avouer que j'étais curieuse de savoir comment s'était déroulé l'examen de Victor.

— Je suis tenu au secret professionnel, tout comme les curés, Simone!

— Je sais bien. J'espère tout simplement que le père de Flavie se porte bien.

— De manière générale, oui. Son infarctus l'a affaibli, comme tu le sais. Je pense que monsieur Desaulniers s'ennuie tout seul chez lui ; c'est probablement ce qui le rend morose.

— Tant mieux si sa santé est bonne. Flavie sera rassurée. C'est vraiment gentil à toi d'avoir pris le temps d'ausculter son père.

— Il n'y a pas de quoi. De plus, comme je l'ai dit à monsieur Desaulniers, j'étais en excellente compagnie.

Paul posa sa main sur la sienne. Simone le laissa faire. Monsieur Zheng revint avec deux bols de soupe, ce qui obligea Paul à délaisser la main de Simone. Monsieur Zheng leur souhaita bon appétit et retourna s'occuper de ses autres clients.

— Je suis affamé, avoua le médecin. Et elle sent vraiment bon, cette soupe-là !

Paul se pencha au-dessus du bol pour en respirer l'arôme. Il plongea ensuite sa cuiller dans la soupe ; il souffla quelques secondes sur le bouillon fumant avant de l'avaler. Observant son compagnon, Simone vit le sourire de satisfaction de celui-ci.

Paul déclara :

— J'ai appris que tu allais écrire un article sur le docteur Litwinski dans le prochain numéro de *L'Antenne de Notre-Dame*.

— C'est étonnant comme les nouvelles circulent vite à l'hôpital !

— Je discute souvent avec Wlodek. Il semble flatté que tu souhaites le faire mieux connaître auprès du personnel.

— C'est une idée de mes collègues journalistes. Si cela peut faciliter l'intégration du docteur Litwinski, alors j'aurai réussi mon mandat.

— Il trouve parfois difficile d'être «l'étranger» dans l'hôpital. Bastien ne lui rend pas la tâche facile, non plus. J'ai entendu dire qu'il faisait circuler une pétition pour demander que Wlodek soit transféré à l'hôpital Sainte-Justine. Bastien a toujours été un peu xénophobe.

«Et un peu misogyne aussi», pensa Simone en se souvenant du rôle de l'infirmière selon Bastien: celui de servante auprès des malades.

— Bastien a même participé à la grève des internes de 1934 visant le congédiement de Samuel Rabinovitch, un Juif, comme chef résident en médecine interne. Fort heureusement, Wlodek Litwinski est le pédiatre possédant le plus d'expérience à l'hôpital Notre-Dame. La pétition de Bastien risque de ne pas trouver preneur.

— Je l'espère sincèrement!

— Mais assez parlé de Bastien et du docteur Litwinski. J'ai aussi entendu entre les branches que tu avais été fort efficace auprès d'un patient atteint d'embolie pulmonaire.

— Laisse-moi deviner… Ne serait-ce pas le docteur Riendeau qui t'a raconté ça?

Paul lui fit un clin d'œil avant d'avaler une cuillerée de soupe.

— Tu le sais, Simone, Notre-Dame est comme un gros village!

— Je vois ça!

Simone termina sa soupe en silence. Elle sentait le regard amusé de Paul peser sur elle. Après avoir déposé sa cuillère, elle demanda :

— Avez-vous appris autre chose à mon sujet, docteur Choquette ?

— Oui. Paraît-il que vous êtes toujours disponible pour vos patients, garde Lafond, et que vous vous rendez de temps à autre à la pouponnière pour y faire du bénévolat. Tu sais, je suis vraiment content de voir que tu sembles aller mieux, Simone.

La jeune femme n'avait pas envie de discuter des mois difficiles qu'elle venait de passer. Tout était rentré dans l'ordre et elle souhaitait ardemment passer à autre chose. Elle vit avec plaisir monsieur Zheng se présenter avec le reste de la commande. Paul dévora littéralement ses *dim sum*. Simone mangea plus lentement, profitant de toutes les saveurs dont regorgeaient les boules de pâtes. Elle laissa les derniers *dim sum* à Paul, qui s'empressa de les engloutir.

Simone se resservit du thé et en offrit à Paul. Monsieur Zheng revint avec l'addition qu'il déposa au centre de la table. Paul s'empara aussitôt de celle-ci.

— Tu m'as invité à souper ici, mais c'est moi qui paye. J'ai passé une très belle soirée, Simone. Je ne voulais pas faire remonter de vieux souvenirs en te disant tout à l'heure que j'étais heureux de te voir en meilleure forme. Je ne t'ai jamais caché que j'éprouve de tendres sentiments pour toi. Je sais que tu ne veux pas t'engager actuellement, mais je suis prêt à t'attendre.

— Tu fais partie des personnes qui me sont très chères, Paul. Tu m'as été d'un grand secours, ce dont je te serai éternellement reconnaissante. Pour le moment, j'ai envie de me concentrer sur mes études. Je ne veux pas te donner de faux espoirs.

— Qui sait ce que l'avenir nous réserve, Simone ?

Paul lui fit un clin d'œil et lui prit la main.

* * *

Simone raconta à Flavie sa visite chez Victor. Elle termina le récit de sa soirée en lui disant qu'à sa sortie du restaurant de monsieur Zheng, elle avait croisé Léo. Ce dernier s'était tout de suite informé d'elle.

— Il m'a demandé trois fois de te dire qu'il aimerait bien que tu l'appelles. Il voudrait aller manger une bouchée avec toi chez monsieur Zheng.

— Je ne sais pas trop. Ça m'a remuée un peu de le rencontrer l'autre jour au restaurant. Avec Clément qui se montre distant, je me demande parfois si j'ai fait le bon choix. Depuis que j'ai revu Léo, le doute s'est installé dans mon esprit.

— Je comprends parfaitement ce que tu ressens. Je persiste à penser que Clément tient vraiment à toi et que tu dois lui laisser du temps pour se familiariser avec ses nouvelles responsabilités.

— Je sais tout cela, Simone. Mais je t'avoue que je ne sais plus du tout où j'en suis.

— Ne précipite pas les choses, Flavie. Prends ton temps.

— Ma grand-mère dit qu'il n'arrive jamais rien pour rien. Peut-être que je devrais accepter l'invitation de Léo ?

La dernière fois, Clément s'est rapproché parce qu'il avait eu peur de me perdre.

— Si j'étais à ta place, je ne jouerais pas à ce jeu-là, Flavie.

Flavie resta songeuse. Simone observa attentivement son amie. Il ne faisait aucun doute que si Évelina s'était trouvée en pareille situation, elle en aurait profité pour rendre Clément jaloux à l'extrême en se servant de Léo. Mais Flavie ne ferait jamais une chose pareille – Simone l'espérait en tout cas. Elle décida de changer de sujet.

— Victor avait l'air vraiment heureux que nous lui ayons rendu visite, Paul et moi. Mais je ne sais pas s'il suivra la recommandation de Paul, qui lui a conseillé de sortir plus souvent.

Le visage de Flavie s'éclaira.

— J'ai parlé à ma mère un peu plus tôt aujourd'hui ; comme l'an dernier, elle nous invite pour les vacances de Pâques. Victor pourrait se joindre à nous cette fois. Évelina et toi êtes en congé, je crois ?

— Oui, mais je pensais rester ici. Les examens de fin d'année arrivent à grands pas et nous avons encore plus de matière que l'an dernier à réviser.

— Ah ! Simone ! On a travaillé fort durant toute l'année ; accorde-toi donc un petit congé. Évelina ne te pardonnera pas si tu choisis de rester ici pour étudier. Et je ne te pardonnerai pas non plus...

Simone fut stupéfaite par la réponse de Flavie. Celle-ci éclata de rire.

— Tu sais bien que je plaisante, voyons! Ça te ferait du bien de passer quelques jours à La Prairie. S'éloigner de l'hôpital quelques jours ne peut être que bénéfique!

* * *

Contrairement aux autres patients de l'hôpital, ceux du service de pédiatrie n'étaient pas les plus exigeants. La plupart ne réclamaient qu'un peu d'attention: les plus jeunes enfants s'endormaient tôt, et les plus âgés demandaient souvent à l'infirmière de service de leur raconter une histoire. Très patiente avec les enfants, Simone prenait plaisir à rassembler ces derniers près du poste de garde afin de leur lire un conte avant l'extinction des feux. Elle était une des rares infirmières à prendre le temps de distraire les jeunes malades. La place des enfants n'était pas dans un hôpital, et elle souhaitait adoucir ainsi leur séjour dans l'établissement de santé.

L'initiative de Simone d'instaurer «l'heure du conte» plut à quelques infirmières, qui décidèrent d'imiter leur consœur. Simone se rendait également au chevet des enfants qui ne pouvaient se déplacer et leur racontait, à eux aussi, une histoire. Les enfants étaient moins agités et trouvaient rapidement le sommeil lorsque venait le temps de dormir.

Simone était assise par terre, entourée de cinq enfants aux yeux brillants. Elle entreprit la lecture du conte *La Belle au bois dormant*. Elle ne se rendit pas compte qu'elle avait un auditeur de plus: le docteur Litwinski, qui avait terminé sa journée de travail, s'était installé en retrait. Simone termina sa lecture avec le traditionnel: «Ils vécurent heureux jusqu'à la fin de leurs jours.» Les enfants retournèrent ensuite dans leurs lits respectifs.

Simone se leva et replaça sa coiffe. Puis, elle se prépara à aller border les enfants chacun à leur tour comme elle avait l'habitude de le faire. Elle sursauta en s'apercevant que le docteur Litwinski l'observait. Ce dernier s'approcha d'elle.

— Je n'ai pas pu m'empêcher d'écouter votre histoire, avoua-t-il. Les enfants sont choyés d'avoir une infirmière comme vous.

— J'essaye de rendre leur séjour plus agréable.

— J'aimerais discuter avec vous, si c'est possible.

— Bien sûr, si vous pouvez attendre que je fasse ma tournée. Je ne devrais pas en avoir pour très longtemps.

Wlodek acquiesça, puis il s'installa sur une chaise dans le poste de garde. Intriguée par la requête du docteur Litwinski, Simone accéléra sa tournée. Comme s'ils avaient fait exprès, plusieurs enfants qui, habituellement, ne rechignaient pas quand venait le temps de dormir, décidèrent de faire des caprices. La petite Juliette du lit numéro trois réclama une autre histoire ; Hippolyte, du lit voisin, quémanda un verre d'eau supplémentaire. Pour sa part, Jérémie, le patient du lit numéro cinq, se leva pour aller une seconde fois à la toilette. Simone essaya de ne pas perdre patience, mais elle dut menacer les enfants de les priver d'histoire le lendemain s'ils ne mettaient pas fin à leurs exigences.

Heureusement, quand elle revint au poste de garde, le docteur Litwinski l'attendait toujours. Il avait pris la peine de retirer son sarrau et il avait posé les pieds sur la chaise en face de la sienne. Se redressant, il fit signe à Simone de s'asseoir.

— Ouf! s'exclama la jeune femme. Désolée du délai, mais les enfants étaient agités ce soir. On aurait dit qu'ils s'étaient passé le mot.

— J'ai tout mon temps. Et je suis bien placé pour savoir que les enfants sont parfois exigeants.

— Ils le sont moins que certains patients adultes, je trouve.

— Vous avez bien raison! Simone, si je voulais vous voir, c'est pour vous remercier pour l'article paru dans *L'Antenne*. J'en ai pris connaissance aujourd'hui; il est très bien rédigé. J'ai eu vent d'une rumeur circulant à propos d'une pétition pour que je quitte l'hôpital. Si elle a trouvé peu d'adeptes, c'est probablement grâce à votre article. Vous m'avez presque rendu humain aux yeux de mes collègues!

— Mais vous l'êtes! En doutiez-vous? À mon avis, cette pétition n'avait pas sa raison d'être; alors, tant mieux si elle n'a pas connu de succès. Et puis, les enfants n'ont que de bons mots en ce qui concerne «leur» docteur Litwinski.

— Ils doivent dire la même chose de «leur» garde Lafond! Je vous ai observée pendant que vous lisiez le conte. Les enfants étaient fascinés par votre récit. Très peu d'infirmières se montrent aussi patientes avec les enfants.

Simone sentit ses joues s'empourprer. Décidément, c'était le mois des compliments pour elle! «Après toutes ces fleurs, je recevrai probablement le pot bientôt!» songea-t-elle avec ironie avant de répondre à Wlodek.

— Bah! J'ai l'habitude, vous savez. J'ai enseigné pendant plusieurs années dans une école de rang.

— Institutrice, journaliste et infirmière... Avez-vous d'autres talents cachés, mademoiselle?

— J'essaye seulement d'être efficace dans ce que je fais, docteur.

Wlodek se pencha vers la jeune femme.

— J'ai quelque chose à vous confier, Simone. Je n'irai pas par quatre chemins, car je n'en ai pas l'habitude.

Instinctivement, Simone recula sur sa chaise, inquiète de ce que le médecin s'apprêtait à lui dire.

— En fait, depuis notre entrevue pour *L'Antenne*, je n'ai pas cessé de penser à vous. Nous avons beaucoup de points en commun; votre amour des enfants ne fait aucun doute, votre soif de connaissances non plus. Je n'ai pas éprouvé ce genre de sentiments depuis la mort de mon épouse. Quand nous sommes allés au Montmartre et aussi quand je vous ai vue revenir d'une sortie avec le docteur Choquette, j'ai senti un pincement au cœur en vous voyant ensemble tous les deux. Pensez-vous que j'aurai une place dans votre cœur, un jour?

Simone resta pantoise. Elle bafouilla:

— Et Évelina?

— Mademoiselle Richer insiste beaucoup pour que nous nous fréquentions. Elle est gentille et c'est une excellente infirmière, mais nous sommes aux antipodes, elle et moi. J'ai besoin d'une femme un peu moins extravertie dans ma vie. J'ai besoin de quelqu'un comme vous, Simone.

Heureusement que la jeune femme était assise, sinon elle serait tombée à la renverse. Le docteur Litwinski était amoureux d'elle. Simone venait de le recevoir, le pot qui suit toujours les fleurs!

12

En silence, Simone regardait défiler le paysage de La Prairie. Elle avait finalement accepté l'invitation de Flavie pour les vacances de Pâques. Arthur les conduisait parce que Victor avait décidé de se joindre à elles, lui aussi. Évelina, assise à ses côtés sur la banquette arrière, ne cessait de dire que l'air de la campagne, même s'il empestait, lui ferait le plus grand bien. Simone était encore abasourdie par la déclaration du docteur Litwinski, dont elle n'avait rien dit à ses amies. Elle s'était contentée de répondre au médecin que, pour lors, elle préférait se concentrer sur ses études, ayant vécu une mauvaise expérience par le passé.

Le soir de la révélation de Wlodek, quand Simone était revenue à sa chambre, elle y avait trouvé Flavie et Évelina en pleine conversation. Évelina fouillait dans son armoire à la recherche des parfaits vêtements pour son séjour à la campagne. Flavie essayait de la convaincre que tout ce dont elle avait besoin, c'était de vêtements confortables. Antoine les emmènerait fort probablement faire un tour du côté de l'érablière familiale. Comme les nuits étaient encore froides, Flavie avait conseillé à son amie d'apporter un pantalon.

Évelina avait éclaté :

— Voyons donc, Flavie! Il est hors de question que je m'habille comme un bûcheron!

Flavie avait demandé à Simone si elle avait déjà «fait les sucres» à Saint-Calixte et, si tel était le cas, de dire à Évelina qu'elle aurait besoin de combines sous sa robe du dimanche. Simone avait répondu évasivement, encore sous le choc à cause des propos du docteur Litwinski. Prétextant un mal de tête, elle s'était mise au lit pour éviter d'avoir à répondre aux questions de ses amies sur sa soirée passée en pédiatrie.

Ce jour-là, Simone supportait difficilement le babillage incessant d'Évelina. Pourtant, habituellement, l'excitation d'Évelina ne la dérangeait pas. Simone prit une grande inspiration pour se calmer et s'empêcher de dire à Évelina de se taire.

Lorsque l'automobile s'arrêta, Simone descendit aussitôt. Elle se dépêcha de récupérer sa petite malle dans le coffre arrière. Flavie la rejoignit en s'amusant de son empressement.

— Mon Dieu, Simone ! Pour quelqu'un qui hésitait à venir, tu sembles bien pressée !

— Le voyage m'a paru interminable !

Simone n'expliqua pas que c'était à cause d'Évelina que le temps lui avait paru si long. Cette dernière était lassante avec ses réflexions insipides. « Penses-tu, Flavie, qu'il y a encore de la neige à La Prairie ? » « Peut-être que j'aurais dû apporter mes souliers vernis pour aller à la messe du dimanche. » « En tout cas, Victor, ça va vous changer les idées de passer quelques jours à la campagne. » Wlodek avait raison : Évelina était une fille extravertie.

En fait, ce qui mettait Simone de mauvaise humeur était qu'elle devrait annoncer à Évelina que non seulement le docteur Wlodek Litwinski n'était pas pour elle, mais qu'en plus, il était amoureux de quelqu'un d'autre. « Elle m'en voudra à mort, même si je n'ai absolument rien à voir là-dedans. Le docteur Litwinski est charmant, mais en aucun cas je ne le laisserai s'imaginer la moindre chose me concernant. Je ne peux pas laisser Évelina dans l'ignorance; elle doit savoir ce qu'il en est», pesta Simone intérieurement en montant les marches du balcon de la maison de Flavie. Antoine était sorti pour aider les nouveaux arrivants à rentrer leurs effets personnels. Au grand soulagement de Simone, Évelina avait jeté son dévolu sur le frère de Flavie. La jeune femme s'informait des événements survenus au cours des mois précédents à La Prairie et des projets de fromagerie d'Antoine.

Simone entra la première dans la petite maison de briques. Un arôme réconfortant de soupe régnait dans la pièce. Delvina, au fourneau, remuait doucement le contenu d'une marmite. En entendant la porte s'ouvrir, elle se retourna. Après s'être essuyé les mains sur son tablier, elle serra Simone dans ses bras.

— Tu n'es pas venue toute seule jusqu'ici, toujours?

— Les autres sont encore dehors. Il me tardait de vous voir.

— Moi aussi, ça me fait plaisir de te voir, ma belle Simone. J'ai hâte que tu me racontes ce qui s'est passé depuis ta dernière visite.

Simone embrassa la femme âgée sur les joues, en lui promettant de tout lui raconter. Elle se demandait toutefois si elle parviendrait à lui parler de son avortement. Delvina lui pointa l'escalier.

— Tu peux monter tes affaires. Bernadette est allée au village pour se procurer quelques ingrédients qui nous manquaient pour concocter un dîner de Pâques hors du commun! Va t'installer. La soupe est presque prête; quand tu reviendras, je t'en servirai un bol.

Simone remercia Delvina. Elle monta les marches tout en s'étonnant encore une fois de l'hospitalité de la grand-mère de Flavie. Poussant la porte de la grande chambre d'amis, Simone constata que le ménage avait récemment été fait dans la pièce : une odeur de savon du pays y flottait encore. La jeune femme déposa sa malle à côté du lit simple placé près de la fenêtre. «Flavie et Évelina occuperont le lit double ; j'ai besoin d'avoir de l'espace.» Prenant une profonde inspiration, elle se détendit enfin. Puis, elle parcourut la pièce du regard ; elle songea alors à sa petite chambre dans la maison de son oncle. Simone ne s'était jamais sentie réellement chez elle dans cette pièce, ayant toujours eu l'impression que celle-ci lui avait été prêtée en attendant. En attendant quoi, elle ne l'avait jamais trop su, mais une chose était certaine : dans la chambre d'invités de Flavie, Simone se sentait chez elle.

La jeune femme sortait ses vêtements de la malle lorsque Flavie et Évelina entrèrent dans la pièce. Évelina se tourna vers Flavie et lui dit, assez fort pour que Simone entende :

— Ça a bien l'air qu'on va partager le lit double cette fois-ci encore. Simone a décidé de prendre le lit simple. De toute façon, avec son humeur massacrante des derniers jours, on dormira mieux comme ça !

Se sentant coupable d'avoir décidé pour ses deux amies, Simone s'adressa à Flavie :

— Aimes-tu mieux prendre le lit simple ? Tu es chez toi, après tout.

— Non, non, c'est parfait comme ça. De toute façon, ce n'est que pour quelques nuits. Et puis, ne t'en fais pas : je suis habituée au grincement de dents d'Évelina.

— Je grince des dents, moi ? Première nouvelle ! Tu n'es pas gênée, Flavie Prévost !

Simone et Flavie se jetèrent un regard complice avant d'éclater de rire. L'accès d'hilarité dura quelques minutes. « Ça fait longtemps que je n'ai pas ri comme ça ! » pensa Simone. Mais Évelina avait raison : depuis quelque temps, elle était d'une humeur massacrante. Simone jugea qu'il était temps de s'excuser.

— C'est vrai que je suis de mauvaise humeur depuis quelques jours. Je suis fatiguée, c'est tout. Dernièrement, j'ai beaucoup travaillé et, en plus, je dors mal.

— C'est fatigant, la pédiatrie ! Ça doit être épuisant de côtoyer le beau docteur Litwinski aussi souvent ! Comme j'aimerais souffrir de la même fatigue que toi !

Simone saisit un coussin sur le lit et le lança au visage d'Évelina. Celle-ci riposta en lui lançant un oreiller. Simone n'avait pas envie d'aborder le sujet du docteur Litwinski tout de suite ; elle aurait tout le temps de le faire un peu plus tard. Pour le moment, elle avait besoin de s'amuser.

* * *

Simone avait préféré rester à la maison en compagnie de Delvina, alors que tous les autres s'étaient rendus à la laiterie pour voir les installations d'Antoine. Après la vaisselle du dîner, Delvina servit le thé. Simone tendit à cette dernière un exemplaire de *L'Antenne de Notre-Dame*.

— C'est le journal étudiant auquel je contribue depuis quelques semaines. Peut-être que cela vous tentera de le lire, quand vous aurez deux minutes.

— Certain que je vais le lire, et avec plaisir. Dès que j'aurai terminé de préparer mon souper, je m'y mettrai.

Delvina posa le journal un peu plus loin sur la table et commença à peler les pommes de terre pour le repas du soir. Simone saisit un couteau et se mit à la tâche, elle aussi. La grand-mère de Flavie poussa un soupir de satisfaction avant de déclarer :

— Ça met de la vie dans la maison d'avoir tout ce beau monde ici! Parfois le temps me semble long avec Bernadette pour seule compagnie. Antoine est le plus souvent à la laiterie; il expérimente des nouvelles recettes pour ses fromages. Dernièrement, il en a conçu un plus crémeux pas piqué des vers. Tu devrais essayer ce fromage-là demain matin sur du bon pain de ménage.

— Tout est tellement bon ici. On est très loin de la nourriture de l'hôpital. Je me sens vraiment choyée d'être parmi vous. Flavie est tellement chanceuse de vous avoir comme grand-mère.

— Comment va-t-elle, d'ailleurs, ma petite-fille? Elle est demeurée silencieuse lorsque je lui ai demandé des nouvelles de son Clément.

— Disons qu'ils se voient très peu. Clément est très pris par son poste de chirurgien.

— Flavie devra être patiente.

— C'est ce que je lui dis souvent. Mais elle commence à en avoir assez de l'attendre.

— Et toi? As-tu rencontré ton fameux valet de trèfle?

Delvina avait tiré les cartes à Simone quand celle-ci était venue passer quelques jours à La Prairie à la fin de l'été précédent.

— Oui, je l'ai rencontré.

— Je t'avais dit de te méfier de lui. J'espère que tu as suivi mes conseils?

Simone avait peur d'être jugée par Delvina si elle lui révélait ce qui s'était passé. Elle continua de peler sa pomme de terre en silence.

— Flavie m'a dit que tu avais traversé des moments difficiles cet automne. Elle ne m'a pas dit de quoi il s'agissait, mais j'ai pensé que le fameux valet de trèfle s'était manifesté. J'espère que ça va mieux pour toi.

— C'est vrai que j'ai traversé des moments pénibles, mais rassurez-vous : le valet de trèfle est sorti de ma vie pour de bon.

— Tant mieux!

Pendant un moment, les deux femmes s'affairèrent en silence. Quelques minutes plus tard, Delvina toussota avant de s'enquérir :

— Et puis? Le roi de trèfle, lui?

Simone, qui venait de prendre une gorgée de thé, faillit s'étouffer. Elle pouffa en se disant que Delvina connaîtrait le fin mot de l'histoire avant la fin de la journée avec toutes ses questions.

— Le roi de trèfle veille sur moi comme vous me l'aviez dit, répondit Simone en pensant à Paul. Il y a une autre «carte» qui pense aussi à moi, ces temps-ci...

— Il me semblait bien aussi que quelque chose te turlupinait !

Simone entreprit le récit de sa dernière semaine de cours. À la fin de la narration de la «saga docteur Litwinski», Delvina hocha la tête.

— Si ça a de l'allure de se tourmenter de même, ma belle fille ! Les jeunes filles d'aujourd'hui ont beaucoup trop de choix du côté des soupirants, si tu veux mon avis. Dans mon temps, on prenait le moins pire du village pour mari. J'ai été chanceuse de rencontrer mon Ernest : un bon gars, travaillant et intelligent, en plus. Qu'est-ce que tu en penses de ce beau Polonais ?

— Pas grand-chose. Wlodek est un excellent pédiatre. Il est bien gentil et tout, mais il me laisse indifférente.

— Et le beau Paul, lui ?

Simone réfléchit quelques secondes avant de répondre.

— Paul est un ami précieux et je l'apprécie beaucoup. Il a été là quand j'ai eu besoin de lui. Mais je ne sais pas si j'ai un quelconque avenir avec lui. Pour le moment, je préfère me consacrer à mes études.

— Sage décision ! Finis tes études, Simone, et profites-en ! La vie d'adulte et les responsabilités qui viennent avec te rejoindront bien assez vite ! Bon ! On finit de les éplucher, ces patates-là ?

* * *

Les convives discutaient de tout et de rien sous le regard rempli de fierté de Delvina, ravie d'avoir une tablée aussi nombreuse. Antoine parlait de la commercialisation de ses fromages avec Victor et Arthur. Ce dernier était finalement resté à La Prairie sous la demande insistante de Delvina : « Vous n'allez toujours bien pas rentrer tout seul à Montréal et revenir chercher Victor dans trois jours. On a de la place en masse pour vous héberger! » Bernadette s'était montrée moins accueillante avec le majordome de Victor. Mais puisqu'elle vivait dans la maison de sa mère, elle n'avait pas le choix. Elle avait réussi à trouver une place pour Victor dans une des chambres du haut.

Évelina bavardait avec Flavie, Bernadette et Delvina. Pour sa part, Simone observait en silence ce qui se passait à table. Le repas était bien différent de ceux qu'elle avait pris en compagnie de son oncle et sa tante ; ces derniers ne s'adressaient la parole que pour demander le beurre ou le sucre. Simone avait pris l'habitude de manger rapidement pour pouvoir sortir de table sitôt son assiette terminée.

Ce jour-là, elle prenait le temps de savourer pleinement son repas en essayant de suivre les différentes conversations. Elle avait entendu Évelina raconter à Delvina et Bernadette l'arrivée du beau médecin polonais. Simone avait alors vu Delvina sourciller avant de poser les yeux sur elle quelques secondes. Évelina avait confié aux deux femmes qu'elle réussirait à charmer le « beau docteur », même si l'entreprise s'avérait fort difficile. Quand Simone avait parlé de Wlodek à Delvina, elle avait oublié de lui dire qu'Évelina était éprise du pédiatre.

Simone aurait pu jurer qu'Évelina parlait de Wlodek délibérément pour qu'Antoine entende la conversation. Bernadette l'écoutait tout en souriant ; elle se rappelait peut-être ses années de jeunesse, alors qu'elle tentait de conquérir Edmond, son mari. Tout à coup, Simone songea que la mère de Flavie pensait peut-être à Victor. Bernadette ne laissait transparaître aucun sentiment envers celui-ci. Elle agissait comme si la vérité n'avait pas été découverte l'année précédente, et se montrait froide à l'égard de Victor. Simone s'attristait de voir monsieur Desaulniers se morfondre en attendant une marque d'affection de la femme qu'il avait toujours espérée.

L'amour était parfois si compliqué! Voyant que tout le monde avait terminé son assiette, Simone se leva pour ramasser les couverts et les déposer dans l'évier. Delvina la rejoignit. Simone l'invita à retourner s'asseoir pour profiter de la soirée.

— Je peux me charger de la vaisselle. Reposez-vous un peu; après tout, vous avez cuisiné seule pratiquement tout le repas.

— Ah! Je ne protesterai pas. Mes jambes me font un peu souffrir, ce soir. C'est bien gentil à toi, Simone.

— Je peux faire bouillir l'eau, si vous voulez un thé.

— Mon doux, je suis gâtée ce soir! Ce n'est pas de refus!

Delvina retourna s'asseoir et se remit à discuter avec Évelina et Bernadette. Les mains chargées du reste de la vaisselle sale, Flavie s'approcha de Simone.

— Je ne vais pas laisser mon invitée laver seule la vaisselle, voyons!

Flavie se pencha vers Simone et lui chuchota en toute confidence:

— Et puis, pour tout t'avouer, j'en ai ras le bol d'entendre parler de Wlodek. C'est le principal sujet de conversation d'Évelina ces derniers jours. Le médecin polonais est mieux de se tenir sur ses gardes. Évelina ne lâchera pas prise, c'est certain!

Simone esquissa un sourire avant de tendre un linge à vaisselle à son amie.

* * *

Après une soirée passée à jouer aux cartes avec les autres, les trois amies étaient montées dans leur chambre. Elles avaient discuté longuement de différents sujets, restant éveillées longtemps après que le reste de la maisonnée se fut couché. Elles avaient même entendu Victor quitter sa chambre, située au bout du couloir. Il s'était rendu à l'autre extrémité et avait ensuite ouvert la porte de la chambre de Bernadette. Flavie avait rougi. Évelina avait chuchoté : « Il était temps ! » Les trois amies avaient essayé de retenir leurs rires pour ne réveiller personne.

Pour une fois qu'elles n'avaient pas de couvre-feu et, surtout, qu'elles n'avaient pas à se lever aux aurores pour s'occuper de patients, Flavie, Évelina et Simone avaient bien l'intention d'en profiter. Elles évoquèrent leur avenir après la fin de leur cours en soins infirmiers. Flavie annonça qu'elle postulerait probablement comme hygiéniste à la Ville de Montréal.

Simone approuva :

— Je suis certaine que tu serais excellente dans ce poste, Flavie. Tu es dévouée et la Ville a besoin de gens comme toi pour inspecter les écoles et faire de la prévention auprès des personnes défavorisées des quartiers ouvriers.

— C'est un travail difficile parce qu'il s'effectue sur le terrain, mais je pense que j'aimerais ça. Et puis, la façon dont vont les choses avec Clément, je ferais mieux de penser à mon avenir.

— Tu fais bien, confirma Simone. On n'est jamais si bien servi que par soi-même. Moi non plus, je ne suis pas certaine d'avoir envie de passer ma vie dans un hôpital. Je vais peut-être poser ma candidature pour être infirmière en Abitibi.

Les colons ont besoin de soins médicaux, et peu d'infirmières souhaitent s'établir là-bas.

— Ouf! s'exclama Évelina. Je constate que vous vous préparez de belles vies de missionnaires, toutes les deux!

— Et toi, tu veux faire quoi, Évelina? s'informa Simone même si elle connaissait déjà la réponse.

— Je n'ai pas changé d'idée : je veux me trouver un médecin pour mari. Je terminerai mes études, mais on sait toutes les trois que j'ai beaucoup plus d'avenir en tant que «madame docteur» qu'en tant qu'infirmière.

— Tu persistes dans cette voie? Même si tu disposeras d'un diplôme d'infirmière?

— Eh oui! Pourquoi pas? En plus, je me verrais très bien préparer de la goulash ou du bortsch, même si je déteste cuisiner!

— La goulash est un plat hongrois et le bortsch est une spécialité russe, Évelina...

— Hongrois, russe, polonais, c'est du pareil au même! De toute façon, vous savez que le beau Wlodek est dans ma mire. Il serait le mari idéal pour moi. Une homme attentionné comme il ne s'en fait plus! Et il adore les enfants, en plus... du moins, je l'imagine puisque qu'il est pédiatre.

— Parce que tu veux des enfants *astheure*? demanda Simone perplexe.

— Pourquoi pas? Il pourrait me faire changer d'idée!

— Sûrement, Évelina, déclara Flavie. Toutefois, il n'est pas aussi accessible que tu le souhaiterais.

— Ah! Je le sais bien, mais il est permis de rêver. C'est un grand timide; toutefois, je saurai l'apprivoiser!

L'occasion semblait idéale pour que Simone fasse part à Évelina des confidences de Wlodek, mais elle s'abstint. Cela blesserait Évelina, et elle préférait remettre à plus tard ce moment qui serait fort désagréable pour son amie. Après tout, comme l'avait dit Évelina, il était permis de rêver. Peut-être qu'Antoine remplacerait rapidement Wlodek dans ses pensées? Simone avait surpris à quelques occasions un regard complice entre Antoine et Évelina. Le jeune homme était disponible et visiblement intéressé par Évelina, qu'il quittait rarement des yeux. Celle-ci n'avait qu'à claquer des doigts pour qu'Antoine accoure et comble le moindres de ses caprices; si Évelina frissonnait, Antoine lui prêtait sa veste; si Évelina avait soif, il lui offrait immédiatement un verre d'eau... Antoine avait essayé de porter moins d'attention à Évelina pour la rendre jalouse durant les vacances d'été, mais il s'était vite rendu compte que cette tactique ne fonctionnait pas. Il semblait avoir décidé d'être à son service pendant tout le congé de Pâques. Il espérait sans doute qu'Évelina le remarquerait.

Simone s'endormit ce soir-là en se disant qu'elle ne devait pas trop attendre pour parler de Wlodek à Évelina. Il fallait que son amie cesse d'espérer le moindre intérêt de la part du médecin.

* * *

Flavie quitta la chambre bien avant que Simone et Évelina n'ouvrent les yeux. Simone était toujours étonnée du nombre d'heures de sommeil limitées dont pouvait se contenter Flavie quand elle se trouvait à La Prairie. Cette dernière s'était couchée en même temps qu'Évelina et elle, et pourtant, elle était déjà debout, probablement en train de vaquer à ses occupations. Flavie voulait profiter de chaque instant avec sa famille. Simone s'étira et mit ses lunettes. Évelina se frotta les yeux tout en bâillant.

— Ah! Je dormirais encore un peu.

— Il est tard, Évelina, on doit se lever. Flavie est déjà debout depuis un bon moment, j'en suis certaine.

— Bah! Je ne suis pas pressée d'aller au poulailler. Pour une fois qu'on peut dormir, on pourrait en profiter.

— Allez! Debout, paresseuse! C'est impoli de rester couché quand tout le monde est debout.

Simone avait déjà fait son lit et ouvert les rideaux pour laisser entrer la lumière du matin. Évelina s'enfouit la tête sous son oreiller en poussant un grognement.

— Ah! Laisse-moi donc dormir un peu. J'ai rêvé de Wlodek et je voudrais replonger dans le sommeil.

Simone prit une grande inspiration avant de s'asseoir sur le bord du lit de son amie. En sentant le poids de Simone sur le matelas, Évelina sortit sa tête des couvertures. Elle s'écria :

— Mon Dieu, Simone! Il y a deux minutes, tu étais prête à descendre en courant et là, tu t'échoues sur mon lit! Qu'est-ce qui se passe?

— Il faudrait qu'on se parle, Évelina. Je remets toujours ça à plus tard, mais c'est important que tu saches certaines choses.

— On dirait que tu t'apprêtes à m'annoncer que tu vas mourir d'une maladie incurable.

Devant le regard sérieux de Simone, Évelina se tut. Simone baissa la tête et commença :

— Je ne sais pas par où commencer, Évelina. Je ne voudrais vraiment pas te blesser, mais je pense qu'il est important que tu connaisses la vérité pour pouvoir passer à autre chose.

Au fur et à mesure que Simone lui rapportait les confidences du docteur Litwinski, Évelina perdait le sourire.

— Wlodek n'est pas intéressé, c'est maintenant évident, commenta cette dernière. Je vais arrêter de perdre mon temps à lui courir après. Si tu veux mon avis, Simone, c'est un imbécile. Il se lamente qu'il a de la difficulté à s'intégrer dans son nouveau milieu de travail et il refuse toute sortie. Il préfère rester avec ses patients. Pas surprenant qu'il soit toujours seul! En tout cas, merci du tuyau!

Toutefois, Simone ne lui avait pas encore révélé que le médecin lui avait déclaré son amour. Elle redoutait ce moment, mais elle ne pouvait plus l'éviter.

— Ce n'est pas tout, Évelina. Il m'a avoué qu'il était amoureux de moi.

Évelina écarquilla les yeux et ouvrit la bouche. Elle resta ainsi pendant quelques secondes avant de se ressaisir et de repousser les couvertures pour se lever. Jetant un regard furieux à Simone, elle jeta:

— Tu m'annonces ça comme ça? Le bon docteur Litwinski est amoureux de toi? Et puis quoi? Vous allez vous marier après que tu auras obtenu ton diplôme? Tu me déçois tellement, Simone! Tu es mon amie et, dès que j'ai le dos tourné, tu te précipites sur l'homme que je convoite depuis des semaines. Tu le savais, en plus! Même Georgina ne pourrait faire une affaire de même!

Évelina réfléchit à sa dernière phrase. Elle s'était trompée : Georgina pourrait très bien agir de cette manière. Elle pointa un doigt accusateur vers Simone et ajouta :

— Tu ne vaux pas mieux que Georgina, Simone Lafond !

Cette dernière essaya d'expliquer à Évelina qu'elle n'avait rien fait pour que cela arrive. Mais Évelina était beaucoup trop en colère pour écouter. Celle-ci empoigna ses vêtements et s'habilla, les dents serrées. Elle claqua la porte en sortant.

Simone n'était pas certaine qu'elle avait bien fait de dire la vérité à Évelina. De toute façon, elle n'entrevoyait rien avec Wlodek. Elle termina de boutonner sa robe, se passa une main dans les cheveux et descendit. C'est à peine si Évelina leva les yeux de son café. Simone la connaissait suffisamment pour savoir qu'elle était furieuse et qu'elle ne décolérerait pas de sitôt.

La jeune femme s'éclipsa aussitôt son café terminé, laissant Simone en compagnie de Delvina. Essayant de paraître naturelle malgré son envie de pleurer, Simone s'informa de l'emploi du temps des autres pour la journée.

— Victor, Antoine et Arthur sont montés à la sucrerie pour récolter l'eau d'érable et la faire bouillir. Les chaudières sont sûrement pleines ce matin. Évelina a offert à Bernadette de l'accompagner pour aller vendre des œufs au village, et Flavie est probablement à l'étable. On a deux nouveaux petits veaux, et tu sais comme elle aime «catiner». Et toi, ma belle Simone, qu'est-ce que tu comptes faire aujourd'hui ?

— Je ne sais pas trop, Delvina, répondit-elle sur un ton las.

— Si tu essayais de te réconcilier avec Évelina, ce serait un bon début, non ? Je vous ai entendues tout à l'heure. Ça bardait !

Simone haussa les épaules.

— J'ai bien tenté de lui faire voir mon point de vue, mais elle n'a rien voulu entendre. Je vais attendre qu'elle décolère.

— J'ai cru comprendre que ça concernait le médecin polonais? J'ai compris hier qu'Évelina parlait de la même personne. Il ne doit pas y avoir beaucoup de Polonais dans votre hôpital. J'avoue que je n'en ai jamais vu, mais je commence à être curieuse! Si un seul homme peut mettre deux amies en froid, ça doit être quelque chose!

Simone ne put s'empêcher de sourire en entendant Delvina. Flavie rentra de l'étable avec une bouteille de lait. Elle plaça celle-ci dans la glacière.

— Vous avez fait la grasse matinée, Évelina et toi. Je n'ai pas osé vous réveiller. Mon frère a proposé de se rendre à l'érablière quand ma mère et Évelina seront de retour. Ça te tente?

Simone acquiesça. Elle termina sa tasse de café, qu'elle déposa ensuite dans l'évier. Interrogeant sa grand-mère du regard sur le silence de son amie, Delvina prit la responsabilité de lui expliquer ce qui s'était passé.

— Hein? Le docteur Litwinski est en amour avec toi, Simone? Je m'attendais à tout, sauf à ça.

Flavie se rendit compte de la bêtise de ses propos. Elle tenta de se racheter.

— Je ne veux pas dire que tu n'es pas charmante; tu mérites amplement qu'un homme s'intéresse à toi. Et puis le docteur Litwinski représente un excellent parti. C'est seulement que je trouve ironique qu'il lève le nez sur Évelina. La plupart des hommes de l'hôpital n'espèrent qu'un peu d'attention de sa part.

— Je n'ai même pas eu le temps d'expliquer à Évelina qu'il ne m'attire pas du tout. C'est encore plus ironique, tu ne trouves pas ?

— Évelina va comprendre.

— Il n'y a rien à comprendre. Je ne m'engagerai pas avec lui, qu'elle se rassure. J'aimerais bien pouvoir le lui expliquer, mais elle n'a pas voulu m'écouter ce matin.

— Oh non ! Ne me dis pas que je vais me retrouver prise entre vous deux comme lorsque je savais pour le docteur Jobin et qu'elle ne voulait pas te mettre au courant. Je préfère ne pas m'en mêler, si ça ne te dérange pas.

— Je vais régler ça moi-même, ne t'en fais pas.

— Évelina n'est pas bête ; elle réalisera rapidement que tu n'y es pour rien. Ah ! C'est si compliqué, parfois ! Moi, je m'accroche à Clément qui ne veut peut-être plus rien savoir de moi et qui ne me le dit pas, tandis que Léo aimerait qu'on se revoie.

Delvina s'assit à la table, face aux deux jeunes femmes. Puis, sur un ton solennel, elle déclara :

— C'est toujours comme ça, les filles ; aussi bien vous habituer tout de suite. Dans la vie, il n'arrive pas toujours ce qu'on souhaite le plus. Pour le reste, il faut faire avec et choisir quand on le peut. Le seul conseil que je peux te donner, Simone, si tu me le permets, est de régler ce différend avec Évelina le plus rapidement possible. Votre amitié est beaucoup plus importante que ces petites histoires de cœur.

* * *

Delvina avait préparé un dîner pour les hommes qui se trouvaient déjà dans l'érablière. Bernadette, Évelina, Simone et

Flavie étaient en route pour leur apporter leur repas et les aider à embouteiller le sirop d'érable. La neige recouvrait encore en grande partie la forêt; Bernadette avait apporté des raquettes au cas où. Évelina avait regardé celles-ci d'un œil suspicieux en espérant ne pas devoir en avoir besoin. Il n'avait pas été aisé de la convaincre de venir à l'érablière; il serait encore plus difficile de lui faire chausser les énormes pattes d'ours. Flavie lui avait prêté un pantalon qu'Évelina avait enfilé avec une moue de dédain.

Depuis son retour du village avec Bernadette, Évelina n'avait pas adressé la parole à Simone. Elle l'avait ignorée tout le temps qu'avaient duré les préparatifs. À présent, Évelina, les lèvres pincées et les bras croisés, pestait contre la route sinueuse et cahoteuse menant à la sucrerie. En descendant de la carriole, Évelina faillit tomber la tête la première dans la boue. Flavie ne réussit pas à contenir son rire; le regard foudroyant qu'Évelina lui lança mit rapidement fin à son hilarité. Évelina s'empara du panier d'un geste rageur et se dirigea vers la cabane en bois.

Il régnait une telle humidité dans la bâtisse que la vapeur camoufla pendant quelques secondes les hommes affairés à alimenter le feu de l'énorme bouilloire contenant l'eau d'érable. Bernadette rejoignit ces derniers. Flavie et Simone la suivirent. Évelina resta immobile au centre de la pièce, médusée par la chaleur ambiante. Antoine vint à sa rencontre; il entreprit de lui expliquer le fonctionnement de la bouilloire. Simone connaissait de façon rudimentaire l'organisation d'une cabane à sucre. À quelques occasions, elle avait assisté à des parties de sucre chez le frère de son oncle. Arthur et Victor avaient l'air de s'amuser. Un verre de caribou à la main, ils surveillaient le thermomètre; celui-ci indiquerait quand le sirop serait prêt.

Bernadette et Victor excellaient dans l'art de faire semblant. Simone savait qu'ils avaient passé la nuit ensemble – la veille,

Flavie, Évelina et elle avaient entendu le plancher craquer et les portes de chambre se refermer. Mais ils avaient le droit de garder leur liaison secrète. Bernadette ne voulait probablement pas que Delvina se mêle de ses affaires. Et Flavie n'irait certainement pas crier sur les toits que ses parents avaient passé la nuit ensemble.

Bernadette demanda l'aide de Flavie et de Simone pour nettoyer les cruchons dans lesquels serait transvidé le sirop pour pouvoir le conserver pendant plusieurs mois. Évelina et Antoine s'étaient éclipsés à l'extérieur. Simone se doutait bien qu'Évelina avait suivi le jeune homme par politesse ; apprendre les rudiments de la récolte de l'eau d'érable ne figurait sûrement pas parmi ses sujets de prédilection. Simone pensa avec ironie qu'il aurait mieux valu qu'Antoine lui présente les nouvelles tendances en matière de bottes imperméables pour susciter son intérêt. Évelina avait préféré marcher dans la boue et la neige plutôt que de se retrouver sous le même toit qu'elle. Simone en était convaincue : la réconciliation avec son amie serait ardue.

* * *

À la fin de la journée, Delvina accueillit son monde avec une bonne soupe aux pois. La fatigue de la journée eut raison des conversations à table ; personne ne dit mot. La réserve de sirop et de sucre du pays était faite pour l'année. Antoine avait le sourire du devoir accompli malgré ses nombreux bâillements. Simone aussi ressentait la fatigue ; ce soir-là, elle ne mettrait pas longtemps à s'endormir. Même si le carême ne se terminerait que le lendemain avec la messe de Pâques, tous avaient mangé de la tire sur la neige et s'étaient régalés des différents produits de l'érable. Un peu de sucre n'était certainement pas sacrilège, comme l'avait si bien dit Delvina en servant du pain dans le sirop d'érable pour dessert.

Victor était monté dans sa chambre le premier; il était épuisé. Bernadette l'avait suivi peu après, sur les conseils de Delvina qui s'occuperait de la vaisselle avec «les filles». Arthur fumait la pipe à l'extérieur. Malgré sa fatigue, Antoine était allé à l'étable pour s'occuper de la traite du soir, avec Évelina sur les talons – celle-ci fuyant les trop nombreux couverts à laver.

Devant l'insistance de Flavie et de Simone, Delvina avait eu congé de vaisselle.

— Je vais vous tenir compagnie dans ma chaise berçante, déclara la vieille femme. Je n'ai pas envie d'aller me coucher tout de suite. Et puis, vous repartez demain pour Montréal; je vais m'ennuyer, moi là. J'aimerais tellement ça avoir votre âge, les filles, et étudier à Montréal, moi aussi.

— Ce n'est pas toujours une partie de plaisir que d'étudier, grand-mère.

— Je sais! Mais les sorties avec les beaux médecins doivent compenser.

— Ça complique la vie aussi, les beaux médecins! Simone est maintenant prise entre deux feux.

Flavie donna un coup de coude à son amie en lui faisant un clin d'œil. Simone crut bon de remettre les pendules à l'heure – une fois de plus.

— Je ne suis pas prise entre deux feux, Flavie. J'espère qu'Évelina le comprendra.

Simone n'avait pas encore eu l'occasion de discuter avec cette dernière. Elle se dépêchait d'essuyer la vaisselle, car elle voulait aller rejoindre Évelina. Simone sommerait son amie de l'écouter jusqu'au bout. La bouderie avait assez duré.

Delvina se servit une tasse de thé, puis elle retourna s'asseoir.

— Tu fais bien de vouloir régler ça le plus vite possible, Simone. Ça ne sert à rien de se garder rancune. Vous allez vous trouver à l'étroit dans votre petite chambre à l'hôpital si vous êtes encore en chicane.

— Oui, et puis je n'ai pas envie d'être encore une fois prise entre l'arbre et l'écorce, indiqua Flavie. Il reste peu de vaisselle à essuyer ; je vais terminer toute seule, Simone. Va donc essayer de parler à Évelina.

Simone tendit le linge de vaisselle à Flavie. Il valait mieux régler l'affaire tant qu'elle en avait encore le courage. Elle saisit son manteau et enfila ses bottes avant de sortir dans l'obscurité de la nuit. Arthur, qui fumait sa pipe sur le perron, la salua avant de retourner dans la maison. D'un pas décidé, Simone traversa la cour en direction de l'étable. En s'approchant du bâtiment, elle entendit des rires et des gémissements étouffés. Simone s'arrêta net, la main sur la porte. De toute évidence, Évelina et Antoine ne s'occupaient pas de la traite des vaches ! Simone revint sur ses pas ; elle n'allait tout de même pas les déranger en pleins ébats amoureux ! Elle ne voulait pas non plus rentrer aussitôt dans à la maison, car Delvina et Flavie la questionneraient sur sa courte sortie à l'extérieur. Elle s'assit quelques instants sur une des marches du perron, réfléchissant à la suite des choses par rapport à Évelina.

Plusieurs minutes s'écoulèrent. Au moment où Simone se résignait à rentrer à l'intérieur – elle avait suffisamment attendu –, elle vit Évelina qui regagnait la maison. Son amie tentait tant bien que mal de se recoiffer. Simone vint à sa rencontre. Dès qu'elle aperçut cette dernière, Évelina s'immobilisa. Elle posa les mains sur ses hanches et lança sur un ton tranchant :

— Tu m'espionnes, *astheure* ?

— Voyons, Évelina ! J'ai autre chose à faire que de te surveiller. Je pense qu'il faudrait qu'on parle toutes les deux.

— Tu dois être contente que j'aie jeté mon dévolu sur Antoine. Ça va te laisser le champ libre avec Wlodek !

— Tu ne m'as pas laissée m'expliquer ce matin, Évelina.

— Qu'avais-tu à expliquer, de toute façon ? Je suis beaucoup trop écervelée pour monsieur le pédiatre, alors il jette son dévolu sur l'intellectuelle de la place !

— Tu es injuste, Évelina.

— Injuste ? Moi ? As-tu déjà été rejetée dans ta vie, Simone Lafond ?

Simone serra les dents. Elle avait été rejetée plus d'une fois, ce qu'Évelina n'ignorait pas, mais celle-ci semblait l'avoir oublié. Simone préféra se taire.

— Je me suis humiliée auprès de Wlodek, comprends-tu ? Et toi, tu en as profité ! Tu m'as trahie, Simone !

Cette dernière se demanda comment dédramatiser la situation. Évelina exagérait tout de même en parlant de trahison.

— Je n'ai profité de rien du tout, Évelina ! Tu réagis beaucoup trop fortement, à mon avis. Et puis, j'ai dit clairement à Wlodek que je n'étais pas intéressée.

L'air mauvais, Évelina déclara :

— J'espère pour toi, Simone, que tu as appris ta leçon avec Bastien et que tu n'auras pas encore besoin des services de madame Dubuc ! Je ne serai pas toujours là pour te dépanner !

Simone reçut ces propos comme un coup de poignard en plein cœur. Évelina gravit l'escalier et s'engouffra dans la maison. Le souffle coupé, Simone mit quelques minutes à se ressaisir. Évelina avait été méchante ; elle ne lui pardonnerait pas de sitôt.

* * *

Après la messe de Pâques suivie du dîner copieux préparé par Delvina, les vacanciers prirent la route en direction de Montréal. De meilleure humeur que la veille, Évelina plaisantait avec Arthur, tandis que Simone restait silencieuse, les yeux rivés sur le paysage. Les deux amies ne s'étaient pas reparlé depuis leur discussion de la veille. Ce matin-là, à la messe, Simone avait préféré s'asseoir en retrait, laissant Évelina s'installer entre Flavie et Antoine. Évelina regrettait-elle ses paroles ? Difficile à dire, car elle ne s'était pas excusée. Elle lui avait souri timidement durant le dîner, l'air repentant, mais Simone l'avait ignorée. « Elle ne m'amadouera certainement pas avec ses petits airs, celle-là ! Évelina est allée beaucoup trop loin et elle m'a blessée profondément. Ce n'est pas un sourire qui lui servira d'excuse ! »

Quand Simone était entrée dans la maison, Flavie n'avait pas eu besoin de lui demander comment sa conversation avec Évelina s'était passée. Simone, essayant de contrôler son chagrin, était passée devant Évelina sans la regarder et était montée immédiatement dans sa chambre. Les jours suivants, à l'hôpital, ne seraient pas de tout repos, mais Simone refusait de passer outre. Évelina lui devait des excuses.

Ressentant la tension entre ses amies, Flavie, impuissante, espérait qu'elles se réconcilieraient rapidement.

13

Le trajet du retour se déroula en silence. Simone resta renfrognée dans son coin. Quand la voiture s'arrêta devant l'hôpital, la jeune femme remercia Victor et Arthur, puis elle sortit rapidement pour récupérer ses bagages. Flavie et Évelina s'attardèrent à l'intérieur de l'automobile, de sorte que Simone s'affairait déjà à défaire ses bagages lorsqu'elles arrivèrent dans la chambre.

Évelina déposa son sac à main et sa valise avant de retirer ses gants et de les lancer sur la commode. Les mains sur les hanches, elle s'adressa à Simone :

— Vas-tu bouder comme ça encore longtemps ? On s'est expliqué samedi soir. J'ai fait mon bout de chemin ; c'est à toi de faire le tien.

Évelina avait fait son bout de chemin ? Celle-ci l'avait blessée profondément et elle considérait que l'histoire était réglée ? Simone n'en revenait pas. Elle prit une profonde inspiration pour tenter de maîtriser la colère qui montait en elle avant de déclarer :

— Tu penses que c'est réglé, Évelina ? Après ce que tu m'as dit hier soir ? C'est très mal me connaître que de croire que je vais passer l'éponge à ce propos.

— Voyons, Simone ! Ne le prends pas comme ça !

— Je n'ai rien d'autre à ajouter, Évelina Richer.

Simone ferma brusquement le tiroir de sa commode, libérant ainsi un peu de sa rage. Flavie sursauta et se retourna. Sur un ton agacé, elle s'adressa à ses deux amies :

— Débrouillez-vous pour régler votre différend au plus vite, les filles, parce que je n'ai vraiment pas envie de vivre la même situation que l'an passé quand vous boudiez chacune de votre côté. C'était insupportable !

Simone sortit de la chambre en claquant la porte. Dès qu'Évelina lui aurait présenté ses excuses, tout rentrerait dans l'ordre. Se retrouvant dans le couloir les mains vides, Simone retourna dans la chambre. Le regard rempli d'espoir, Flavie crut pendant quelques secondes que son amie était revenue pour s'expliquer avec Évelina. Mais en voyant Simone saisir ses manuels et ressortir aussi rapidement qu'elle était entrée, Flavie soupira.

— Évelina, déclara-t-elle, je ne sais pas ce que tu as dit à Simone pour la mettre dans cet état, mais c'est à toi de faire les premiers pas.

— Bah ! Elle va se défâcher rapidement, tu verras.

Évelina avait essayé de mettre un peu de conviction dans ses propos. Toutefois, elle doutait que Simone lui pardonnerait aussi facilement.

* * *

Simone avait trouvé refuge dans la bibliothèque. Essayant de se concentrer sur son manuel de pathologie, elle relisait sans cesse la même ligne tout en essayant de contenir ses larmes. Elle ne voulait pas que Flavie se trouve prise entre deux feux, mais elle ne pouvait pas non plus passer l'éponge. Évelina l'avait attaquée dans ce qu'elle avait de plus vulnérable. Simone était parvenue à survivre à la peine causée par son avortement, mais elle n'avait pas oublié le vide ressenti. Évelina s'était servie de cet événement pour la blesser, en sachant parfaitement que Simone avait surmonté l'épreuve très difficilement.

Les yeux perdus dans le vague, la jeune femme n'aperçut pas Georgina qui venait dans sa direction.

— Eh bien! J'imagine que la bibliothèque est le seul endroit où les célibataires sans avenir passent leur soirée?

— C'est pour ça que tu es ici, toi aussi, Georgina?

— Non, voyons! Je suis venue chercher un petit bouquin pour passer le temps. Je ne suis plus célibataire, tu le sais bien, Simone! Bastien devrait me faire sa grande demande, bientôt.

— Tant mieux pour toi, Georgina! Mais ça me surprend, par contre. Bastien n'a vraiment pas envie de s'attacher, d'après ce qu'il m'a dit.

Georgina parut perplexe. Néanmoins, elle continua sur sa lancée.

— C'est parce qu'il n'avait pas encore trouvé la femme idéale! Mais je pense que, cette fois-ci, il est bien tombé. On file le parfait bonheur tous les deux!

Simone prit une grande inspiration. Elle n'avait pas du tout envie d'entrer dans le petit jeu de Georgina. Mais puisque celle-ci semblait prendre plaisir à se moquer d'elle, elle répliqua:

— Je suis heureuse pour vous deux. Vous allez tellement bien ensemble, avec votre arrogance et votre air fendant!

Georgina ouvrit la bouche, désarçonnée par la répartie de Simone. Même cette dernière était surprise de sa propre réplique. En temps normal, elle ne trouvait jamais le moyen de contrer Georgina, préférant ignorer ses piques. Mais cette fois-ci, elle avait livré le fond de sa pensée. Georgina tourna les talons sans rien ajouter. « Je lui ai enfin cloué le bec, à celle-là, et c'est bien fait ! » pensa Simone, satisfaite d'être débarrassée de sa consœur. Elle eut un pincement au cœur en pensant à Évelina, qui aurait été si fière d'elle.

S'apprêtant à replonger dans la lecture de son manuel, Simone entendit un toussotement derrière elle. Se retournant, elle vit Wlodek qui lui souriait timidement. Il s'assit sur la chaise près d'elle. « Il ne manquait plus que lui ! » songea Simone en refermant son livre. Décidément, elle n'arriverait pas à se changer les idées ce soir-là.

Wlodek s'excusa :

— Je ne voulais pas vous déranger, Simone. Quand je vous ai vue seule à cette table, j'ai décidé de profiter de l'occasion. Nous n'avons pas eu la chance de reparler de ce que je vous ai confié l'autre soir.

— Il n'y a rien à ajouter, Wlodek. Je ne suis pas prête à engager une relation avec quiconque pour le moment.

— Pourtant, vous semblez passer du bon temps en compagnie du docteur Choquette.

Simone fronça les sourcils. Il n'allait quand même pas lui faire une scène de jalousie ? Devant l'air renfrogné de Simone, Wlodek s'empressa de se justifier :

— Le docteur Choquette a beaucoup de chance de pouvoir passer du temps en votre compagnie. Vous ne m'avez pas laissé la chance de vous dire que je suis prêt à attendre que vous partagiez les mêmes sentiments que moi, Simone. Je ne voulais pas vous froisser en me confiant à vous.

— Je ne veux pas vous laisser dans l'attente, Wlodek. D'ailleurs, sachez pour votre gouverne que Paul est un ami pour moi, et rien de plus. Tout ce qui m'intéresse pour l'instant est de terminer mes études en soins infirmiers.

— Je comprends parfaitement que vous ne soyez pas prête à vous investir dans une relation. Faites-moi le plaisir, dans ce cas, de m'accorder au moins votre amitié pour le moment. Je compte très peu d'amis dans cet hôpital.

Simone crut que Wlodek voulait jouer sur sa corde sensible. Elle se prépara à riposter, mais elle s'en abstint au dernier moment. Il n'était pas nécessaire de le brusquer. Le médecin n'avait rien fait de mal ; il lui avait simplement avoué qu'elle lui plaisait et qu'il aimait sa compagnie. C'était la réaction exagérée d'Évelina qui l'avait mise dans cet état. Il aurait été injuste de déverser sur le médecin la colère qu'elle ressentait contre cette dernière.

Simone déclara simplement :

— Si mon amitié vous comble, Wlodek, je suis heureuse de vous l'offrir.

* * *

Il s'était déjà écoulé plusieurs jours, et Évelina et Simone boudaient encore. Quand cette dernière entrait dans la chambre et qu'Évelina s'y trouvait, elle saisissait le premier manuel à sa portée et ressortait précipitamment. Dans la salle à manger, la situation était également problématique. Évelina qui, habituellement, chipotait dans son assiette, se dépêchait d'engouffrer son repas à l'arrivée de Simone. Puis, l'air renfrogné, elle saisissait son plateau et quittait la pièce. Impuissante, Flavie observait le vaudeville qui se déroulait sous ses yeux. On se serait cru dans une mauvaise pièce de théâtre, car les deux protagonistes se fuyaient constamment pour éviter de s'adresser la parole.

La querelle entre Simone et Évelina avait pris une tournure désagréable. Quand Évelina parlait de Simone à Flavie, elle omettait de prononcer le prénom de la jeune femme. « Flavie, tu diras à tu-sais-qui que ses vêtements sont secs et qu'elle peut les ranger dans son armoire. Je suis fatiguée de voir traîner ses affaires. » Simone agissait de la même manière : « Flavie, tu feras le message à mademoiselle l'égocentrique que j'en ai assez de voir ses bouteilles de vernis à ongles partout. Nous ne sommes pas dans un salon de beauté, mais dans une chambre de résidence ! »

Une fois de plus, Évelina quitta précipitamment la salle à manger en apercevant Simone qui s'approchait avec son plateau. Flavie laissa son amie commencer son repas, puis elle repoussa avec fracas son assiette. La jeune femme était habituellement très patiente, mais là, elle en avait assez.

— J'en ai ras-le-bol de vos bouderies, à toutes les deux. Ça suffit ! On dirait des enfants d'école qui font un concours pour savoir qui devra s'excuser en premier. C'est insupportable !

— Ce n'est pas à moi de m'excuser, Flavie ; c'est à Évelina.

— Simone, tu sais comme moi qu'Évelina a beaucoup de difficulté à reconnaître ses torts. Fais donc le premier pas.

— Je suis passée par-dessus bien des choses dans ma vie, mais cette fois-ci est de trop ! Tu ne connais sûrement pas toute l'histoire, car je doute qu'Évelina t'ait tout raconté.

Simone avait envie d'expliquer à Flavie qu'Évelina s'était réfugiée dans les bras d'Antoine malgré sa «grosse déception» d'avoir été rejetée par Wlodek, mais elle se tut. Flavie n'avait pas besoin de connaître ce détail; de plus, Simone avait toujours pensé que la médisance ne rapportait rien.

Flavie essaya de justifier la réaction d'Évelina.

— Évelina a toujours eu ce qu'elle voulait, y compris les hommes qui l'intéressent. Elle est vraiment amoureuse de Wlodek et elle ne peut concevoir que ses sentiments ne soient pas partagés. Si, en plus, sa principale rivale c'est toi, alors imagine comment elle se sent!

— Je veux bien croire que, pour une fois, ses caprices de petite fille gâtée n'ont pas été comblés. Mais elle a été méchante avec moi.

Simone confia à Flavie ce qu'Évelina lui avait dit concernant les services de madame Dubuc.

— Évelina dit souvent des choses qui dépassent sa pensée. Elle n'a certainement pas réfléchi avant de parler, Simone.

— Eh bien cette fois, elle a dépassé les bornes. Et je suis incapable de faire semblant qu'elle ne m'a pas blessée. Elle sait pourtant à quel point j'ai trouvé difficile de devoir recourir à l'avortement. J'attends des excuses de sa part, et je ne plierai pas là-dessus.

— Je comprends. Mais Évelina était sur la défensive. Elle a lancé la première chose qui lui est passée par la tête parce que le rejet de Wlodek la faisait souffrir.

— Ce n'est pas une raison valable, Flavie, et tu le sais. En plus, elle est au fait que j'ai signifié à Wlodek que je n'étais pas intéressée. Mais madame a pris le mors aux dents quand même.

Dépitée, Flavie haussa les épaules.

— Dans ce cas, je vais lui parler, Simone. Ça ne peut plus durer. Je suis prise entre l'arbre et l'écorce et je déteste ça !

— C'est sûr, Flavie. Mais Évelina devra apprendre qu'elle ne peut pas tout avoir et encore moins dire n'importe quoi sans qu'il y ait des conséquences.

Flavie se leva. Avant de partir, elle dit à Simone d'une voix remplie de tristesse :

— Ça m'attriste trop de vous voir en chicane. Vous êtes mes deux meilleures amies.

* * *

Simone était assise confortablement dans un des fauteuils de la salle de repos. Elle feuilletait distraitement un magazine, observant Évelina de coin de l'œil. Installée au piano, cette dernière jouait sans conviction. Flavie lui avait certainement demandé de lui présenter ses excuses. Simone attendait patiemment qu'Évelina lui adresse la parole. Jouant au chat et à la souris, les deux amies restaient silencieuses.

Simone tenait bon. Elle ne ferait pas le premier pas. « Elle me connaît très mal si elle pense que je fléchirai. » Les lèvres pincées, elle patientait. Évelina se racla la gorge. Simone haussa les sourcils, espérant qu'elle lui parlerait. Évelina prit plutôt un autre cahier de partitions ; elle l'ouvrit à la première page et entama la pièce au piano. Simone ferma les yeux et soupira. « Qu'est-ce qu'elle attend, bon Dieu, pour me faire ses excuses ! »

Simone s'apprêtait à partir quand Flavie, en larmes et essoufflée, entra dans la salle de repos. Évelina arrêta aussitôt de jouer et leva la tête. Simone s'inquiéta de voir son amie aussi troublée.

— Qu'est-ce qui se passe, Flavie? s'enquit-elle.

— Robin Arsenault a été renversé par une voiture. Il est en route pour la salle d'opération. C'est moi qui suis de garde ce soir, mais je suis incapable d'y aller. Peux-tu me remplacer, Simone?

Flavie éclata en sanglots. Connaissant l'attachement de celle-ci pour le garçon, Simone comprenait parfaitement que son amie soit incapable de s'occuper du jeune patient. Voulant se faire rassurante, elle dit:

— Ce garçon-là est fait fort; ne t'inquiète pas, Flavie. Oui, je vais te remplacer. Peut-être pourrais-tu aller attendre de ses nouvelles avec sa mère qui doit déjà avoir été prévenue?

Évelina entoura les épaules de Flavie.

— Simone a eu une bonne idée. Allons-y ensemble.

Simone se dirigea vers le bloc opératoire, persuadée que tout se passerait bien pour Robin. La réputation de l'hôpital était excellente pour traiter des accidents de ce genre, et le garçon serait confié à une équipe chevronnée en traumatologie. Après avoir procédé à toutes les règles d'usage, Simone entra dans la salle d'opération. Le patient venait d'arriver des urgences. Elle croisa le regard masqué du chirurgien en service; il s'agissait de Clément. S'installant rapidement à son poste, elle resta aux aguets, prête à donner les différents instruments au chirurgien. Simone jeta un regard rapide à Robin. Beaucoup de sang – trop de sang – s'était écoulé du corps frêle du garçon. Les blessures ouvertes ne laissaient présager rien de bon. Simone essaya de contenir ses émotions ; elle devait rester concentrée pour pouvoir travailler efficacement.

Tendant plusieurs compresses pour épancher les saignements, elle tenta de se rassurer en se disant que Robin était entre de bonnes mains. Clément ferait son possible pour sauver le garçon. L'anesthésiste surveillait attentivement les fonctions vitales du blessé, et plusieurs autres personnes s'affairaient à lui sauver la vie. Simone essayait de faire abstraction du fait qu'elle connaissait le patient, mais l'image de Flavie en larmes lui revenait sans cesse. Son amie s'était beaucoup attachée au garçon qu'elle avait rencontré au cours de sa première année d'études. Flavie le considérait presque comme son jeune frère. Sœur Désuète avait souvent prévenu ses étudiantes de ne jamais s'attacher à leurs patients, ce qui, dans certains cas, n'était guère évident. Simone se souvenait de Richard Provencher, ce grand brûlé qu'elle avait veillé de longues heures avant qu'il ne rende l'âme. Son décès l'avait profondément touchée, même si elle savait que la gravité des brûlures condamnait le pompier.

Simone observa la scène qui se déroulait devant ses yeux. Clément restait calme malgré la précarité de l'état du patient. Avec une grande confiance dans la voix, il demandait compresses, pinces et autres instruments. La situation semblait sous contrôle. Puis, soudainement, l'anesthésiste qui surveillait les signes vitaux de Robin cria :

— Nous sommes en train de le perdre ! Il faut arrêter l'hémorragie !

Clément tenta l'impossible, sans succès. Il pratiqua en vain des manœuvres de réanimation. Laissant tomber ses instruments, il regarda le garçon, l'air incrédule. Simone le vit baisser la tête en signe de dépit et aperçut les quelques larmes que le masque chirurgical ne parvint pas à cacher. Un lourd silence s'était abattu sur la salle d'opération. Clément retira ses gants et son masque. Simone le suivit des yeux quand il quitta la pièce après avoir remercié le personnel.

Simone trouva Clément assis sur un banc dans le vestiaire, les mains devant le visage. Elle s'installa à ses côtés. Il leva la tête et dit, les yeux rougis :

— Je ne peux pas croire qu'on l'ait perdu, Simone. Tout allait bien, et il avait reçu les transfusions nécessaires. J'étais certain que je parviendrais à le sauver.

— C'était son destin, Clément. Tu as fait ton possible pour le sauver.

— Je n'étais pas du tout préparé à ça, Simone.

La jeune femme ne trouva rien à répondre. Personne n'était jamais prêt à perdre un enfant. Robin avait toute la vie devant lui, mais la Providence était intervenue. Clément essuya ses larmes et se leva.

— Je dois maintenant aller annoncer la nouvelle à la mère de Robin. Un médecin ne se limite pas à soigner ; il rapporte également les bonnes et les mauvaises nouvelles.

— Flavie attend probablement avec madame Arsenault. Je t'accompagnerai si tu me donnes deux minutes pour me changer.

Lorsque Clément avait entendu le prénom de son amie, son regard s'était assombri. Il serait difficile d'annoncer la mauvaise nouvelle à la mère de l'enfant, mais la présence de Flavie rendrait la tâche encore plus pénible. Simone se dépêcha de retirer son tablier taché de sang, puis elle suivit Clément dans la salle d'attente.

* * *

Flavie tenait la main d'Évelina dans la sienne et essayait de rassurer madame Arsenault quant à l'attente qui se prolongeait. Quand Flavie aperçut Simone et Clément, elle pâlit. Clément entraîna madame Arsenault à l'écart pour lui expliquer la situation. Simone rejoignit ses deux amies.

— Puis? L'opération est terminée? On peut monter le voir? demanda Évelina.

Simone ne répondit rien, ne sachant comment annoncer la mauvaise nouvelle à Flavie. Devant le silence de son amie, cette dernière comprit. Simone avait déjà vu la détresse dans les yeux de certains patients, mais ce qu'elle découvrit dans ceux de Flavie lui brisa le cœur. Elle voulut la prendre dans ses bras, mais la jeune femme esquiva l'étreinte. D'un pas décidé, cette dernière alla rejoindre Clément.

— Tu es censé être un des meilleurs chirurgiens de l'hôpital. Comment as-tu pu laisser mourir Robin?

Clément recula. Simone saisit le bras de Flavie et lui dit tout bas, pour tenter de la calmer:

— Tu n'as pas le droit, Flavie, de parler de cette façon à un supérieur.

Puis, haussant le ton, Simone ajouta:

— Le docteur Langlois a fait tout ce qui était en son possible pour sauver Robin. Les blessures étaient très graves.

Flavie murmura un simple «Désolée!» et sortit en courant de la salle d'attente. Évelina se précipita derrière elle. Clément était resté en retrait, abasourdi par les propos de Flavie. Simone s'approcha de madame Arsenault pour lui offrir son soutien.

— Nous sommes vraiment peinés, madame, de la perte de votre fils. Flavie s'était beaucoup attachée à Robin. Elle l'aimait comme un petit frère.

Madame Arsenault s'essuya les yeux, puis elle sourit tristement à Simone.

— Je le sais. Robin aimait beaucoup sa garde-malade préférée, comme il appelait Flavie.

— Il va beaucoup lui manquer. Elle en parlait avec tellement d'affection.

En constatant que Simone avait pris en charge de réconforter la mère de son jeune patient, Clément se ressaisit. Il déclara :

— Nous avons vraiment tenté l'impossible pour le sauver, madame.

— Je n'en doute pas, docteur. Le conducteur du camion m'a dit que mon fils était pas mal amoché à son arrivée à l'hôpital. Je vais devoir partir, car mes autres enfants m'attendent à la maison. Malheureusement, la vie continue. Robin est sûrement mieux là où il est maintenant, loin de cette vie de misère. Dites à Flavie que je reviendrai.

Madame Arsenault sortit de la salle d'attente, les épaules voûtées. Simone pouvait comprendre le ton fataliste de la femme. Celle-ci avait sûrement connu son lot d'épreuves pour rester stoïque devant cette tragédie. Clément demeura silencieux. Simone voulut se faire rassurante quant aux propos de Flavie.

— Flavie est sous le choc, Clément. Il ne faut pas lui en vouloir. Elle adorait ce garçon.

— J'ai vraiment fait tout ce que j'ai pu Simone.

— Je vais lui faire entendre raison, crois-moi.

— Merci… Je vais rentrer, j'ai besoin de repos. Tu devrais monter toi aussi pour dormir un peu.

— Je vais aller rejoindre Flavie et Évelina.

Clément lui souhaita une bonne soirée et s'éloigna d'un pas lourd. «Flavie a tort d'en vouloir autant à Clément», pensa Simone en hochant la tête.

* * *

Simone trouva Flavie et Évelina dans la chambre. Les yeux bouffis, Flavie se mouchait bruyamment. Évelina lui frottait le dos et essayait de la consoler. Simone retira sa coiffe et s'assit sur son lit, face à ses deux amies.

— Flavie, Clément a vraiment tout fait pour le sauver. Robin avait perdu beaucoup de sang.

— C'est terrible, Simone. Je l'aimais comme un petit frère…

— Robin t'aimait beaucoup, lui aussi. C'est ce que sa mère m'a dit tout à l'heure. Mais la mort fait aussi partie de notre travail, Flavie, tu le sais bien.

— Oui, Simone. Je sais aussi qu'il ne faut pas s'attacher à nos patients; sœur Désuète nous le répète tellement souvent! Mais Robin était spécial pour moi.

Simone s'installa près de Flavie. Elle la prit dans ses bras et la laissa pleurer un bon coup. Soulagée que Simone prenne le relais, Évelina alla chercher sa brosse à cheveux. Elle entreprit de démêler sa chevelure, ne sachant plus quoi faire pour réconforter son amie. De toute façon, Simone avait toujours été la meilleure pour consoler les autres. Évelina prit une cigarette et une allumette mais, devant le regard désapprobateur de Simone, elle se ravisa. Il était interdit de fumer dans la chambre.

Simone aida Flavie à se mettre au lit et resta près de son amie le temps qu'elle s'endorme. Pour passer le temps, Évelina enlevait le vernis sur ses ongles – même s'il était encore impeccable. Après s'être assurée que Flavie dormait, elle s'approcha de Simone.

— Je ne savais plus quoi faire pour la consoler. Tu es bien meilleure que moi là-dedans.

— Il faut prendre le temps de l'écouter, tout simplement.

— Je n'en reviens pas qu'elle le prenne aussi dur ! Pour une fois, je suis d'accord avec sœur Désuète. Il vaut mieux ne pas trop s'attacher à nos patients.

— C'est plus facile à dire qu'à faire, Évelina.

— Tu as raison. Mais Flavie est persuadée que Clément a commis une erreur. Je commence à penser comme elle.

— Ben voyons donc ! Tu ne vas pas embarquer là-dedans ? J'étais là, Évelina. Je sais qu'il a tout tenté.

— Les médecins essayent toujours d'avoir l'air au-dessus de tout ; de plus, ils regardent les infirmières de haut. Je pense que tu les idéalises beaucoup trop, ma pauvre Simone ! On sait bien, depuis que madame fréquente des médecins...

Simone retint sa respiration. Elle n'en revenait pas qu'Évelina revienne à la charge en pareille circonstance !

— Tu n'es pas sérieuse, Évelina, en me disant ça ?

— Ben quoi ? Il faut que je m'excuse pour quelque chose que je t'ai dit et dont je ne me souviens même plus... Les propos de Wlodek m'ont humiliée.

Simone tenta de contenir sa colère. Sur un ton furieux mais bas, afin ne pas réveiller Flavie, elle dit :

— Pourrais-tu pour une fois arrêter de tout rapporter à ta petite personne, Évelina ? Il n'est pas question de Wlodek ici ni de notre chicane, mais bien de Flavie qui est ébranlée par la mort d'un patient qu'elle aimait énormément. Tu remets en doute le travail de Clément, et je ne peux pas te laisser faire ça. Mais puisque tu as décidé de ramener le sujet de Wlodek sur le tapis, allons-y. Tu m'as blessée, Évelina, en me disant que tu espérais que je n'aurais pas à recourir à madame Dubuc une autre fois. Tu te souviens de tes paroles ?

— J'ai dit ça comme ça. Je souffrais, j'ai réagi.

— Je comprends, mais cela ne te donnait pas le droit de m'attaquer. C'était méchant ce que tu m'as dit, Évelina ; tu sais à quel point cet avortement m'a bouleversée. En tout cas, tu as trouvé où frapper pour me faire mal.

Évelina resta silencieuse quelques secondes avant de murmurer faiblement : « Je m'excuse. » Simone reprit :

— Pour le moment, nous allons mettre nos différends de côté. Flavie va avoir besoin de nous dans les prochains jours. Nous devrons lui faire comprendre que Clément a vraiment tout tenté pour sauver Robin. Et puis, sache que je n'ai pas de parti pris pour les médecins, Évelina. Ils sont des humains ; ils ne font pas de miracles.

— Je le sais, figure-toi donc ! Marcel est revenu à la charge. Il aimerait bien que nous nous revoyions.

Simone secoua la tête. Tout était revenu à la normale pour Évelina; le prétendu rejet de Wlodek, le chagrin de Flavie et leur dispute étaient désormais derrière elle. Elle s'était excusée et, d'après ses critères, il était temps de passer à autre chose. Simone se questionnait. «Pourquoi suis-je amie avec une fille aussi superficielle qu'elle?» Elle dut admettre que, malgré tout, elle aimait Évelina telle qu'elle était: imprévisible, impatiente et, surtout, authentique.

*   *   *

Flavie ne s'était pas présentée au cours de morale dans le christianisme dispensé par sœur Désuète. En constatant son absence, la religieuse s'adressa à Simone et Évelina.

— Encore une fois, mesdemoiselles, votre trio est incomplet. Qu'est-ce qui se passe cette fois-ci?

Simone fut tentée de prétendre que Flavie avait fait une indigestion, mais elle préféra la franchise.

— Flavie a très peu dormi cette nuit. Une grande épreuve l'a frappée, hier soir. Elle a perdu un jeune patient qu'elle connaissait.

— Je ne cesse de vous dire que vous ne devez pas vous attacher à vos patients, mesdemoiselles. Ceci en est un bon exemple.

— Évelina et moi avons préféré la laisser dormir lorsque nous avons quitté la chambre ce matin. Je vais prendre des notes pour m'assurer que Flavie ne manquera rien du cours d'aujourd'hui, ma sœur. Elle assistera probablement au prochain cours.

— Je l'espère bien. Prévenez mademoiselle Prévost que je veux la voir vaquer à ses tâches cet après-midi. C'est inconcevable que les infirmières qui sont sous mon autorité ne tiennent pas leurs engagements respectifs. Même en deuxième année, je dois vous surveiller étroitement! Si on vous laissait faire, vous feriez toutes la grasse matinée!

Évelina roula les yeux et marmonna entre ses dents: «Une bonne infirmière ne dort jamais, et surtout elle n'a aucune émotion...» avant de recevoir un coup de coude de Simone, lui signifiant ainsi de se taire. Sœur Désuète jeta un regard sévère à Évelina avant d'entreprendre sa distribution de documentation.

Simone écoutait les propos de sœur Désuète tout en se disant que Flavie ne manquait vraiment rien d'important. Il était question de l'accompagnement spirituel du patient en phase terminale. «Flavie n'aurait pu supporter cela, c'est certain! D'ailleurs, je me demande bien comment j'arrive à ne pas m'endormir.» Simone crayonnait dans la marge de son cahier. Du temps où elle enseignait, elle avait toujours puni ses élèves qui barbouillaient ainsi dans leur cahier, mais, ce matin-là, elle ne pouvait s'en empêcher. En se rendant au cours, elle avait croisé Clément. Ce dernier n'en menait pas large. L'air triste, il lui avait demandé comment allait Flavie. Simone lui avait dit ce qu'il en était: elle avait entendu son amie se retourner dans son lit toute la nuit. Clément avait promis de lui rendre visite dès que sa tournée de patients serait terminée. Simone se demandait comment son amie l'accueillerait. Elle espérait que Flavie s'était fait une raison et qu'elle n'imputait plus la mort de Robin au médecin.

Un peu comme lors de la fin d'un sermon à l'église, sœur Désuète leur souhaita une bonne journée. «Allez en paix!» murmura Évelina comme à la fin de chaque cours.

Habituellement, Simone ne pouvait s'empêcher de sourire, mais pas ce matin-là. Simone était impatiente de voir comment allait Flavie. Évelina lui donna le mandat d'aller la voir quelques minutes avant de commencer ses affectations. Simone soupçonnait Évelina d'être encore mal à l'aise devant le chagrin de leur amie.

Flavie était dans la chambre. Elle était habillée et essayait de se coiffer. Ses traits tirés et ses yeux bouffis révélaient qu'elle avait pleuré en se levant. Simone s'assit sur le bord du lit.

— Et puis? Comment ça va, ce matin?

— Je me prépare. Je travaille à la salle des plâtres aujourd'hui. Cela me distraira de soigner des petits problèmes anodins.

— Moi, je travaille aux dispensaires. J'espère ne pas avoir à m'occuper de beaucoup de patients. Je suis fatiguée.

— C'est ma faute. Je t'ai empêchée de dormir. Excuse-moi.

— Ce n'est rien. J'ai croisé Clément ce matin. Il voulait savoir comment tu allais.

— Je sais. Il est venu.

Simone aurait aimé en savoir plus sur la visite de Clément. Elle n'eut besoin de rien demander, car Flavie l'informa:

— Ça s'est mal passé avec lui. Je lui ai annoncé que c'était terminé entre nous. Il n'est jamais disponible et je n'ai plus confiance en lui. Si Clément a pu laisser mourir un enfant, il ne vaut pas grand-chose à mes yeux.

— Voyons, Flavie! Tout le monde sait que la médecine n'est pas une science infaillible! Clément a vraiment tout fait pour sauver Robin.

— J'essaye de m'en convaincre, Simone. Mais quelque chose s'est brisé entre Clément et moi. Et puis, j'en ai assez d'être laissée pour compte. La vie est trop courte pour passer son temps à attendre. Notre relation n'allait nulle part. Clément est débordé à cause de son poste de chirurgien et moi, j'ai envie d'autre chose.

Simone espérait que Flavie ne regretterait pas sa décision. Après avoir regardé sa montre, celle-ci coupa court à la conversation.

— Je dois partir si je ne veux pas arriver en retard. Est-ce que tu m'accompagnerais demain chez madame Arsenault ? Je veux aller lui offrir mes condoléances. Hier, j'avais l'air d'une hystérique.

— Tu étais sous le choc, Flavie. Et pour ce qui est de ta rupture avec Clément… Je ne suis pas certaine que tu aies pris la bonne décision. Tu as agi sous le coup de l'émotion.

— Je ne veux plus en parler, Simone. Viendras-tu oui ou non avec moi chez madame Arsenault ?

Simone hocha la tête pour signifier son accord avant que Flavie quitte la chambre. Puis, Simone se dirigea vers les dispensaires du rez-de-chaussée. Elle croisa Évelina en sortant de l'ascenseur.

— Puis ? Est-ce que tu as vu Flavie ?

— Oui. Et cela m'a confirmé ce que je t'ai dit hier soir : elle va avoir besoin de nous !

14

Flavie dut user de persuasion pour que madame Arsenault accepte le cadeau de Victor. Ce dernier avait proposé de payer les frais funéraires de Robin ainsi que le terrain au cimetière et le monument. Comme prévu, Simone avait accompagné Flavie chez madame Arsenault. La femme assise à la table se tenait le visage entre les mains.

— Je ne peux pas accepter ça, Flavie, dit-elle.

— Voyons, madame Arsenault ! Mon père y tient. Il serait heureux si ça pouvait mettre un peu de baume sur votre malheur d'avoir perdu Robin...

Flavie essayait de retenir ses sanglots. Simone posa la main sur son bras pour lui témoigner son soutien. Après s'être essuyé les yeux avec un mouchoir, madame Arsenault hocha la tête. Elle déclara :

— Si ça a de l'allure d'être dans la misère de même ! Je n'ai même pas les moyens d'enterrer mon propre enfant et je suis obligée de profiter de la générosité d'un inconnu.

— Mon père insiste, madame Arsenault. Ce serait trop triste que Robin soit enterré avec les indigents.

Madame Arsenault acquiesça tristement. Simone aurait voulu se trouver à des lieues de cet endroit. Faiblement éclairée, la petite pièce était froide malgré cette journée de la fin du mois de mai. Des assiettes sales jonchaient l'évier, et les enfants se tenaient près de leur mère, observant d'un œil curieux les visiteuses.

Flavie tendit l'enveloppe à madame Arsenault. Puis, elle se leva, suivie de Simone.

— Faites-nous savoir quand les funérailles auront lieu, madame. Je voudrais rendre un dernier hommage à Robin.

— C'est sûr, Flavie, que je te préviendrai! Remercie ton père, cet homme si généreux. Merci aussi à toi pour ce que tu as fait pour mon fils. Robin t'aimait beaucoup.

Flavie embrassa la femme sur les deux joues et sourit aux enfants avant de sortir. Simone salua madame Arsenault et emboîta le pas à son amie. Les deux jeunes femmes marchèrent en silence pendant un long moment. Simone essayait de deviner les pensées de sa compagne.

Elle toussota pour attirer l'attention de Flavie, puis elle dit :

— Tu as bien fait de demander l'aide de ton père, Flavie. Robin se serait retrouvé dans une fosse commune. C'est affreux quand on y pense.

— Je ne pouvais pas laisser faire ça, Simone. Victor m'a été d'un grand secours. C'est la moindre des choses que nous puissions faire pour cette famille éprouvée.

Flavie parlait toujours de son père avec beaucoup d'amour, mais elle était incapable de l'appeler «papa»; elle utilisait affectueusement son prénom. Flavie marchait d'un pas décidé en direction de l'hôpital, malgré la tristesse qu'elle éprouvait. Comme elles n'avaient pas de cours ce samedi-là, Flavie et Simone s'étaient occupées de leurs patients en matinée. Elles avaient profité de leur pause d'une quarantaine de minutes pour se rendre chez madame Arsenault.

Devant l'hôpital, Flavie essuya rapidement une larme. Cela n'échappa pas à Simone.

— Je sais que c'est difficile, Flavie, mais crois-moi, Robin était blessé très gravement. Les chances étaient minces qu'il s'en tire. Clément a vraiment tout tenté. J'espère que tu reconsidéreras ta décision de mettre fin à votre relation.

— J'en avais assez de son indifférence.

— Il subit d'énormes pressions de la part de ses collègues et de ses patients, Flavie.

— Tout le monde en subit, Simone! Pourtant, certaines personnes n'ont pas peur de l'engagement – on n'a qu'à penser au docteur Litwinski qui te fait la cour ou à Paul qui est toujours là pour toi. J'aimerais passer à autre chose, Simone, si ça ne te dérange pas. Je n'ai pas juste ça à faire, attendre Clément, tu sais?

— On croirait entendre Évelina!

— Pff! Tu n'es pas gênée! riposta Flavie en donnant un coup de coude à son amie.

Simone poussa la lourde porte d'entrée de l'hôpital et pénétra dans le hall, Flavie derrière elle. L'effervescence de l'hôpital en cette fin de matinée surprit les deux étudiantes. Flavie inspira profondément, ravie de pouvoir enfin changer de sujet.

— Allez! Au boulot, Simone! Les patients nous attendent!

* * *

Simone était assise devant sa machine à écrire. Les mots ne venaient pas. Elle avait pourtant deux articles à rédiger pour *L'Antenne*. Même si elle était seule dans sa chambre, elle s'exprimait à voix haute : « Qu'est-ce qui serait intéressant comme sujet ? Je n'ai pas envie de traiter de "Tendance vêtements pour le début de l'été", ou encore de me lancer dans quelque chose du genre "Quoi faire pendant vos vacances ?" Non ! Vraiment trop futile ! Ah ! Je n'y arriverai pas ! » Découragée, la jeune femme se prit la tête entre les mains. Quelques instants plus tard, elle sursauta en entendant la porte se refermer.

— Ah ! Tu es là, Simone ! s'exclama Évelina. Mais en réalité, ce n'est pas une surprise de te trouver enfermée ici malgré le beau temps qu'il fait dehors. Ça sent l'été ! J'adore cette saison ! Fini les maudites robes en laine et les manteaux ! Je vais pouvoir enfin porter mes nouvelles robes, celles en fine cotonnade !

— J'ai quelques articles à rédiger pour la dernière édition de *L'Antenne* avant la fin des cours. Après, je comptais aller m'enfermer dans la bibliothèque pour étudier. J'ai la soirée de libre. Tu m'accompagnes ?

— Es-tu folle ? Par un temps pareil ? Arrête donc de t'en faire, tu vas encore réussir haut la main les examens, Simone. Tu t'inquiètes toujours pour rien ! Tiens, rédige donc un article sur les meilleures façons de se préparer pour les examens. La maîtresse d'école en toi sera heureuse d'enseigner quelque chose d'utile aux autres !

— Bonne idée, Évelina ! En as-tu d'autres comme ça ?

Évelina se laissa tomber sur son lit. Elle réfléchit quelques instants.

— Les tendances mode de l'été 1938 ? Les nouveaux acteurs prometteurs à Hollywood ? J'ai lu pas mal là-dessus, je pourrais t'aider !

Simone ferma les yeux. Elle devait trouver autre chose de plus intéressant que la mode ou les acteurs de cinéma ; elle n'avait nulle envie de se pencher sur ces sujets. À son avis, la majorité des infirmières lisaient beaucoup trop de revues à potins. Simone voulait que ses articles se démarquent. Flavie entra à ce moment. Elle retira sa coiffe et s'étendit sur son lit.

— Ouf ! J'ai une pause de dix minutes avant de retourner dans l'arène. J'ai travaillé aux dispensaires ; je n'ai jamais vu autant de personnes en si peu de temps. C'est curieux comme le beau temps incite les gens à venir consulter à l'hôpital. Qu'est-ce que vous faites, toutes les deux ?

— Simone rédige des articles pour *L'Antenne*. Et moi, j'avais aussi besoin d'une pause.

— Des articles sur quels sujets, Simone ?

— Évelina vient de me fournir une piste, mais il me manque encore un thème. Tu aurais une idée, Flavie ?

— Survivre au départ d'un patient ?

Simone détailla son amie quelques secondes pour voir si elle était sérieuse. Flavie poursuivit :

— Ben quoi ? Tout le monde nous dit de ne pas nous attacher aux patients. Mais quand il y en a un qui meurt, le chagrin de la perte est là quand même !

— Ouais, c'est peut-être une bonne idée... La perte d'un patient nous ramène toujours à notre propre existence, et à celle de nos proches. Je ne sais pas ce que je ferais sans vous deux ! Vous m'avez donné de très bons sujets d'articles. Merci !

— Pour nous remercier, tu devrais nous inviter à sortir pour une fois ! Ce soir, je suis libre. Et toi, Flavie ?

— Malheureusement, je suis de garde. Mais allez-y sans moi. De toute façon, je ne suis pas tellement de bonne compagnie ces temps-ci!

— Je suis libre aussi, Évelina, comme je te l'ai dit tout à l'heure. Mais je voudrais vraiment aller étudier à la bibliothèque.

— Ah! *Come on*, Simone! Ce serait tellement plaisant, une petite soirée avant les examens! On n'est pas au noviciat ici! Dis oui! Après, je promets que je ne t'achalerai plus.

— D'accord, mais seulement si j'ai le temps de terminer mes articles. Sinon, je reste ici!

— Tu ne sais pas la joie que tu me fais, Simone, en acceptant! Ça fait tellement longtemps que je ne suis pas sortie! Quelle joie de se retrouver en ville parmi le vrai monde!

Évelina se leva et entraîna Flavie avec elle.

— Allez, mademoiselle Prévost, fuyons pour laisser madame la journaliste pondre ses articles en paix! Je ne voudrais surtout pas manquer l'occasion de sortir!

* * *

Évelina n'importuna pas Simone une seule fois durant le reste de l'après-midi. «Elle tient beaucoup trop à sa sortie de ce soir pour venir me déranger. Quelle excellente stratégie de ma part!» songea Simone.

En allant porter ses articles au local du journal, elle croisa Paul.

— C'est toujours un plaisir de vous croiser dans les couloirs, garde Lafond! s'exclama le médecin. Comment ça va?

Simone l'informa qu'elle venait tout juste de rédiger ses derniers articles pour *L'Antenne* pour l'année scolaire qui s'achevait. Elle était impatiente du retour de l'automne pour pouvoir se remettre à l'écriture.

— Je prépare aussi mes examens… du moins, j'essaye. J'ai promis à Évelina de sortir avec elle ce soir. Après, elle a juré de me laisser étudier en paix.

— Ça vous dérange si je me joins à vous? J'aurais bien besoin de me changer les idées. Et puis, c'est toujours mieux que deux jolies filles ne sortent pas seules le soir!

— Tu as sans doute raison. Et puis, cet argument de chevalier servant plaira à Évelina; elle sera trop heureuse qu'un médecin fort et valeureux nous escorte. Elle est parfois tellement romantique, la pauvre!

— Tu ne l'es pas un peu, toi aussi?

— Pas vraiment. J'ai perdu toutes mes illusions...

Paul savait que Simone faisait allusion à Bastien, mais il ne le mentionna pas.

— Il faut garder espoir, Simone! On ne sait jamais ce qui peut arriver! Je vous attendrai vers dix-neuf heures dans le hall de l'hôpital. Ça te va?

Simone acquiesça, puis elle reprit son chemin. Un léger sourire se dessina sur son visage. Paul réussissait à se montrer charmant tout en gardant ses distances. «Il sait vraiment comment me prendre, celui-là!» Après la remise de ses articles, Simone se dépêcha de retourner à sa chambre. Elle se mit à fouiller dans son armoire afin de dénicher la robe idéale pour la soirée. «Tiens, la bleue fera l'affaire!»

Quelques minutes après que Simone se fut changée, Évelina entra. Celle-ci la complimenta tout en se mettant à la recherche de la tenue parfaite.

— Pas mal, Simone, comme choix. Mais il faudrait quand même aller magasiner un de ces jours. Ta robe fait tellement 1936 !

Simone ne releva pas le commentaire ; elle se contenta de se recoiffer. Évelina déposa une robe rose cendré à côté d'une autre de couleur bleu sur le lit. Reculant pour avoir une meilleure vue d'ensemble, elle soupira.

— Ah ! Je ne peux pas croire que je doive choisir entre ces deux vieilleries ! Tu m'as pris de court en acceptant aussi rapidement ma proposition. Avoir su qu'on sortirait, je serais allée magasiner.

— Une bonne infirmière se tient prête à toute éventualité, se moqua Simone.

— Et puis tant pis ! Je vais porter ma nouvelle robe lilas même si le tissu est un peu trop léger pour la soirée. Je n'aurai qu'à apporter mon manteau.

— Peu importe ! Tu seras splendide, de toute façon !

— Tu es trop gentille, Simone ! C'est vraiment dommage que Flavie ne puisse pas se joindre à nous.

— Je pense que ça fait son affaire, en fait. Elle n'a pas tellement envie de sortir ces temps-ci.

— C'est dommage pareil !

Évelina revêtit sa robe et admira son reflet dans le miroir, se retournant pour voir l'effet du vêtement sous tous les angles.

Simone se rendit compte qu'elle avait oublié de dire à son amie qu'elles ne seraient pas seules.

— J'ai rencontré Paul en allant porter mes articles. Il a proposé de nous accompagner ce soir.

— Hein? Je vais servir de chaperon? Ça ne m'est encore jamais arrivé!

— Tu n'auras pas grand-chose à «chaperonner», Évelina.

— Je vais vous avoir à l'œil, mademoiselle Lafond... Une infirmière qui se respecte ne sort pas avec le premier venu. Et son chaperon l'escorte toujours afin de la remettre sur le droit chemin si cela est nécessaire!

Simone s'esclaffa, comme chaque fois qu'Évelina imitait la voix de sœur Désuète. Elle demanda ensuite à son amie de terminer sa coiffure au plus vite, car elle ne voulait pas être en retard et faire attendre Paul. «Une bonne infirmière se doit d'être ponctuelle!» pensa-t-elle en souriant.

* * *

Même si la salle était bondée, Paul était parvenu à dénicher une table libre pour qu'ils puissent s'installer. Évelina commanda un gin-fizz et Simone, un martini. Le groupe de musique qui présentait son spectacle jouait des rythmes endiablés. Simone ne put résister à la tentation d'accompagner Paul sur le plancher de danse. Évelina ne resta pas longtemps seule; elle rejoignit le couple quelques minutes plus tard en compagnie d'un jeune homme.

En retournant à la table, Paul remarqua Clément et Wlodek assis au fond de la salle. Il prit la main de Simone dans la sienne, puis il entraîna la jeune femme vers la table occupée par les deux médecins.

— On peut se joindre à vous? demanda Paul à Clément.

— Paul! Simone! Quelle belle surprise!

Clément chercha du regard Flavie. Simone lui sourit tristement en hochant négativement la tête. Elle constata que les deux hommes avaient beaucoup bu en voyant le nombre de verres vides devant eux. Évelina vint les rejoindre, seule.

— Ton nouveau cavalier t'a fait faux bond? lui chuchota à l'oreille Simone.

— Bof! s'exclama tout bas Évelina. Il ne dansait pas tellement bien et il sentait l'ail. De toute façon, je suis en bien meilleure compagnie ici, souffla-t-elle en pointant Wlodek du menton.

Évelina s'installa à côté de Paul, en face de Wlodek. Simone se retrouva coincée entre Clément et Paul. Clément commanda deux autres vodkas et trinqua avec Wlodek avant d'avaler d'une traite le contenu de son verre. Se penchant vers Simone, il dit:

— Dommage que Flavie ne soit pas avec vous. J'aurais vraiment aimé lui parler.

— Elle travaille. Et puis, elle n'était pas d'humeur à sortir, Clément.

— Bah! Moi non plus, mais quelques verres font toujours du bien à une âme en peine!

En s'apercevant que Wlodek, les yeux embrumés par l'alcool, cherchait son regard, Simone réalisa que ce n'était peut-être pas une bonne idée que ses amis et elle soient venus s'asseoir ici. Elle espérait qu'il n'y aurait pas d'esclandre entre Wlodek et Paul. Comme s'il avait lu dans ses pensées, Wlodek se leva et, avant de quitter la table, il lança :

— Tu as beaucoup de chance, Paul Choquette. Profites-en !

Wlodek salua Clément et s'éloigna en titubant légèrement. Paul le suivit des yeux, puis il sourit à Simone. Ensuite, il se leva et invita Évelina à danser. Cette dernière faisait peine à voir. Simone fut reconnaissante envers Paul de s'occuper de son amie. Clément leva la main pour attirer l'attention d'un serveur.

— Clément, je pense que tu as bu suffisamment ce soir, formula Simone.

— Qu'en sais-tu ?

— Je n'ai qu'à te regarder pour le savoir.

Le serveur apporta un autre verre à Clément. Celui-ci l'avala d'une traite en jetant un regard de défi à Simone.

— À mon avis, Clément, ce n'est pas la meilleure façon de reconquérir Flavie.

Le jeune homme la regarda d'un air triste.

— Parce que tu penses que c'est faisable ?

— Elle t'aimait beaucoup, tu sais.

— Mais elle m'aime moins maintenant... Pourrais-tu être amoureuse d'un chirurgien qui laisse mourir ses patients, Simone ? Qu'est-ce qu'il me reste ? J'ai perdu le plus important : Flavie et mon estime de soi.

— Il ne faut pas prendre les choses ainsi, voyons !

— Tout le monde s'attend à ce que je fasse des miracles. Mais au moment où il aurait fallu que j'en fasse un, j'ai flanché. Je pensais être le meilleur, mais je ne vaux pas grand-chose si j'ai laissé mourir un jeune patient comme Robin. Combien de patients mourront encore entre mes mains ?

— Il ne faut pas penser à ça, Clément. Songe à tous ceux que tu as sauvés grâce à ta dextérité.

— Je n'avais pas le droit à l'erreur, Simone. Je dois être le meilleur, tu comprends ?

Soulagée de voir Paul et Évelina revenir, Simone leur demanda s'ils étaient prêts à rentrer. En voyant son ami effondré sur la table, Paul l'aida à se lever et l'entraîna vers la sortie. Clément était vraiment très affligé par sa rupture et la mort de Robin. Simone se promit d'en parler à Flavie.

* * *

Simone venait de relater à Flavie sa rencontre de la veille avec Clément. Elle lui avait dit qu'il était rongé par la culpabilité et qu'il faisait vraiment peine à voir. Paul l'avait raccompagné chez lui. Mais avant, pour s'assurer que Simone et Évelina rentreraient à bon port, il avait appelé un taxi.

Évelina s'était engouffrée en vitesse dans la voiture après avoir remercié Paul. Simone était restée quelques instants sur le trottoir et avait souhaité bonne nuit au médecin tout en l'embrassant sur une joue. Paul avait rougi, mais il n'avait pas eu l'occasion de faire quoi que ce soit, car il soutenait Clément.

Les bras croisés, Simone contemplait Flavie. Elle attendait que celle-ci réagisse à son récit.

— Voyons, Flavie! Va au moins lui parler. Il faut que Clément sache que tu ne lui attribues plus la responsabilité du décès de Robin. Je comprends que tu veuilles te consacrer à tes études, mais tu ne peux le laisser triste et abattu comme ça. Clément faisait vraiment pitié hier soir.

— Bon, OK! Je verrai ce que je peux faire. Mais je ne compte pas me remettre en couple avec lui. Une fille se «tanne» de se faire niaiser!

Simone ne pouvait contredire Flavie là-dessus, même si elle savait que Clément n'avait pas délaissé son amie intentionnellement. «Maudit que c'est compliqué les relations hommes-femmes!» Elle repensa à Wlodek et à son regard de chien battu quand il l'avait aperçue en compagnie de Paul. «Ce n'est pas en buvant une bouteille complète de vodka qu'il va m'attirer, celui-là!» Simone avait horreur de l'abus d'alcool. Elle avait vu trop souvent son oncle ivre et incapable de monter à l'étage pour aller se coucher. Elle ne comptait plus les fois où sa tante et elle avaient dû aider l'homme à s'étendre dans son lit.

— Je ne changerai pas d'idée, Simone, décréta Flavie. Je préfère me concentrer sur mes cours et mes examens. Si ça ne te dérange pas, je voudrais étudier un peu. Je veux être prête pour l'examen de pathologie, car le docteur Bourque ne nous laissera aucune chance.

— Je me rends justement à la bibliothèque. Tu veux m'accompagner?

— Non, je préfère étudier seule, déclara Flavie, la mine boudeuse.

«Flavie a raison de vouloir se concentrer sur ses études. C'est d'ailleurs ce que je vais faire moi-même.» Elle avait rapporté à

Flavie dans quel état Clément se trouvait; elle ne pouvait faire davantage. Simone saisit ses manuels et sortit de la chambre, laissant Flavie seule. Mais une surprise de taille l'attendait à la bibliothèque. Évelina s'y trouvait, le nez plongé dans un livre. Simone s'installa près d'elle.

— C'est bien le dernier endroit où je pensais te trouver à cette heure.

— J'ai un peu de temps pour étudier. L'an dernier, nos visites à la bibliothèque m'ont valu des notes potables. Je vais suivre tes conseils de maîtresse d'école et me préparer pour les examens. J'ai lu ton article dans *L'Antenne*! De toute façon, si je veux passer un peu de temps avec Flavie et toi, je suis bien mieux de me mettre à étudier parce que mes deux amies célibataires sont plates à mourir en cette fin d'année scolaire.

— C'est impressionnant de voir comme tu t'assagis, Évelina!

— Bof! Je commence à me faire à l'idée que je vais finir vieille fille, alors je suis mieux d'avoir un métier.

— Il te reste encore un an d'études, Évelina. Qui sait? Tu rencontreras peut-être l'homme de ta vie cet automne!

— Vivement l'arrivée des nouveaux internes pour me sortir de mon marasme! Je ne sais pas comment tu as fait pour que Wlodek soit accroché comme ça. Il faisait pitié à voir hier soir quand il t'a vue avec Paul.

— Je n'ai rien fait pantoute! C'est bien ça le pire! Et il n'était pas le seul à ne pas en mener large. Pauvre Clément! Il a beaucoup de mal à supporter la pression. Et avec Flavie qui vient de rompre, il a l'impression d'avoir tout perdu.

— Lui aussi doit avoir hâte à l'arrivée de nouvelles étudiantes à la fin de l'été.

Simone doutait que cela lui ferait oublier Flavie. Clément traversait des moments difficiles; heureusement que Paul le soutenait. Évelina la ramena à l'instant présent en lui donnant un coup de coude.

— Allez, madame la maîtresse d'école! Il faut étudier pour préparer cet examen-là!

* * *

Après avoir déposé son examen sur le bureau du docteur Bourque, Simone pressa le pas pour se rendre dans le hall d'entrée. Un peu avant le début de l'examen, sœur Désuète était venue la prévenir que quelqu'un souhaitait la voir en bas. La religieuse avait certifié qu'il n'y avait pas urgence, qu'elle pouvait faire son examen avant de descendre. Simone était parvenue à garder toute sa concentration, mais à présent elle se retenait de courir dans les couloirs. Qui l'attendait?

En arrivant en bas, Simone se dirigea directement au comptoir de renseignements. Elle s'informa à propos de son visiteur. La religieuse à l'accueil lui indiqua une chaise au fond de la salle en lui spécifiant que l'homme commençait sérieusement à perdre patience. Après avoir traversé le hall, Simone reconnut son oncle, Albert Demers. «Il est sûrement arrivé un malheur à tante Henrélie pour qu'il soit venu jusqu'à Montréal», pensa-t-elle, inquiète.

— Oncle Albert? Que se passe-t-il?

— On peut parler ailleurs qu'ici, Simone? J'ai toujours haï les hôpitaux.

La jeune femme l'invita à aller s'asseoir dans le parc en face de l'hôpital. Les rayons de soleil la réchauffèrent un peu; tout son corps s'était glacé en apercevant son oncle. Bien qu'elle se soit toujours sentie rejetée, sa tante et lui étaient sa seule famille. Après s'être installée sur un banc, Simone attendit que son oncle lui apprenne le but de sa visite.

— Ta tante ne va pas bien, annonça Albert. Je ne voulais pas venir à Montréal, mais elle a beaucoup insisté. Pour le moment, c'est madame Gagnon, la voisine, qui s'occupe d'elle. Mais moi, je ne suis plus capable de prendre soin d'Henrélie tout seul.

— Qu'est-ce qu'elle a?

— Le docteur Brissette a dit qu'il s'agissait d'un cancer. Henrélie n'en a plus pour très longtemps.

Simone retint sa respiration. Son oncle et sa tante ne lui avaient jamais témoigné le moindre signe d'affection. Pendant quelques secondes, le souvenir de sa jeunesse dépourvue d'amour lui remonta à la mémoire. Elle eut envie de dire à son oncle : «C'est la vie ! Que veux-tu que j'y fasse ?» Mais elle se retint. Reprenant son sang-froid, elle demanda à l'homme qu'elle trouvait vieilli :

— Qu'est-ce que vous attendez de moi?

— C'est bien évident, ma petite fille. Comme tu es garde-malade, ta tante voudrait que ce soit toi qui viennes s'occuper d'elle.

— Je suis encore étudiante, oncle Albert...

Ce dernier continua son laïus sans tenir compte de l'intervention de sa nièce.

— Je n'ai pas approuvé ton choix de quitter l'école de rang pour venir étudier dans la grande ville. Mais Henrélie m'a souvent dit qu'une infirmière, c'est aussi pratique qu'un curé dans une famille. Après tout ce qu'on a fait pour toi, Simone, ce serait la moindre des choses que tu prennes soin de ta tante malade.

Simone tiqua en entendant les mots «après tout ce qu'on a fait pour toi». Elle serra les dents pour s'empêcher de dire le fond de sa pensée.

— Vas-tu venir à Saint-Calixte? s'enquit l'oncle.

— Je dois terminer mes examens. Ensuite, je comptais passer l'été à travailler à l'hôpital.

— Tu préfères t'occuper de patients que tu ne connais pas, alors que des membres de ta propre famille ont besoin de toi? Simone, je te le demande par charité chrétienne. Ta tante a vraiment besoin de toi.

Simone pinça les lèvres. Son oncle avait toujours misé sur la culpabilité des autres pour obtenir ce qu'il désirait. Elle aurait voulu lui dire de partir immédiatement et d'oublier son existence comme il l'avait toujours fait, mais elle en était incapable. Elle murmura simplement:

— Je vais y penser.

— Je rentre ce soir à Saint-Calixte par le train. Finis tes examens et dis-nous quand tu pourras arriver.

Albert quitta le parc. Simone le suivit des yeux. Son oncle marchait d'un pas confiant, persuadé qu'elle viendrait s'occuper d'Henrélie. Il la connaissait trop bien. Mais, malgré sa rancœur, Simone ne pouvait abandonner sa tante. Reprenant le chemin de l'hôpital, le cœur dans l'eau, elle se promit que ce serait la dernière fois qu'elle mettrait les pieds à Saint-Calixte.

15

Fières de leurs résultats d'examens, Simone, Évelina et même Flavie avaient décidé de s'impliquer dans le comité du pique-nique de fin d'année orchestré par les dames patronnesses. Simone, qui avait aimé participer au concert de charité en décembre, avait entraîné ses deux amies dans l'organisation du pique-nique qui clôturerait la fin de l'année scolaire.

Après le départ de son oncle Albert, Simone avait beaucoup réfléchi. Elle n'avait pas le choix de retourner à Saint-Calixte pour l'été, mais à l'automne elle reviendrait à Montréal pour compléter son diplôme d'infirmière – peu importe ce qu'il adviendrait de sa tante. Elle trouverait certainement quelqu'un au village pour la remplacer.

Lorsque Simone annonça son intention de passer l'été au chevet de sa tante, Évelina commenta :

— Tu es bien mieux de revenir pour compléter ta troisième année, Simone Lafond! On a fait le pacte qu'on terminerait nos études, tu te souviens? Et puis, je vais encore avoir besoin de ton aide pour étudier aussi efficacement. J'ai les meilleurs résultats scolaires de ma vie depuis que j'étudie à l'hôpital. Tu ne peux pas nous lâcher comme ça et retourner te terrer dans le fond d'un rang.

— C'est certain que je vais revenir! Je n'ai pas du tout envie de passer le reste de mes jours là-bas.

Contrairement aux étés précédents, Flavie avait décidé de rester à Montréal pour travailler à l'hôpital. Elle voulait se perfectionner auprès des patients, et surtout elle voulait rendre visite à son père le plus souvent possible. Évelina était soulagée de savoir qu'au moins une de ses amies serait présente à ses côtés.

— Je ne me serais pas vue rester seule ici. J'aime bien ça « torchonner » les patients, mais aussi bien le faire en agréable compagnie ! Je suis certaine que tu vas adorer Montréal en été, Flavie. Et puis, si tu t'ennuies trop de tes grands espaces, on ira faire un tour au sur le mont Royal.

— Je vais m'ennuyer de ma famille, c'est sûr. Une chance que tu seras là, Évelina. Victor est content aussi de ma décision ; il verra sa fille un peu plus souvent cet été.

— Ma mère aimerait bien me voir plus souvent cet été moi aussi, soupira Évelina. Elle m'a téléphoné la semaine dernière pour m'inviter à passer un peu de temps chez elle afin de « rattraper le temps perdu », comme elle dit.

— Tu vas y aller ? s'enquit Simone.

— Bof ! Il le faudrait bien. Elle doit se sentir vieillir et avoir peur de finir ses jours toute seule. C'est pratique d'avoir une fille qui puisse lui tenir compagnie.

Peu importe le genre de vie que madame Richer avait mené, Simone estimait qu'Évelina ne devait pas juger sa mère aussi durement et qu'elle devait faire un effort pour lui rendre visite. La jeune femme songea à son envie de dire à son oncle de se débrouiller avec sa femme malade ; elle ressentit de la culpabilité d'avoir eu cette pensée. Finalement, elle ne valait pas mieux qu'Évelina. Mais son amie avait probablement de bonnes raisons de se tenir éloignée de sa mère. « Sans aucun doute, on vivra un été familial toutes les trois!» pensa-t-elle en balayant sa rancœur à l'égard de son oncle et de sa tante.

* * *

Simone venait de terminer la lecture du court texte qu'elle avait rédigé à l'intention des finissantes, à la demande d'une des dames patronnesses. Ces dernières désiraient profiter du pique-nique pour féliciter les étudiantes de troisième année et leur souhaiter la meilleure des chances. L'année suivante, à pareille date, Flavie, Évelina et elle seraient des infirmières diplômées!

Sœur Désuète avait fait cette recommandation à ses étudian-tes avant de les laisser partir en vacances:

— Reposez-vous cet été, mesdemoiselles, parce que la dernière année d'études est la plus ardue de toutes.

Simone se souvenait vaguement que l'année précédente, sœur Désuète avait formulé une mise en garde similaire au sujet de la deuxième année d'études. Chaque année était pareille: la religieuse leur disait de s'attendre au pire. Confiante, Simone esquissa un sourire; jusque-là, elle avait bien réussi, et la troisième année ne lui faisait pas peur. Elle était prête à mettre le temps et les efforts nécessaires pour terminer avec succès son cours d'infirmière.

Après avoir recopié son texte destiné aux finissantes de troisième année, Simone se dirigea vers le bureau occupé par les dames patronnesses. Joséphine, la femme du docteur Jobin, s'y trouvait en compagnie de deux autres femmes. Elle remer-cia Simone pour le texte et lui confirma que les préparatifs allaient bon train pour le pique-nique. Il ne restait qu'à croiser les doigts pour que la température soit clémente. Madame

Jobin demanda à Simone si elle avait envie de lire elle-même le texte à l'intention des infirmières qui recevraient leur diplôme.

— Je ne sais pas trop... Je ne suis pas vraiment à l'aise pour parler devant une foule.

Parler devant une classe était une chose. Mais se retrouver devant ses pairs et devoir prononcer un discours n'enchantait guère la jeune femme.

— Dans ce cas, pourriez-vous me proposer quelqu'un?

— J'ai peut-être une idée. Donnez-moi quelques heures pour convaincre la personne en question.

* * *

— Es-tu folle, Simone? s'écria Évelina. Moi, parler devant une foule?

— Ce n'est pas grand-chose. Tu n'auras qu'à lire le texte que j'ai composé, c'est tout. Tu t'exprimes bien et tu sais charmer! Penses-y: ce sera un petit moment de gloire juste pour toi!

Simone avait décidé d'utiliser la ruse pour qu'Évelina accepte. Cette dernière réfléchit quelques secondes à la proposition de son amie. Puis, son visage s'illumina:

— Bon, d'accord. Dis aux dames patronnesses que je le lirai, ce fameux texte. Mais il y a une condition: Flavie et toi, vous viendrez magasiner avec moi pour qu'on s'achète chacune une robe pour le pique-nique. Il n'est pas question que je parle devant tout le monde avec une vieillerie sur le dos! Une petite séance de magasinage nous fera un bien fou à toutes les trois.

C'est ainsi que Simone et Flavie se retrouvèrent à essayer des robes d'été dans une cabine du magasin Ogilvy, sous l'œil expert d'Évelina.

— Ciel, Simone! On dirait que tu t'en vas à des funérailles. La robe fleurie de tout à l'heure te faisait beaucoup mieux. Flavie, celle-là est ma préférée. Avec des gants en dentelle, tu seras magnifique!

— Tu penses? demanda Flavie d'une voix incertaine en observant son reflet dans le miroir.

— Ben oui! Elle est parfaite cette robe. Maintenant, aide-moi à trouver quelque chose digne de madame la journaliste de *L'Antenne*.

— Tu sais, Évelina, ce n'est vraiment pas nécessaire que je m'achète une nouvelle robe, intervint Simone. Il y en a quelques-unes dans mon armoire qui peuvent faire l'affaire.

Faisant la sourde oreille, Évelina lui tendit une robe en taffetas rose cendré.

— Essaye celle-là!

Flavie, qui s'était changée, attendait près d'Évelina quand Simone sortit de la cabine d'essayage. Évelina applaudit.

— Enfin! On tient quelque chose. Ça te va vraiment bien cette couleur, Simone. On prend celle-là.

Simone secoua la tête. Elle n'était pas de taille à lutter contre Évelina en ce qui concernait la mode et les vêtements. Cette dernière insista pour payer les deux robes de ses amies.

— Je tiens à vous offrir un cadeau car, grâce à vous, j'ai réussi encore une fois mes examens. Sans vous deux, je ne suis pas certaine que je serais passée aussi facilement en troisième année.

— Tu as travaillé fort, Évelina. Le mérite de ton succès te revient.

— Je sais bien, mais ma tête de linotte ne réussit pas toujours à tout retenir. Heureusement que vous êtes là pour m'encourager.

Après avoir réglé les factures, Évelina proposa à ses amies de s'arrêter à la crèmerie pour savourer une glace avant de rentrer à l'hôpital. Pour profiter des chauds rayons du soleil, les trois amies s'installèrent sur un banc. Pendant qu'elles se délectaient de leur friandise glacée, une voix qu'elles reconnurent les tira de ce moment enchanteur.

— Ah ben! Si c'est pas les trois mousquetaires qui se bourrent la face de crème glacée? Tu as vu ça, Alma? J'aime mieux ne pas manger de ces affaires-là, moi; c'est engraissant sans bon sens. Vous n'avez pas peur d'arrondir votre tour de taille, les filles! Avez-vous planifié quelque chose pour vos vacances cet été?

Georgina et Alma s'étaient arrêtées à leur hauteur, les mains remplies de sacs et de cartons à chapeau. Évelina se leva et toisa Georgina.

— Ah ben! Si c'est pas la peut-être future madame docteur Couture! Tu as trouvé des vêtements qui te vont, Georgina, d'après ce que je peux voir? Ça me surprend! Pour nos vacances, on a décidé de s'occuper des autres, mes amies et moi. Tu devrais essayer ça, Georgina. Ça te changerait plutôt que de te regarder le nombril pendant tout l'été, comme d'habitude.

— Bah! Moi, le bénévolat, tu sais! Et puis, mes parents seraient beaucoup trop déçus si je ne les accompagnais pas au bord de la mer cet été.

— Bien contente de l'apprendre! Mais nous, nous aurons aussi des vacances du fait que tu t'en vas pour l'été. Pauvre Bastien! Comment supportera-t-il ton absence? Mais j'oubliais! Il se trouvera sûrement une consolation en t'attendant.

Georgina jeta un regard furieux à Évelina. Simone crut bon de se lever pour éviter que les deux jeunes femmes n'en viennent aux coups. Georgina avait le don de faire sortir Évelina de ses gonds. En se levant, Simone accrocha par mégarde le bras d'Évelina. Celle-ci laissa tomber son cornet de crème glacée, qui rebondit sur Georgina. Simone murmura un «Désolée!» pas très sincère en voyant l'air déconfit de Georgina, qui essuyait la crème glacée dégoulinante sur sa robe de coton. Alma essaya d'aider son amie. Mais cette dernière lui jeta un regard assassin avant de saisir avec rudesse les serviettes de papier qu'elle lui tendait.

— Si ce n'était de la maladresse de ta chère Simone, je pourrais jurer que tu l'as fait exprès, Évelina! Une robe de cette qualité! Elle est bonne pour la poubelle maintenant!

— Rassure-toi, Georgina. Je connais un excellent Chinois qui se fera un plaisir de s'en occuper.

Évelina lui tendit quelques billets. Elle regarda ensuite sa consœur s'éloigner d'un pas furieux. Se retenant d'éclater de rire, Évelina dit simplement:

— Bien fait pour elle! Maudite fatigante! Madame n'ose pas manger «ça» par peur d'engraisser. Eh bien, sa robe y aura goûté pour elle!

* * *

Simone se rendit en pédiatrie pour raconter une dernière histoire aux jeunes patients avant de partir. Elle se retrouva dans le même ascenseur que Clément et quelques autres personnes. Quand Simone et Clément, mal à l'aise, se retrouvèrent seuls dans la cabine, ce dernier confessa son embarras.

— Je suis désolé de mon triste état de l'autre soir. J'avais bu plus que de raison. Je suis vraiment affligé que Paul ait dû me raccompagner et vous laisser revenir seules, Évelina et toi. J'espère que vous ne m'en tiendrez pas rigueur.

— C'est déjà oublié, Clément. Ça arrive à tout le monde de ne pas être à son meilleur.

— Effectivement, je n'étais pas à mon avantage ce soir-là. Ma rupture avec Flavie m'affecte beaucoup. J'espère sincèrement qu'elle reviendra sur sa décision. J'ai été négligent à son endroit. J'ai agi comme un parfait imbécile !

Simone trouvait que le médecin se jugeait sévèrement, mais elle ne commenta pas. Clément voulut poursuivre la conversation, mais l'ascenseur s'était arrêté et Simone en descendit. Le médecin sortit de la cabine avant que la porte ne se referme et suivit Simone.

— Je veux juste que tu dises à Flavie de reconsidérer la situation. Je vais essayer de faire ma place le plus rapidement possible dans l'hôpital.

— Je vais lui transmettre le message, Clément, mais je ne peux rien te promettre. Bonne journée !

Simone savait fort bien que la patience de Flavie était épuisée depuis longtemps. Au poste de garde du service de pédiatrie, elle prit un des livres d'histoires qu'elle avait laissés là pour les autres infirmières et se dirigea vers la petite pièce qui faisait office de salle de jeux. Quelques enfants s'y trouvaient déjà. Simone fit le tour des chambres pour annoncer aux autres patients qu'elle commencerait bientôt à raconter l'histoire des *Trois ours*. Puis, elle s'installa à terre, entourée de ses petits protégés, et commença la narration du conte.

Wlodek passa rapidement devant la pièce Il revint sur ses pas et s'installa dans un coin de la salle, car il voulait lui aussi écouter l'histoire. Même si elle se sentait observée par le médecin, Simone continua sa lecture. Quand elle termina sa tâche, la jeune femme souhaita un bon été aux enfants et, surtout, de rentrer bientôt chez eux. Elle essaierait de venir les saluer avant son départ.

Quand Simone quitta la salle, Wlodek la suivit.

— Vous partez tout l'été, Simone ? J'espère que ce n'est pas pour une raison grave.

— Ma tante est malade et elle requiert mes soins, Wlodek. Je serai de retour pour le début des cours. Il me reste un an à compléter et je compte bien finir mes études.

— Me voilà rassuré. J'avais peur que vous ne reveniez pas. Vous auriez beaucoup manqué aux enfants. J'espère que tout se passera bien pour votre tante.

Wlodek repartit aussitôt. Simone savait qu'elle l'avait blessé en ne partageant pas ses sentiments. Mais elle avait seulement voulu être honnête, afin de lui éviter de nourrir de faux espoirs. Décidément, les relations hommes-femmes étaient d'une complexité inouïe !

* * *

Des banderoles avaient été accrochées aux arbres au-dessus de la petite scène érigée pour la remise des diplômes. La cérémonie serait un peu moins formelle que les années précédentes, mais malgré tout, l'excitation était à son comble. Le pique-nique avait pris des proportions gigantesques : plusieurs médecins y assistaient en compagnie de leurs épouses, et des infirmières ayant réussi à obtenir un congé étaient aussi venues. Simone plaignait les pauvres patients aux prises avec les infirmières qui n'avaient pu quitter leur poste ; elles devaient être d'une humeur massacrante ! Les activités organisées par les dames patronnesses étaient habituellement très prisées par les étudiantes, et ce pique-nique avait tout de l'événement mondain de l'année !

Le temps était magnifique pour parader avec les nouvelles robes d'été en vogue. Simone avait observé Évelina pendant que celle-ci se préparait ; on aurait cru que son amie s'apprêtait à se rendre au bal. Aucun détail n'avait été négligé : cheveux, ongles, rouge à lèvres, ombre à paupières et parfum capiteux. Évelina était d'une élégance à couper le souffle ; elle ferait tourner bien des têtes cet après-midi-là. Pour sa part, Simone s'était contentée d'appliquer un peu de rouge sur ses lèvres et de friser ses mèches rebelles. Flavie n'était pas en reste non plus. La robe qu'Évelina l'avait aidée à choisir lui allait à merveille. Simone soupçonnait que Léo Gazaille couvrirait l'événement pour *La Patrie*. Flavie savait sûrement qu'il y serait.

Simone se servit un verre de limonade en pensant à Charlotte qui avait décliné l'invitation.

— Ma congrégation n'approuve pas ce genre de fêtes. De toute façon, je n'ai jamais beaucoup aimé les activités mondaines. Et puis, le personnel est restreint à l'hôpital ;

tout le monde veut être de la fête. Je préfère m'occuper des patients. Amusez-vous pour moi!

Sœur Désuète avait averti ses étudiantes lorsqu'elle avait eu vent du pique-nique qui se préparait.

— À mon avis, les dames patronnesses exagèrent. Il aurait mieux valu qu'elles s'en tiennent à une remise de diplômes traditionnelle. J'espère bien que vous toutes qui êtes dans mon groupe saurez vous tenir lors de cet événement de débauche!

Quand Simone avait entendu Évelina marmonner «Événement de débauche! Un pique-nique!», elle avait dû se mordre les joues pour s'empêcher d'éclater de rire.

Simone observait ses consœurs discuter en petits groupes disséminés un peu partout dans le parc, en attendant la remise officielle des diplômes. Une dame patronnesse invita l'assistance à se rapprocher de la scène, car la cérémonie commencerait quelques minutes plus tard. Simone vit Évelina se diriger vers elle tout en se recoiffant du bout des doigts et en vérifiant son rouge à lèvres dans son petit miroir.

— Je suis nerveuse sans bon sens! J'ai l'impression que je vais bafouiller. Cette idée aussi que j'ai eue d'accepter de lire ton texte!

— Rappelle-toi que tu as eu droit à une séance de magasinage pour cela! Allez, Évelina! Tout ira bien et tu seras magnifique. Courage!

Flavie vint rejoindre ses deux amies. Elle souhaita bonne chance à Évelina. La dame patronnesse invita cette dernière à monter sur l'estrade afin de prononcer son allocution. Évelina partit d'un pas hésitant et faillit trébucher en arrivant devant la scène. Jetant un dernier regard en direction de ses amies, elle prit une profonde inspiration et monta les quelques marches d'un pas confiant.

Après quelques phrases, Évelina gagna en assurance; elle s'exprima avec une aisance qui surprit Simone et Flavie. Lorsqu'elle termina, Évelina quitta la scène sous les applaudissements. La directrice de l'école d'infirmières, sœur Marleau, et l'hospitalière en chef, sœur Larivière, lui succédèrent pour procéder à la remise des diplômes.

Simone songea avec satisfaction que, l'année suivante à pareille date, ses amies et elle recevraient leur diplôme.

* * *

Pendue au bras de Bastien, Georgina paradait avec son nouveau chapeau. Simone observa le couple à la dérobée. Elle eut du mal à croire qu'elle avait déjà été amoureuse de cet homme. Elle avait l'impression d'avoir vécu une vie parallèle en le voyant se pavaner avec Georgina. Quand Bastien croisa son regard, Simone détourna le sien. Elle vit un peu plus loin Flavie qui marchait en compagnie de Léo. Simone avait deviné juste quant à la présence du journaliste. Son amie semblait prendre beaucoup de plaisir à discuter avec ce dernier. Simone espérait que Clément était de garde à l'hôpital. Voir Flavie en aussi bonne compagnie lui assènerait le coup de grâce. Cherchant du regard le médecin, elle remarqua que Paul venait dans sa direction.

— J'ai pris une pause, annonça le médecin en souriant. J'avais envie de voir à quoi ressemblait ce fameux pique-nique. Quelle merveilleuse idée que d'organiser la cérémonie à l'extérieur!

Il prit une profonde inspiration avant d'ajouter:

— Ça fait un bien fou de sortir de l'hôpital pour une fois.

Paul aperçut alors Flavie qui discutait avec Léo un peu plus loin. Pointant le couple du menton, il reprit :

— Une chance que Clément est en salle d'opération. Il n'aurait pas supporté de voir Flavie avec quelqu'un d'autre. Il a beaucoup de mal à se remettre de leur rupture.

La jeune femme se demandait si Paul avait été témoin d'une autre beuverie de Clément. Lors de la soirée avec Wlodek, il faisait peine à voir. Paul proposa à Simone d'aller lui chercher un verre de limonade.

— Merci, c'est gentil. Je vais aller m'asseoir à l'ombre ; le soleil tape fort.

— Parfait ! Je reviens dans une minute.

Simone se dirigea près d'un gros arbre à l'écart de la foule. S'adossant contre l'arbre, elle attendit le retour de Paul.

— J'ai entendu dire que tu partais pour Saint-Calixte. Je ne pensais pas que tu abandonnerais aussi facilement tes études d'infirmière.

Quand la jeune femme se retourna, elle se retrouva face à Bastien.

— Georgina t'a mal informé. Rassure-toi, Bastien : je serai de retour à la fin de l'été. Vous ne vous débarrasserez pas de moi aussi rapidement !

Simone eut la tentation de l'abandonner là, mais elle résolut finalement de n'en rien faire. Elle ne voulait pas lui donner la satisfaction de la voir partir. Bastien se rapprocha.

— Tant mieux si tu restes, car tu es une des meilleures de ta promotion. J'ai beaucoup pensé à toi au cours des dernières semaines. Je pense qu'il serait temps de faire la paix tous les deux, tu ne crois pas ?

— Faire la paix ? Je ne considère pas que nous soyons en guerre, Bastien. Tu sais, quand l'ennemi nous indiffère...

Le médecin recula.

— Georgina doit sûrement te chercher, non ? ajouta Simone. Vous allez tellement bien ensemble tous les deux. Je vous souhaite beaucoup de bonheur.

Voyant Paul qui revenait avec les deux verres de limonade, elle lança rapidement :

— Tu sais, Bastien, j'ai réussi à t'oublier rapidement. Qui veut d'un égoïste de ton espèce dans son entourage ? Bon été !

Simone le planta là et alla rejoindre Paul d'un pas léger. Bastien la suivit du regard. En chemin, Simone croisa Georgina.

— Ton fiancé est par là-bas, Georgina. Si j'étais toi, je le surveillerais de près. On dirait qu'il est à la recherche d'une nouvelle conquête.

Georgina chercha du regard Bastien. Dès qu'elle l'aperçut, elle se dirigea rapidement vers lui.

— Je ne sais pas ce que tu as dit à Georgina, mais elle semble de mauvaise humeur, commenta Paul.

— Bah ! Rien qu'elle ne savait pas déjà ! Merci pour la limonade.

— Tu as quitté ton petit coin à l'ombre ?

— J'y ai été forcée...

— Si on allait s'asseoir par là-bas ?

Paul l'invita à le suivre vers un banc un peu plus loin. Simone lui emboîta le pas. Après s'être assise, la jeune femme prit une gorgée de limonade.

— J'ai appris que tu passeras l'été à Saint-Calixte.

— Oui. Je vais m'occuper de ma tante qui est gravement malade.

— Tu comptes revenir ?

— C'est certain. Il me reste encore un an d'études avant d'avoir mon diplôme.

— Je suis soulagé. J'avais peur que tu retournes là-bas avec l'intention d'y rester. Tu m'aurais beaucoup manqué...

Simone se contenta de boire une autre gorgée. Paul lui prit la main.

— Je continue à penser que nous serions bien ensemble tous les deux, même si je garde mes distances. Peut-être que le fait de t'éloigner de l'hôpital te fera réaliser que tu serais heureuse à mes côtés ?

Pour une fois, Simone ne tenta pas de le décourager.

— C'est quelque chose que je considère de plus en plus, Paul, dit-elle simplement.

— Hein ? Tu me dis que j'ai peut-être une chance ?

— Quelque chose comme ça.

— Dans ce cas, l'été va être long en cibole !

Simone sourit en entendant blasphémer Paul, car ce dernier se montrait habituellement réservé et poli. Le médecin enchaîna :

— Est-ce que je peux t'écrire cet été ?

— Ça me ferait plaisir de répondre à tes lettres.

Paul termina son verre de limonade, qu'il déposa dans l'herbe à côté de lui. Il se pencha ensuite vers Simone pour l'embrasser. Lui rendant son baiser, la jeune femme eut du mal à cacher sa joie. Les joues en feu, les papillons dans le ventre, elle s'abandonna à l'étreinte. Puis, Paul se leva.

— Je vais devoir y aller. Ma pause est terminée et plusieurs patients me réclament sans doute. Tu fais de moi l'homme le plus heureux de la terre, Simone !

Celle-ci le suivit du regard. Fermant les yeux, elle savoura l'onde de bonheur qui embrasait tout son être. Elle était la femme la plus heureuse du monde !

* * *

Flavie, Évelina et Simone s'attardèrent dans le parc bien après la fin du pique-nique. Simone voulait profiter des derniers rayons de soleil et de chaque minute avec ses amies. Elle aurait le temps plus tard de terminer ses bagages ; le train partait seulement le lendemain matin.

L'air taquin, Simone déclara à Flavie :

— Tu étais en bonne compagnie tout à l'heure, Flavie ! Je comprends pourquoi tu t'es recoiffée trois fois plutôt qu'une !

— Je ne savais même pas que Léo viendrait couvrir l'événement.

— Me semble, oui! s'écria Évelina. Tu deviens aussi ratoureuse que moi, Flavie Prévost!

— Ben voyons donc! Pas moi!

Flavie poussa Évelina du coude. Puis, elle déclara sur un ton moqueur:

— J'ai vu que tu étais en grande conversation avec le beau docteur Jobin. Mais ton cas est bien pire que le mien, car sa femme n'était pas loin.

— Il ne m'a rien dit qui aurait pu nous mettre dans l'embarras. Il m'a seulement demandé si je passais l'été ici.

— Comme s'il ne le savait pas déjà! intervint Simone. Mais ce n'était pas fini entre vous deux?

— Bah! Plus ou moins. Il aimerait vraiment qu'on se voie de nouveau. Comme je suis libre, je verrai.

— Il ne faut juste pas que tu oublies que lui ne l'est pas...

— Pff! Voyez qui parle! On t'a aussi vue en agréable compagnie, madame la maîtresse d'école. Me semblait que Paul et toi étiez juste des amis? En tout cas, moi, j'en prendrais des dizaines d'amis comme lui!

Simone sentit ses joues s'empourprer. Elle croyait pourtant que Paul et elle avaient été discrets; manifestement, leur échange n'était pas passé inaperçu. Évelina poussa un soupir et s'étendit dans l'herbe.

— Je fais mon cours d'infirmière pour me trouver un mari et, de nous trois, c'est moi qui finirai vieille fille!

— «Ça va v'nir, puis ça va v'nir, mais décourageons-nous pas...»

Flavie se joignit à Simone pour fredonner la chanson de La Bolduc. Évelina éclata de rire.

— Une chance que je vous ai vous deux pour m'encourager. J'espère que les nouveaux internes de l'automne seront intéressants parce que je n'ai vraiment pas envie de fêter la Sainte-Catherine !

* * *

Simone remercia Arthur qui venait d'aller déposer sa malle dans le train. La jeune femme se tenait sur le quai, attendant l'embarquement à bord du train pour Saint-Calixte. Lorsqu'il avait appris son départ pour l'été, Victor avait insisté pour qu'Arthur la reconduise à la gare. Flavie et Évelina avaient accompagné Simone pour lui dire au revoir. Celle-ci avait toujours détesté les adieux ; ce matin-là ne faisait pas exception.

— J'aurais très bien pu venir seule. Nous nous serions saluées à l'hôpital, ce qui nous aurait évité des larmes inutiles.

Simone s'était adressée à Flavie. Cette dernière tentait de camoufler ses larmes en s'essuyant discrètement les yeux avec son mouchoir.

— Arrête donc de faire l'indépendante, Simone, déclara Évelina. Ça nous fait plaisir de t'accompagner. Et puis, on veut s'assurer que tu pars, question de s'amuser un peu cet été sans se faire surveiller par notre maîtresse d'école préférée.

Évelina lui tira la langue pour montrer qu'elle plaisantait.

— En vérité, Simone, tu vas nous manquer, tu sais ! ajouta-t-elle sur un ton plus sérieux. On est un trio d'enfer, toutes les trois, et là il va nous manquer quelqu'un. Promets-nous de revenir dès que tu le peux.

— Sans faute, Évelina! De toute façon, qu'est-ce que vous feriez sans moi, Flavie et toi? Et puis, je le veux, moi, ce diplôme d'infirmière!

— Et tu veux aussi revoir le beau Paul!

— Évidemment...

Le chef de gare invita tous les passagers à monter à bord du train. Flavie embrassa Simone en retenant un sanglot. Cette dernière lui souffla de ne pas s'en faire. «Je vais revenir, Flavie!» Évelina observa son amie quelques secondes avant de l'enlacer.

— Tu vas me manquer, Simone. Reviens-nous vite!

Simone rendit son étreinte à Évelina et l'embrassa sur les joues avant de monter dans le train. Elle aurait pu jurer avoir vu briller une larme dans les yeux d'Évelina. Elle espérait que l'été passerait très rapidement; elle rêvait déjà de son retour, et surtout de revoir Paul. Flavie et Évelina lui manqueraient cet été, bien sûr, mais le jeune médecin aussi. Elle ne voulait pas trop s'attacher à lui, mais elle croyait qu'elle avait peut-être un avenir avec Paul. Simone avait envie de lui laisser une chance. Delvina, la grand-mère de Flavie, approuverait son choix. Et si elle lui tirait les cartes une autre fois, Paul serait certainement représenté par le valet de cœur; un homme digne de confiance avec lequel bâtir un avenir solide. Simone s'installa près de la fenêtre du wagon. Elle salua de la main ses deux amies avant que le train s'ébranle. «À nous deux, Saint-Calixte!» pensa-t-elle lorsque le train quitta la gare.

Remerciements

Un merci spécial à Vicky C. pour son travail de moine lors de la lecture et de la correction de mon brouillon des *Infirmières*. Je ne suis pas certaine que je serais toujours cohérente sans tes interventions!

Merci à l'équipe des Éditeurs réunis pour tout le travail d'édition, de promotion et pour votre confiance!

Merci aux lecteurs qui choisissez de faire connaissance avec mes personnages et de les suivre dans leur différentes péripéties. Vous permettez aux personnages qui jaillissent de mon esprit de véritablement prendre vie!

Mes derniers remerciements vont à ma famille et à mes amis qui me soutiennent inconditionnellement lors du processus d'écriture et de la publication de mes romans. Que ce soit pour me faire de la publicité gratuite, en parlant de mes romans, en replaçant mes livres dans les librairies pour qu'ils soient bien en vue, en m'encourageant à poursuivre mes rêves et surtout... merci d'être toujours là!